Hermann Brünjes

Der Abstecher

Indienroman

Gewidmet meinen lieben
Freundinnen und Freunden in Indien.
Ihr habt mir über Jahre den Stoff geliefert,
aus dem Abenteuer, Herausforderungen
und Spannung entstehen -
aber auch Träume, Faszination, Glaube und Liebe.

Danke.

2. Auflage Oktober 2011
Kontakt: Hermann Brünjes, Küsterweg 2,
29582 Hanstedt
E Mail: HBruenjes@t-online.de
Druck: Glückstädter Werkstätten, Itzehoe
Layout: H. Brünjes
Foto: D. Pintatis

Der Abstecher

»Eindeutig eine Stichverletzung!«

Der Mediziner schob das Laken zurück und zeigte auf einen breiten Einschnitt unterhalb des Herzens. »Hier hat jemand mit voller Wucht zugestoßen. Es muss ein starker Mann gewesen sein, mit einem schweren, langen Messer.«

Chidambaram beugte sich über den unbekleideten Leichnam des dürren, alten Mannes.

»Woher weißt du, dass die Waffe lang gewesen sein muss?«

Der Arzt packte den Toten an einem Arm und drehte ihn mit geübtem Griff auf die Seite. Der Rücken wurde sichtbar. Dort gab es einen ähnlichen, rotgeränderten Schnitt, nur etwas schmaler.

»Deshalb!«, sagte er und ließ den Körper wieder in Rückenlage gleiten. Er ging zum Nachbartisch.

Dort lag ein zweiter Leichnam. Als er das Laken gen Fußende geschoben hatte, sagte der Arzt:

»Dieser hier ist erschossen worden. Warten Sie bitte!«

Er ging an einen hüfthohen Schrank, der an einer Wand unter schmalen Fenstern stand, die den sonst fast kahlen Raum in ein fahles Licht tauchten. Chidambaram bemerkte, dass auf dem Schrank neben Schalen, medizinischen Instrumenten und einigen dicken Büchern auch eine Flasche stand, die einer Whiskyflasche auffallend ähnlich war. Sie bemühen sich nicht einmal, den Alkohol zu verstecken, dachte er. Doch er sagte nichts. Der Arzt sah in seinem schmuddeligen Kittel zwar nicht gerade sauber und hygienisch steril aus, hatte aber weder eine Fahne noch benahm er sich irgendwie alkoholisiert. Im Gegenteil, er machte durchaus einen fachlich kompetenten Eindruck.

»Diese beiden Projektile habe ich ihm aus der Brust gezogen«, sagte der Mediziner.

Er nahm eine der beiden Kugeln mit der Pinzette aus der Schale und zeigte sie dem Inspektor.

»Kaliber 5, 45 mm«, bemerkte dieser nachdenklich. »Die typische Munition einer AK 47, der Kalaschnikow.«

»Eine Kugel hat das Rückenmark zertrümmert, die andere ist in die Lunge eingedrungen. Ich schätze, ihr Kollege war sofort tot.«

»Und der andere Tote?«

»Der könnte noch einige Stunden gelebt haben, hat jedoch viel Blut verloren und konnte sich deshalb nicht mehr rühren.«

Es klang brutal. Es war brutal, dachte Chidambaram.

Als er wieder im vor der Klinik abgestellten Polizeijeep saß, griff er zu seinem Diktiergerät, das ihm Kollegen anlässlich seiner Ernennung zum Polizeichef von Ashwaropeta geschenkt hatten.

»3. Januar, 10.30 Uhr. Ergebnis einer ersten ärztlichen Untersuchung in der Klinik Ashwaropeta: Inspektor Satyam Rao wurde von zwei 5, 45 mm Projektilen in Lunge und Rückenmark getroffen. Er war nach Aussage des Polizeiarztes sofort tot. Sowohl die Zeugenaussagen der gestern am späten Abend des 2. Januars in die Schießerei verwickelten Polizisten als auch die benutzte Munition legen nahe, dass es sich um einen Terroranschlag der Naxaliten handelt.«

Er machte eine Pause. Ein Ochsenkarren, beladen mit Reisstroh, zockelte vorbei. Der Junge hinter den Zeburindern schien im Stroh zu schlafen, statt das Gefährt zu lenken. »Die Ochsen kennen ihren Weg“, dachte Chidambaram, »wir Menschen haben damit oft größere Probleme.“ Er diktierte weiter:

»Der Wachmann der Indira-Sagar-Siedlung dagegen wurde erstochen. Die dazu benutzte Klinge muss so lang gewesen sein, dass sie am Rücken wieder austreten konnte, also mindestens fünfundzwanzig Zentimeter. Auf Grund der Wunde schätzen wir die Breite der Tatwaffe auf drei Zentimeter. Der Täter muss stark gewesen sein. Der Stich wurde von oben nach unten ausgeführt. Folglich saß der Wachmann, als er angegriffen wurde, oder der Täter war wesentlich größer als sein 168 cm großes Opfer. Der Zeitpunkt seines Todes stimmt mit dem der Sprengung des Gebäudes in Gullavai überein. Der Mann wurde gestern Nacht gegen 2.00 Uhr, also nur wenige Stunden nach dem Überfall in Kukunuru, erstochen.«

Er sah aus dem Fenster und dachte über seine nächsten Schritte nach. Wenn er zurück in seinem Büro war, würde er die Zeugenaussagen noch einmal durchgehen. Die unterschiedlichen Todesursachen legten nahe, dass es sich um verschiedene Täter handelte. Oder auch nicht. Einziges Verbindungsglied der Morde war, dass sie fast zeitgleich geschahen und drei übereinstimmende Hinweise von Zeugen. Einer kam von Polizisten der überfallenen Polizeistation, einer von zwei Jugendlichen, die in der Nähe des zerbombten Gebäudes lebten und einer von Teilnehmern einer Demonstration gegen den Polavaram-Staudamm. Sie alle hatten einen grauen Jeep gesehen. In den ersten zwei Fällen sprachen die Zeugen von zwei weißen Männern, die mit diesem Jeep unterwegs gewesen waren. Wie diese ausgesehen hatten, konnte niemand genau beschreiben. Wie Weiße eben aussahen. Einer soll sehr stämmig gewesen sein, der andere normal. Der Inspektor wischte sich den Schweiß von der Stirn.

»Delikat, äußerst schwierig«, dachte er. »Wenn Weiße auftauchten, war besondere Sorgfalt bei den Ermittlungen angesagt.«

26. Dezember: Fremde in der Nacht

»Da ist er wieder!«

Plötzlich stieß Tobias seinen Freund derbe in die Seite. Aufgeregt zeigte er auf eine der unzähligen schwarzgelben Motorrikschas, die sie bei stockendem Verkehr gerade überholt hatte.

»Hey, ich glaube, er verfolgt uns!«

Er hatte das Gesicht des Mannes zwar nur für einen kurzen Augenblick von der Seite gesehen, trotzdem war Tobias überzeugt, dass es jener Inder war, den sie in Dubai getroffen hatten. »Ich glaube, das war eben dieser Krishna aus Bristol!«

»Unmöglich!«

Max sah jetzt nur noch einen dunklen Haarschopf hinter der Plastikscheibe der Kabine. Er rieb sich die Stelle seiner stattlichen Hüfte, in die sein jüngerer Freund gerade geboxt hatte.

»Zwischen viereinhalb Millionen Einwohnern willst du ausgerechnet diesen Krishna wiedergesehen haben? Es gibt hier Tausende solcher Rikschas – und da soll in dieser dort vor uns der Typ vom Fluss sitzen?«

»Du hast Recht«, murmelte Tobias, wenn auch nicht ganz überzeugt.

»Die sehen ja auch irgendwie alle gleich aus.«

Allerdings, auch wenn sein Verstand und sein bester Freund Max es ihm ausreden wollten, ein merkwürdiges Gefühl blieb. Er hatte bereits im Flughafen den Eindruck gehabt, von diesem Mann ständig beobachtet zu werden. Tobias nahm sich deshalb vor, wachsam zu bleiben. Irgendetwas war mit diesem Krishna nicht in Ordnung, das spürte er.

Gestern hatten sie endlich ihren lang ersehnten Traumurlaub angetreten, sozusagen als besonderes Weihnachtsgeschenk. Viele Freunde hatten dringend abgeraten, gerade jetzt nach Indien zu reisen. Die furchtbaren Bombenattentate von Bombay hatten gezeigt, dass nun auch Indien im Fadenkreuz islamischer Terroristen lag. Man war dort offenbar nur knapp an einem Krieg zwischen zwei Atommächten vorbeigeschrammt. Und man wusste nie, wozu Völker in jener Region der Welt fähig waren, wenn Politiker erst die Kontrolle über fanatische Massen verloren. Doch sie hatten die Warnungen als Panikmache abgetan. Sie hatten ihre Sachen gepackt und wie Kinder auf den Weihnachtsmann auf den Tag ihrer Abreise gewartet. Und nun waren sie mit einem uralten Taxi auf dem Weg in ihr erstes indisches Quartier.

Für Tobias Grunert war es die erste Reise, die ihn außerhalb von Europa führte. Der schlanke, jetzt achtundzwanzig Jahre alte Steuerberater war zwar mit seinen Eltern in den typischen Urlaubsländern am Mittelmeer gewesen, niemals jedoch in einem wirklich anderen Kulturkreis. Entsprechend aufgeregt war er vor dem Abflug. Genau genommen konnte er trotz gründlicher Vorbereitungen auf Indien bereits seit dem zweiten Adventssonntag nicht mehr schlafen. Damals hatte er im Spätprogramm die Wiederholung einer Indien-Reportage von Klaus Kleber gesehen: Indien unaufhaltsam. Wie ein kleiner Junge freute er sich seitdem auf Weihnachten.

Anders Max Hoyer. Um seinen Schlaf brachte ihn selten etwas. Reisefieber schon gar nicht. Als Informatiker hatte er bereits dienstlich in Amerika zu tun gehabt, genauer in New York und Washington. Dort hatte er Filialen einer deutschen Bank mit neuer Software beglückt. Doch auch Maximilian, wie er mit vollem Namen hieß, war niemals zuvor in Asien gewesen. Er war mit knapp über dreißig älter als sein Freund. Wegen seiner kräftigen Statur hatte er Platzprobleme auf dem schmalen Sitz der Touristenklasse. Ihn allerdings als ‚dick' zu bezeichnen, täte ihm Unrecht.

Als sie die Boeing 777 der Emirates Airlines in Dubai

verlassen hatten, brauchte deshalb vor allem Max erst einmal einige Minuten, bis seine Knochen wieder im Lot waren.

»Das nächste mal entweder einen Platz am Ausgang oder einen in der Business Klasse, wie ich es sonst gewohnt bin!« hatte er vor sich hin gegrummelt.

»Kannst ja mal bei Microsoft anfragen, ob sie dir einen Sitz sponsern. Vielleicht zahlen sie dir sogar noch den Urlaub! So einen spritzigen Softwaremann wie dich wollen die sich doch sicher warm halten.«

»Von wegen. Die stellen eher einen Inder ein. Der ist billiger.«

Das Gespräch war unterbrochen worden. Sie hatten den Sicherheitscheck für ankommende Fluggäste erreicht.

»Wieso überprüfen die uns noch einmal? Sieh' mal, sogar die Gürtel sollen wir rausziehen und die Schuhe durchleuchten lassen. Tobi, das können die uns doch nicht antun!«

Max verzog das Gesicht. Sich bücken, das war nichts für ihn. Tobias reagierte nicht. Er hatte seine Schuhe bereits in der Hand, legte sie zusammen mit dem Gürtel und seiner Jacke in die Plastikkiste und stellte seinen kleinen Rucksack auf das Band. Max folgte ihm und schimpfte dabei vor sich hin.

Dann waren sie in Dubai, besser gesagt im Flughafen, im nagelneuen Terminal drei.

»Wow!«

Selbst Max konnte sich ein Staunen nicht verkneifen.

»Was dazu wohl unser nichtreligiöser Sinnsucher sagen wird?«

Er meinte damit einen Sitznachbarn aus dem Flugzeug. Der sehr kleine Mann hatte eine Kappe wie ein Moslem getragen, behauptete jedoch, er würde nach Indien reisen und dort einen heiligen Berg besuchen. Er wäre schon öfter dort gewesen. Als Tobias wissen wollte, ob er Hindu sei, hatte sich der Pilger jedoch distanziert und gemeint, es sei besser, sich keiner Religion zu verschreiben, sondern einfach an die Liebe und das Göttliche zu glauben und einfach und schlicht leben. So würden auch keinerlei Barrieren zwischen Menschen aufgebaut.

»Ich vermute, der kriegt hier gleich einen Kultur- und Konsumschock!« antwortete Tobias und sah sich nach dem kleinen Mann um.

Sie erkundeten den Terminal. Welch eine Pracht! Überall zollfreier Einkauf. Technik vom Feinsten, Kleidung, Lederwaren, Schmuck - selbst alkoholische Getränke und Zigaretten hatte das moslemische Emirat zu bieten. Der Reichtum glitzerte und strahlte aus jedem Winkel des prächtigen Terminals.

»Schau mal!«

Max hatte schon bei Verlassen des Flugzeugs auf ein Schild von Thyssen Krupp hingewiesen.

»Nicht nur die Gangways sind aus Deutschland, auch die bei den Ölscheichs beliebtesten Autos.«

Ein Mercedes und ein BMW der Oberklasse waren ausgestellt. Für Lose im Wert von je 100 Dollar könnte man sie mit guten Chancen gewinnen.

»Als ob die mit ihrem Öl nicht schon genug verdienen, nun müssen sie auch noch die Touristen ausnehmen.«

Tobias fand so manches ungerecht, was die Verteilung von Geld anging. Als Finanzbeamter hatte er inzwischen manch Einblick bekommen, der ihm gar nicht gefiel.

Als sie die letzte Stunde der Wartezeit bei einem Cappuccino in einem Restaurant gesessen hatten, hatte Max in Richtung Theke genickt. Dort saß ein großer Mann mit Brille und sprach mit der Bedienung, einer wirklich hübschen Asiatin.

»Unser Sextourist ist schon wieder im Geschäft.«

Tobias erkannte ihn sofort. Es war jener Single vom Gangplatz gegenüber. Sie waren nicht nur mit dem Sinn-

Sinnsucher, sondern auch mit diesem Bangkok-Reisenden ins Gespräch gekommen. Er hatte erzählt, dass er geschäftlich nach China müsse, zunächst jedoch einen Stop in Bangkok mache. Dort habe er, der Single, eine feste Freundin. Wie der Sinnsucher stolz das Foto seines geliebten heiligen Berges auf dem Handy präsentierte, so dieser Mann seine hübsche asiatische Freundin.

»Wirklich aufregend, so eine Reise! Wer weiß, was wir noch alles erleben! Vielleicht findest du ja auch mal jemanden und bringst dann ein nettes Foto mit nach Hause.«

Tobias spielte damit auf ein Thema an, von dem er wusste, dass Max darüber nicht gerne sprach. Während er, Tobias, in festen Händen war, konnte Max irgendwie niemanden finden. Dabei war er doch richtig nett, klug und hatte einen guten Job. Und zu fett war er nun auch nicht.

»Aber keine Asiatin!« entgegnete Max.

»Wer weiß, vielleicht aber ´ne hübsche Inderin.«

Ohne Zweifel, es könnte eine spannende Reise werden.

Und dann hatten sie ihn das erste Mal getroffen.

»Entschuldigen Sie«, hatte er in bestem Englisch höflich gefragt, »ist dieser Stuhl noch frei?«

Sie hatten genickt und er sich gesetzt. Wie genau sie ins Gespräch gekommen waren, wußten sie später nicht mehr. Jedenfalls stellte sich heraus, dass der Mann ebenfalls nach Chennai fliegen würde.

»Ich heiße Rama Krishna Rao«, hatte er sich vorgestellt.

Er war schlicht und unauffällig gekleidet und sah irgendwie aus wie alle Inder, jedenfalls mit europäischen Augen betrachtet: Nicht besonders groß, eher schlank als stämmig, mit hellem Hemd und dunkler Hose gekleidet, mit einem Schnurrbart unter der breiten Nase und einem goldenen Ring am Finger. Er war nett. Also unterhielten sie sich mit ihm. Er schien aufrichtiges Interesse an ihnen zu haben. Also erzählten sie, was sie so machten, woher sie kamen, was sie in Indien vorhatten und dass sie noch niemals dort waren. Er hatte sehr aufmerksam zugehört und immer wieder Fragen gestellt.

Irgendwann war Tobias dann aufgefallen, dass nur sie von sich erzählt hatten, jedoch noch nichts von ihrem Gegenüber wussten.

»Und Sie?« hatte er deshalb gefragt. »Erzählen Sie doch auch ein wenig von sich.«

Krishna Rao hatte sich zwar darauf eingelassen, gab allerdings nur sehr allgemeine Dinge preis. Er kam tatsächlich aus England. Er lebe in Bristol, erzählte er und unterrichte Geografie an der Universität. Er war von London nach Dubai geflogen und wollte nun in seine Heimat, um anlässlich des Pongal-Festes Verwandte zu besuchen. Er käme aus der schönsten Gegend Indiens! Als er das sagte, strahlte er dermaßen, dass Tobias und Max es ihm sofort glaubten und neugierig wurden, wo wohl diese Gegend sein könnte.

»Woher kommen Sie denn genau?«

»Aus dem Bundesstaat Andhra Pradesh. Der Staat liegt nördlich von Tamil Nadu. Aber ihr habt ja unsere Hauptstadt Hyderabad auf eurem Programm und wisst das. Der Staat ist, abgesehen von seiner Küste und der Hauptstadt, nicht so aufregend. Aber dort gibt es einen großartigen Fluss. Und der fließt durch die schönste Gegend Indiens.«

Dieser Inder hatte es vermocht, die beiden Deutschen neugierig zu machen. Man sah ihnen an, dass sie alles über Indien erfahren wollten, was in drei Wochen möglich war.

»Godavari heißt er. Übersetzt bedeutet das ‚göttlicher Fluss'. Die Godavari ist mit ihren mehr als 1.400 Kilometern einer der längsten Ströme Indiens. Sie fließt über weite Strecken durch Landschaften, die wie überall in Zentralindien von Landwirtschaft oder Brachland geprägt sind. Das ist also nicht besonders aufregend. Doch

200 Kilometer, bevor sie den Golf von Bengalen erreicht, durchquert sie ein wunderschönes Gebirge. Von dort komme ich.«

Die beiden Deutschen hatten von der Godavari noch niemals etwas gehört. Sie kannten den Indus und den Ganges, sonst eigentlich keinen weiteren Fluss. Doch, die Narmada! Dort ging es doch einmal um den Protest gegen einen Großstaudamm – oder? Hatten sich nicht Eingeborene, vor allem Frauen, aus Protest gegen den Damm an großen Bäumen fest gekettet? So genau wussten sie es nicht.

Um den Flug nicht zu verpassen, mussten sie zum Gate gehen. Krishna hatte sie begleitet, da er ja dasselbe Ziel hatte. Dass sich der Mann merkwürdig verhielt, hatte Tobias zu der Zeit noch nicht bemerkt. Im Wartebereich erzählte Krishna weiter von seiner Heimat. Es gebe dort in den Bergen noch viele wilde Tiere, sogar Tiger. Riesige Bäume, Bambus, Wasserfälle, idyllische Dörfer der Eingeborenen... es schien, als wolle ihr neuer Bekannter seine Heimat für Touristen erschließen, vor allem für junge, kraftvolle Männer mit Abenteuergeist im Herzen. Was Krishna erzählte, hörte sich wirklich überaus interessant an und wäre sicher einen Kurztrip wert. Allerdings schien diese Gegend unerreichbar für fremde Touristen, die weder die Sprache dieser Leute beherrschten, noch Kontakte dorthin hatten, noch die Zeit, von Indienurlaubern ausgetretene Pfade zu verlassen. Aber interessant wäre es schon...

Die Zeit in Dubai war schnell vergangen, die während des Fluges von dort nach Indien leider nur sehr langsam. Sie wurden müde. Krishna Rao saß weiter hinten im völlig ausgebuchten Flieger, also würden sie sich wahrscheinlich nicht wiedersehen. Die Freunde sprachen noch kurz über ihre neue Bekanntschaft. Sie fanden beide, dass dieser Krishna ein interessanter Typ war und dass seine Erzählung sie inspiriert hatte.

Schade, dass dieser Fluss völlig abseits ihrer Route lag und die von Krishna beschriebene Gegend jetzt, allemal hier oben auf über elf Kilometer Höhe, so unwirklich wie die Märchen aus tausend und einer Nacht erschien.

Irgendwann fiel zuerst Max und kurz darauf auch Tobias in einen unruhigen Halbschlaf.

Als sie die Maschine in Chennai verließen, roch es anders als im Märchen und sah auch anders aus. Nach Weihnachten duftete es auch nicht. Es roch nach Bohnerwachs und noch irgendetwas.

»Mottenkugeln oder Klosteine«, meinte Max sarkastisch.

»Dem Teppich nach zu urteilen ist es eher Verwesung.«

Tobias zeigte auf den ausgeblichenen und vielfach bekleckerten grauen Bodenbelag.

»Das Ankommen in Dubai war wie ein Bummel in den Edelboutiquen der Mönckebergstraße«, meinte Max, als sie in langer Schlange eine uralte klapprige Rolltreppe hinunter fuhren, »hier dagegen komme ich mir vor wie nach dem Ausverkauf eines Second-Hand-Ladens auf St. Pauli.«

Den ‚interessanten Typen' hatten sie wieder gesehen, als er sich ganz hinten in der Nachbarreihe vor den Schaltern der Einreisekontrolle anstellte. Auch Krishna hatte sie entdeckt und es schien Tobias, als habe er nach ihnen Ausschau gehalten. Der Inder kam auf sie zu. Irgendetwas hielt er in der Hand.

»Hier ist meine Visitenkarte!« sagte er und reichte ihnen eine kleine, eng bedruckte Karte. Eine Adresse aus Bristol war angegeben und mit der Hand waren zwei indische Mobilnummern auf die Rückseite geschrieben.

»Ich lade euch ein! Wenn ihr wollt, kommt doch und seht, wovon ich euch erzählt habe. Es ist nicht bequem bei mir, doch ihr werdet erleben, was ausländischen Touristen sonst so gut wie nie zugänglich gemacht wird.«

»Aber wir haben schon ein volles Programm!« sagte Tobias, nahm jedoch trotzdem die Karte.

»Ihr könnt ja zuerst etwas Tourismus machen. Aber dann solltet ihr mich besuchen. Ruft an, wenn ihr in Hyderabad seid. Von dort ist es nur ein kleiner Abstecher. Ich sage euch dann, wie ihr reisen müsst und helfe euch bei der Anreise. Ihr solltet allerdings auf jeden Fall noch vor dem Pongal-Fest kommen, also bis zum 13. Januar.«

Die kurze Begegnung war abrupt beendet worden, weil die Deutschen zum Schalter mussten. Dort wartete auf sie ungeduldiger und mürrischer Staatsdiener, Herr über einen altmodischen Computerbildschirm, eine beachtliche Sammlung von Stempeln und die Einreise ins Land von Tausend und einer Nacht.

Krishna hatte noch einmal gewunken und ihnen zugerufen:

»Gute Reise!«.

Die beiden hatten einen Stempel in ihren Pass und auf das Einreiseformular bekommen und ihre Füße dann mit staatlichem Segen erstmals auf indischen Boden gesetzt. Was diesen Segen anging, war Krishna noch längst nicht dran. Sie verloren ihn aus den Augen, als sie den Kontrollraum verließen, um ihre Rucksäcke vom Gepäckband zu holen.

»Den sehen wir wohl nie wieder!«

Max hatte sehr sicher geklungen.

»Na, dann fröhliche Weihnachten!« hatte Tobias gesagt, als sie mit geschulterten Rucksäcken aus dem Flughafen traten. Allerdings war es hier ganz und gar nicht weihnachtlich. In Hamburg hatte es noch geschneit, bei minus zwei Grad. In Dubai war immerhin ein Weihnachtsmann durch den mit Girlanden und künstlichen Weihnachtsbäumen geschmückten Airport gelaufen. Hier in Chennai mochte es bereits jetzt, gegen neun Uhr morgens, an die 25°C warm sein. An der Absperrung vor der Tür drängten sich unzählige braune

Gesichter. Weiße Hemden über dunklen Hosen dominierten. Dazwischen, wie bunte Blumen auf eintöniger Wiese, leuchteten einzelne Saris. Erst die Frauen brachten Farbe ins Bild. Einige Ärmel, aus denen dunkle Arme ragten, hielten den Ankommenden Schilder entgegen, auf denen Namen von Reisenden standen und die von Hotels. Die beiden Freunde marschierten wie auf dem Präsentierteller an den Wartenden vorbei, verfolgt von hunderten dunklen Augenpaaren. Fahrer von Taxis und Autorikschas versuchten, Kunden zu werben und standen offenbar in harter Konkurrenz zueinander. Die zwei Weißen waren besonders beliebt, rochen sie doch nach Geld und Ahnungslosigkeit.

»Taxi!« »Taxi!« »Auto!«

Es gelang Max, sich die meist kleinen und schmächtigen Fahrer vom Leib zu halten. Einen Kopf größer als sie und doppelt so breit, bahnte er sich und seinem Freund unerschrocken den Weg durch die Menge.

»Excuse me!« »No need!« »Thank you!«

Sich entschuldigend und doch klar abweisend, waren die zwei durch die drängelnden Leute vor der Absperrung marschiert. Gut, dass sie durch Reiseführer und Freunde, die bereits in Indien waren, auf diese Situation vorbereitet waren. Nicht auf Angebote eingehen. Zeigen, dass man weiß, was man will. Lieber ein Taxi am offiziellen Schalter bestellen und vorab bezahlen, als sich übers Ohr hauen lassen.

Ins Schwitzen kamen sie trotzdem. Schon die plötzlichen Sommertemperaturen trieben ihnen den Schweiß ins Gesicht. Die Menge war weniger dicht als zunächst angenommen. Auf der Straße vor der Halle wurde es ruhiger.

Weiter hinten entdeckte Tobias ein Schild: Taxis. Vor dem kleinen Schalter hatte sich bereits eine Schlange gebildet. Tobias und Max reihten sich dort ein.

Der Parkplatz gegenüber stand voller Autos. Als Taxi war keines von ihnen gekennzeichnet. Japanische Modelle wie Toyota, Hyundai und Mitsubishi konnten die

Deutschen sofort identifizieren, ebenso einen Ford Escort und zwei repräsentative Skoda Oktavia. Fremd waren ihnen die indischen Fabrikate von Maruti und Tata. Letztere bauten den Kleinwagen Indika, aber auch Jeeps, Kleinbusse und Vans. Einen Nano, jenen Kleinwagen für nur eintausend Euro, der in der internationalen Presse im letzten Jahr für Furore gesorgt hatte, fanden sie nicht.

»Der ist wahrscheinlich noch gar nicht auf dem Markt«, meinte Max und hatte damit Recht. Von der Ankündigung bis zur Umsetzung konnte es dauern. Die Kunst des Wartens würden auch diese beiden Europäer in Indien noch lernen müssen.

»Bitte ein Taxi zum YWCA in die Stadt.«

Der Mann hinter der Luke schien Max tatsächlich verstanden zu haben. Während sie vorher am Gepäckband auf die Rucksäcke gewartet hatten, waren sie abwechselnd zur Wechselstube gegangen und hatten einige Euro eingetauscht. Jetzt wanderten davon die ersten 450 Rupien von einer weißen in eine dunkle Hand. Der Mann gab Max einen Fahrschein und das Wechselgeld. Max hatte es noch nicht eingesteckt, da stand schon ein Fahrer vor ihnen.

»Come, come!« forderte der dünne Mann im hellbraunen Anzug die beiden auf. Sie folgten ihm. Und dann standen sie vor ‚ihrem' Taxi. Es war ein alter Ambassador. Vermutlich war dieser Oldtimer einmal weiß gewesen, nun hatte der Lack jedoch manche Kratzer, Beule und Schürfwunde und präsentierte sich in mattem Grau. Skeptisch sah Max das Fahrzeug an.

»Und der soll es bis in die Stadt schaffen?«

Er schüttelte seine braunen Locken.

Der Fahrer hatte schon den Kofferraum geöffnet. Ein Schlüssel war dazu nicht erforderlich, da er ohnehin nicht mehr schloss und mit einem Draht festgebunden wurde. Die Rucksäcke landeten neben einem profillosen Ersatzrad auf einer staubigen Wolldecke. Vermutlich war diese schon vor dreißig Jahren im Neufahrzeug mitgeliefert worden und niemand hatte sie seitdem ausgeschüttelt, geschweige denn gereinigt.

»Hoffentlich geht das gut!«

Tobias wies auf den rechten Vorderreifen. Ob auch der schon seit der Auslieferung am Fahrzeug steckte? Tiefe Furchen gaben den Blick auf das innere Gewebe frei. In diesem Mantel steckte offenbar ein Schlauch. Profil gab es keines mehr.

Sie stiegen ein. Die Polster waren zerschlissen. Zum Schutz hatte der Fahrer eine durchsichtige Plastikfolie darüber gelegt, die nach kurzer Zeit am Körper klebte. Früher musste dieses Unikum einmal ein komfortables Fahrzeug für Reiche gewesen sein. Der Himmel war kunstvoll gearbeitet, versehen mit Ornamenten und Fransen. Heute verkündigte das Vehikel seine Botschaft von Reichtum und Lebensqualität nur noch ganz, ganz leise. Bis der Motor sich zu Wort meldete.

Es dauerte einen Moment, bis der alte Dieselmotor ansprang. Dann umso kräftiger.

»Die erteilen jetzt bestimmt Start- und Landeverbot!« kommentierte Max die dicke Dieselwolke, die sie plötzlich einhüllte wie der berüchtigte Londoner Nebel den Tower. Aber es ging los. Die Kiste fuhr sogar, wenn auch die Lenkradschaltung krachte, der Motor stotterte und spuckte wie ein alter Drache und das Lenkrad wahrscheinlich mehr als zwanzig Zentimeter Spiel hatte. Der Fahrer schien seinen Drachen jedoch im Griff zu haben.

Sie waren von der durchwachten Nacht und wegen der Zeitumstellung müde und ein wenig benommen. Vielleicht hatten sie deshalb während der ersten halben Stunde auf der Fahrt vom Flughafen zum Gästehaus der internationalen Frauenbewegung kaum ein Wort gesprochen. Vielleicht hatte es aber auch an den Eindrücken gelegen, die so plötzlich und völlig überraschend auf sie eingestürmt waren. Ja, man hatte sie gewarnt, vor allem vor dem Straßenverkehr in Indien. Aber davon Hören und es selber erleben, waren zweierlei.

Sie saßen hinten. Max sah am Fahrer vorbei über den Beifahrersitz nach vorn, Tobias zur Seite aus dem Fenster.

Sie bogen auf eine breite Straße ein. Rechts auf einer großen Fläche Brachland spielten Jugendliche Kricket. In einem kleinen Wald, unter niedrigen aber ausladenden Bäumen, waren Hütten eng an eng errichtet worden. Sie schienen nur notdürftig aus Lumpen, Blech und Abfall zusammengezimmert zu sein. Kinder spielten an großen Pfützen, Frauen wuschen Wäsche darin. Gleich darauf kamen sie an einem großen, modernen Gebäude vorbei. Ein riesiges Plakat pries besonders komfortable und sichere Autos an: BMW. In der Niederlassung standen eine 3er Limousine und ein X3 Geländewagen.

»Eben noch ein Slum, jetzt unser deutscher Export!«

Max sagte es mehr zu sich selbst als zu Tobias.

Je weiter sie Richtung Stadt kamen, desto dichter war der Verkehr geworden. Was hier alles unterwegs war! Unglaublich! Nicht nur moderne Fahrzeuge, auch uralte Lastwagen, mit bunten Mustern und Fratzen bemalt; schief auf der häufig löchrigen Straße liegende Busse, deren Fenster vergittert waren und aus deren Türen riesige Menschentrauben quollen; unzählige Zweiräder als Transportmittel für einzelne Berufstätige bis hin zu fünfköpfigen Familien; dürre Gestalten schoben Fahrradrikschas, in denen Schulkinder in Uniformen saßen; ähnliche Fahrradkonstruktionen wurden zum Transport von irre langen Eisenstangen, riesigen zusammengebundenen Topfstapeln oder meterhoch aufgetürmte Plastikstühlen benutzt; auf einem offenen Lastwagen erlebten braune Rinder ihre wahrscheinlich letzte Reise zum Schlachthof; dazwischen Radfahrer, Fußgänger, Kühe, Hunde, Lumpen- und Papiersammler und sogar Hochzeitskutschen.

Die beiden staunten. Gleichzeitig klammerten sie sich an Sitz und Lehne fest. Die ‚Sicherheitsabstände' waren atemberaubend. Zehn Zentimeter schien bereits eine

Lücke zu sein, die irgendwer ausnutzen konnte. Also blieb man schön beieinander. Die geraden Straßen innerhalb der Stadt wurden zwar halbwegs zivilisiert befahren, wann immer jedoch eine Ampel oder Kreuzung kam, schoben sich alle Verkehrsteilnehmer zu einem einzigen Klumpen zusammen. Wenn dann auf Rot Grün folgte, löste sich dieser wieder auf und strömte auf die nächste Barriere zu, um dort erneut zu verklumpen.

Nicht nur der Verkehr, auch die Kulisse dieser Stadt war aufregend vielfältig. Häuser aller Größe und Form, meist mit flachem Dach; riesige Kästen aus Glas und Stahl, mit weiten Auffahrten und Sicherheitspforte; Geschäftshäuser mit Läden aller Art auf mehreren Etagen; alte, aus der Kolonialzeit stammende Fassaden mit Schnitzwerk und Balkonen; dann wieder winzige Wohnhäuser, eingezwängt zwischen mehrstöckigen Geschäftshäusern, die sich zum Teil noch im Bau befanden.

»Sieh Dir diese Gerüste an!«

Als sie an einer Ampel gehalten hatten, ragte der graue Rohbau eines mehrstöckigen Gebäudes neben ihnen gen Himmel. Die Decken waren nicht mit Stahl-, sondern mit Holzstangen abgestützt. An einer Seite hatten die Arbeiter ein Gerüst aus Bambus an der Wand hochgezogen, vier oder fünf Stockwerke hoch!

Schon war es weiter gegangen. Staunend und ungläubig hatten die zwei ihre ersten zwanzig Kilometer auf Indiens Straßen zurückgelegt. Überall waren Plakate. Plakate in jeder Größe, Farbe und Form. Plakate an Wänden, auf riesigen rostigen Stahlgestellen, an Bäumen, an Bussen... Man versuchte hier offenbar, sich im Ringen um Aufmerksamkeit zu überbieten. Das Ergebnis war ein Gesamtbild, das die einzelnen Angebote in sich aufsog wie ein Mosaik seine einzelnen Teile.

»Unglaublich«, hatte Max immer wieder vor sich hin gemurmelt. »Ich glaub, ich bin im Film! Ich habe nie so atemberaubende Weihnachten erlebt.«

Und dann hatte Tobias in jener Rikscha, die nun irgendwo dort vorne im dichten Verkehr fuhr, jenen Krishna gesehen – oder auch nicht. Je mehr er darüber nachdachte, desto unwahrscheinlicher erschien es ihm. Warum sollte dieser Inder ihnen folgen? Und warum sollte er sich nicht zu erkennen geben? Je mehr er allerdings auf sein Gefühl achtete, desto unbehaglicher wurde ihm. Was, wenn sie doch verfolgt wurden?

Plötzlich bog ihr Taxi in eine Einfahrt ein. In einem Häuschen am Tor saß ein Wachmann in dunkelgrüner Uniform. Auf einem Schild stand ‚Young Woman's Christian Association'.

»Hier ist der YWCA!« informierte der Fahrer sie und war sichtlich stolz, dass er es mit seinem Oldtimer geschafft hatte.

Das Gelände war eindrucksvoll. Hohe Bäume und eine Art Parkanlage prägten das Bild. Im Hintergrund lagen mehrere Gebäude, die zwar einen frischen Anstrich gebrauchen konnten, jedoch viel besser aussahen, als manche der Geschäfte und Wohnblöcke, die sie unterwegs gesehen hatten. Besonders schön fanden sie das Hauptgebäude, auf den ein nett gemachter Weg mit Blumenbegrenzung und gelb oder rosa blühenden Büschen zuführte. Dies war, wie sie sofort sahen, das Gästehaus.

Als sie ausstiegen, mussten sie sich erst einmal recken. Tobias warf einen Blick über die Schulter. Dort draußen fuhr eine Rikscha vorbei, so langsam, als habe sie kein Ziel. Die Insassen waren leider nicht zu erkennen. Wieder beschlich Tobias das merkwürdige Gefühl, beobachtet zu werden. Als er sich umdrehte und die Rikscha prüfend anschaute, beschleunigte sie plötzlich und verschwand im dichten Verkehr.

Ihr Fahrer drehte den Draht am Kofferraum auseinander, öffnete ihn und übergab ihnen ihre Rucksäcke. Sie wollten schon gehen, sahen jedoch, dass der Mann keine Anstalten machte, sich zurück in sein Taxi zu bewegen. Aha, ein Trinkgeld.

»Gib du ihm was! Ich habe das Taxi bezahlt.«

»Ich habe nur größere Scheine.«

Tobias kramte in seinem Brustbeutel.

»Der Kleinste ist ein Fünfziger.«

»Dann gib ihm den. Es sind doch nur 90 Cent!«

Der Fahrer sah extrem glücklich aus, bedankte sich mit mehreren Verbeugungen und qualmte davon.

»Tolles Auto!« meinte Max, als er seinen Rucksack aufnahm. »So eine Kiste müsste man sich neu kaufen und in Deutschland zulassen. Würde echt Aufsehen erregen.«

Sie betraten das im Kolonialstil gebaute Anwesen. Am Eingang standen Topfpflanzen verschiedener Art und Größe. Die Halle war groß und geräumig und auch sie war ganz im Kolonialstil gehalten: Rattanmöbel, Glastische, Raumteiler aus Edelholz mit Einlegearbeiten, nur schwach leuchtende Lampen.

Die Frau an der Rezeption lächelte sie freundlich an. Sie trug einen dunkelblauen Sari mit einem roten Endstück, dass sie sich wie einen Schal über den Kopf gelegt hatte.

»Sie haben reserviert?«

Die Schönheit sprach mit typisch indischem Akzent. Sie checkten ein und fanden die Prozedur ziemlich umständlich: Zwei Formulare ausfüllen, Pass abgeben, Kreditkarte vorlegen... Alles wurde in einen Computer eingegeben, alles registriert.

»Die wollen sogar den Namen und den Beruf des Vaters wissen!« bemerkte Tobias entsetzt.

»So ein Quatsch! Das müssen sich irgendwelche Beamte ausgedacht haben, die sonst nichts zu tun haben. Oder die ehemaligen Kolonialherren, die alles unter Kontrolle halten wollten!«

Die Frau rief einen jungen Mann, der wegen eines Anzuges mit Stehkragen sofort als Page zu erkennen war.

Der schnappte sich beide Rucksäcke und bat die neuen Gäste mitzukommen. In einem klapprigen Aufzug fuhren sie in den ersten Stock. Der Junge führte sie in ihr Zimmer, stellte das Gepäck ab, öffnete den Vorhang, machte den Fernseher und die Klimaanlage an und stellte sich mit einer Miene, die mit der des Taxifahrers identisch war, an die Tür.

»No money«, sagte Max freundlich. Einen noch größeren Schein wollte er nun nicht verteilen. »Later, later!«

Der Junge machte zwar ein enttäuschtes Gesicht, zog jedoch ab.

Max ließ sich auf das Bett fallen.

»Indien, wir sind jetzt da!«

Er sah hundemüde aus.

»Na, dann fröhliche Weihnachten!«

Obwohl sie wegen der im Zimmer sehr laut hörbaren Straßengeräusche häufiger aufgewacht waren bekamen ihnen die drei Stunden Schlaf, die sie sich gönnten, sehr gut. Am Nachmittag verließen sie das Gästehaus, um ihre erste Exkursion ins Land ihrer Träume anzutreten. Tobias musste noch etwas auf Max warten und kam in der Lobby ins Gespräch mit einer jungen Frau. Sie kam aus Schweden und hatte in einem Kinderheim irgendwo im Süden ein Praktikum gemacht. Sie war eine hübsche Blondine und trug wie viele junge Mädchen in Indien einen roten Punjaby, also eine bequeme Hose mit einem bunten Kleid darüber.

»Das nächste Mal solltet ihr im neuen CVJM-Gästehaus übernachten«, empfahl sie.

»Dort ist es wesentlich ruhiger und total komfortabel. Nur weil ich hier das Essen besser finde, bin ich noch mal hierher gekommen.«

Tobias begriff schnell, wie es lief. Du kommst in ein fremdes Land. Du triffst Leute. Und du profitierst von deren Tipps. Sandra, so hieß die hübsche Schwedin, empfahl ihm, unbedingt die Stadt Kanchipuram zu besuchen. Die stehe zwar nicht so ganz obenan im Reiseführer, sei aber eine der bedeutsamsten heiligen Tempelstädte Indiens. Wer Interesse am Hinduismus habe, käme an dieser Stadt nicht vorbei. Und wenn sie nach Mamallapuram fuhren, empfahl Sandra weiter, sollten sie unterwegs an der Krokodilfarm Halt machen. Das lohnte sich! Tobias schrieb sich die Namen auf. Max kam die Treppe herunter geschlurft.

»Immer dieselben, die Glück bei den Frauen haben!« sagte er auf Deutsch. »Die Verheirateten! Wir Singles gehen leer aus.«

Sandra lachte und Max erschrak, als sie in passablem Deutsch antwortete:

»Er war eben zuerst da! Und wer zuerst kommt, flirtet zuerst!«

Sie tranken einen Kaffee zusammen und erzählten sich von ihren Eindrücken über dieses Land, den überaus frischen und denen der zwar viel jüngeren, aber in Indien erfahrenen Frau. Sandra bot ihnen an, sie bis in ein Kaufhaus zu begleiten, wo sie auch weiteres Geld tauschen könnten.

»Danach«, sie zuckte bedauernd die Schultern, »muss ich euch verlassen, denn ich bin mit einigen Frauen im Womens College verabredet. Ich empfehle euch, anschließend mit einem Auto an den Strand zu fahren. Das muss man einfach erlebt haben – gerade am Abend!«

»Auto? Was für ein Auto? Du meinst ein Taxi?«

Sandra lachte.

»Eine Motorrikscha meine ich! Die heißen hier ‚Auto'.«

Als sie die Lobby verlassen wollten, rief die Frau an der Rezeption sie zurück:

»Mr. Hoyer! Mr. Grunert! Hier ist eine Nachricht für Sie. Es war jemand für sie da, wollte Sie aber nicht in Ihrer Mittagspause stören.«

Verblüfft sahen Max und Tobias sich an.

Wer sollte sie hier besuchen? Sie kannten weder jemanden in diesem Land, noch wusste jemand, wo sie unterkommen würden. Die Frau reichte einen Umschlag herüber. Tobias öffnete ihn und las den englischen Text, der in feiner Schrift dort stand:

»Noch einmal herzlichen Dank für die guten Gespräche. Ich hoffe sehr, dass ihr die ersten Eindrücke meines Landes verkraftet und den Verkehr überstanden habt. Ich würde mich wirklich freuen, wenn wir uns wieder sehen und ihr an meinen Fluss kommt. Bitte meldet euch doch von Hyderabad aus. Gruß, Rama Krishna Rao.«

Erstaunt und fragend sahen die beiden Freunde einander an.

»Also war es doch dieser Krishna!« meinte Tobias. »Ich wusste es doch! Hat mich mein Gefühl also nicht betrogen!«

»Ja, wahrscheinlich hattest du Recht. Aber warum ist er uns gefolgt?«

»Ist er vielleicht ja gar nicht. Ich glaube, die Straße etwas weiter hinunter liegt der Hauptbahnhof, die Central Station. Vielleicht ist er dorthin gefahren und nur zufällig hier vorbei gekommen.«

»Vielleicht.« Jetzt schien auch Max das Ganze merkwürdig zu finden. »Aber dann konnte er immer noch nicht wissen, dass wir ausgerechnet hier wohnen!«

Da Sandra bereits draußen wartete, gingen sie hinaus. Sie war inzwischen zur Pforte gegangen und hatte eine Autorikscha heran gewunken. Sie verhandelte mit dem Fahrer.

»Fünfzig!« sagte der energisch.

»Dreißig oder Taxameter!« forderte Sandra.

Als er nicht darauf eingehen wollte, tat sie, als wolle sie ein anderes Auto herbeirufen. Das wirkte.

»Okay, dreißig«, sagte der Fahrer und wies in die Kabine.

Sie quetschten sich auf den Rücksitz und nahmen Sandra in die Mitte.

»Die wollen erst mal viel mehr als üblich. Vor allem

Ausländer werden leicht übers Ohr gehauen. Die Fahrer meinen, alle Weißen seien superreich und verlangen Fantasiepreise. Selbst mit dreißig Rupien ist dieser hier noch gut bedient. Bei Nutzung des Taxameters käme es günstiger, aber das ist dann tatsächlich knapp für die Fahrer, zumal wenn sie auch noch eine Familie zu ernähren haben.«

Der Fahrer hatte vor sich über dem Lenker außer der unentbehrlichen Hupe drei Aufkleber an die Scheibe geklebt. Max fragte Sandra, ob sie wisse, wer das sei – außer Jesus. Sie lachte.

»Das haben die meisten der Fahrer. Dieser hier ist mit Sicherheit Hindu. Der Mensch mit dem Elefantenkopf dort in der Mitte ist Ganesha. Er ist einer der Lieblingsgötter der Hindus, weil er klug und gleichzeitig stark und stur ist. Der Typ mit der erhobenen Hand auf der linken Seite ist Saibaba. Eigentlich war er ein heiliger Mann, ein Lehrer für Pilger. Die Leute haben aus ihm aber einen Gott gemacht. Das geht hier in Indien recht schnell. Na ja, und links, das seht ihr ja, das ist Jesus.«

Max und Tobias waren verwirrt. Sie kannten sich in religiösen Dingen nicht besonders aus, fanden es jedoch sehr merkwürdig, dass dieser Fahrer als Hindu auch Jesus verehrte. Sandra lachte und als ob sie Gedanken lesen konnte, sagte sie:

»Das sehen viele von ihnen ganz locker. Weihnachten betet man eben zu Jesus – und das hatten wir ja gerade. Zum Lichterfest Diwali kommen die Hindugottheiten dran und zwischendurch wird Saibaba verehrt. Ganz wie es passt. Jener Gott, der mir gerade Glück bringt, hat gewonnen.«

Sich jetzt weiter zu unterhalten, war schwierig. Um sie herum hupte, brummte und klapperte es. Es war Feierabendverkehr. Manchmal standen sie vor einer Ampel und kamen bei Grün dann nur wenige Meter voran. Der Fahrer nutzte zwar jede Lücke, trotzdem dauerte die Fahrt über vierzig Minuten. Der Qualm unzähliger Fahrzeuge raubte ihnen beinahe den Atem. Wie es jemand zu seinem Beruf machen konnte, hier herumzufahren, war Tobias ein Rätsel. Wahrscheinlich konnten sich die Leute das nicht aussuchen.

Ihm fiel auf, dass Max sich immer wieder umsah, so als ob er in dem Gewühle jemanden suchte.

»Er ist nicht mehr da, er hat uns diese Nachricht hinterlassen und ist in sein Märchenland verschwunden!«

Sandra schaute ihn etwas verständnislos an. Max grinste und nickte.

Die Schwedin brachte sie zu einem großen Einkaufkomplex namens Spencers Plaza.

»Hier könnt ihr Geld tauschen und wenn ihr wollt auch einkaufen. In den Andenkenläden solltet ihr unbedingt handeln. Sonst gibt es auch Festpreise. Der Laden hier ist zwar teuerer als der Pondibasar und andere typisch indischen Einkaufsstraßen – aber dafür kriegt ihr eine bessere Qualität und habt alles an einem Ort.«

Die Männer staunten über die Größe dieses Einkaufsparadieses. Auf vier Etagen in drei großen Gebäuden konnte man sich leicht verlaufen. Große Kaufhäuser und kleine Geschäfte, Supermärkte und Restaurants, Souvenirshops und kleine Servicebetriebe wechselten sich ab. Lederwaren, Klamotten, HighTech, Schmuck... nichts, was es hier nicht gab.

Sie beschlossen aber, sich nicht schon jetzt mit Andenken oder anderen Schnäppchen zu belasten. Sie hatten noch viel vor. Souvenirs, hatte Sandra ihnen erklärt, bekam man ohnehin günstiger im staatlichen Handarbeitsladen Victoria, der einige Meter weiter unten an der Mount Road lag. Auf jeden Fall sollten sie sich niemals von den Rikschafahrern überreden lassen eines der superteuren Geschäfte aufzusuchen, denen die Fahrer oft als Schlepper dienten.

Die beiden tauschten ihr Bargeld zu einem guten Kurs, bummelten etwas herum und genossen dann einen echten Cappuccino. Sie hatten sich mit Sandra verabredet, die zwischenzeitlich einige Einkäufe gemacht hatte. Da das Café ganz oben im Bereich der Restaurants lag, konnten sie es auch im Wirrwarr der Gänge und Stockwerke schnell finden.

»So etwas gibt es erst seit wenigen Jahren«, erklärte die Schwedin. »Bis Ende der Neunziger hatte Indien sich total abgeschottet. Jetzt findest du in den Großstädten sogar Mac Donalds.«

Wie verabredet, verließ Sandra sie kurz darauf.

»Du hast uns echt geholfen!« sagte Tobias. »Danke! So war das Ankommen hier ein wenig leichter!«

Sandra lachte.

»Wer immer in Indien ankommt, bekommt erst einmal einen Kulturschock. Aber keine Angst, der vergeht schnell und dann werdet ihr merken, in welch faszinierendem Land ihr seid.«

Sie verabschiedeten sich per Handschlag. Kurz darauf war ihr schwedischer Schutzengel in einem der gelben Dreiradtaxis verschwunden.

»Tja, wieder eine Chance vertan.«

Tobias wusste, dass Max es zwar mit einem Grinsen im Gesicht sagte, es jedoch wirklich bedauerte. Sein Freund war mit seinem Singledasein keineswegs glücklich und sehnte sich nach einer Partnerin.

»Schade«, sagte Tobias nur. »Aber wer weiß, was noch passiert! Komm, wir nehmen uns ein Taxi und ab zum Strand!«

Vor Spencers Plaza standen viele Autorikschas.

»Hast du schon gesehen«, meinte Max, »dass hinten ‚Piaggio' drauf steht? Wahrscheinlich haben die Inder eine Lizenz gekauft und bauen sie selbst. Jedenfalls müssen sich die Italiener damit eine goldene Nase verdient haben.«

Tobias ging zu einem der gelben Autos und sprach einen älteren Mann in hellbrauner Uniform an, der wartend auf dem Fahrersitz saß und ihm freundlich entgegen lächelte.

So lernten sie ihn kennen, den glücklichsten Mann der Welt.

»Ich fahre euch, wohin ihr wollt!«

Dann reichte er beiden die Hand und stellte sich vor:

»Ich heiße Ramesh, willkommen in meinem Taxi!«

Er sprach englisch und war überaus freundlich.

»Hoffentlich bleibt der auch bei den Preisverhandlungen so sympathisch«, meinte Max auf Deutsch.

»Ihr zahlt, was ihr wollt!« sagte Ramesh, als habe er Max verstanden. »Ich mache keine festen Preise und ich verlange nichts. Was es euch wert ist, das gebt ihr!«

Zuerst vermuteten sie einen Verkaufstrick, was es sicher auch war, aber der hagere Mann mit den freundlichen Augen strahlte irgendwie Vertrauen aus. Also stiegen sie ein und ließen sich ans Meer fahren. Ramesh erzählte ihnen, dass er vor vielen Jahren aus Sri Lanka gekommen war und das Auto sein Eigen nannte. Er kam damit gut zurecht, zählte er doch wegen seiner Englischkenntnisse viele Ausländer zu seinen Kunden. Er hatte sich ein Mobiltelefon angeschafft, war seitdem besser zu erreichen und bekam folglich mehr Fahrten. So hatte er im Konkurrenzkampf unter den über hunderttausend Autorikschas eine halbwegs gute Chance. Tobias musste noch einmal nachfragen:

»Wie viele?«

»Allein in Chennai etwa hunderttausend. Die meisten davon sind in der Hand weniger Firmen, die die Fahrer gnadenlos ausbeuten und dabei steinreich werden. Das ist eine richtige Mafia. Wie gut, dass ich mein eigenes Auto habe und eine Zulassung ebenfalls!«

Ramesh lachte ständig, machte Witze über seine Kollegen, fragte nach der Familie seiner Kunden und fuhr mit bewundernswerter Ruhe durch den dicksten Verkehr. Seltsamerweise benutzte er dabei kaum die Hupe.

Sie kamen an einem riesigen Monument vorbei. Es hatte die Form einer Lotusblüte.

»Das ist unserem verstorbenen Chiefminister geweiht«, sagte Ramesh. »Der hat viel für das Land getan, also haben sie eine Pilgerstätte daraus gemacht.«

Man sah Männer und Frauen, die sich die Schuhe auszogen, andächtig zur Mitte der Gedenkstätte gingen und dort im Gebet verharrten.

»Erstaunlich, dass sie einen ehemaligen Staatschef anbeten wie ihre Götter.« Max konnte nicht begreifen, wieso Politiker dermaßen verehrt wurden.

»Allerdings sterben manche von ihnen auch früh. Nehmt nur Rajiv Gandhi oder auch einige der Landeschefs. Wenn man den Zeitungen glaubt, bekommt man das Gefühl, bei uns in Indien gäbe es mehr Terroristen als Taxifahrer!« Ramesh lachte über seinen eigenen Witz.

»Da geht es mir schon besser. Mich will niemand ermorden. Also, zum Glück bin ich nicht Staatschef, sondern Taxifahrer geworden!«

Am Strand stellte Ramesh sein Dreirad ab. Nachdem seine Fahrgäste ausgestiegen waren, setzte er sich selbst hinein.

»Ich warte auf euch! No problem!«

Der Parkplatz war voller Autos. Auch Busse standen dort. Die Beiden gingen zum Strand. Es war bereits dunkel. Das Meer sah man nicht.

»Hier muss irgendeine Großveranstaltung sein!«

Tobias irrte sich. Hier war nichts als normaler Strandbetrieb, allerdings auf indisch. Hunderte von Buden bildeten eine Gasse vom Parkplatz über den Strand bis ans Wasser. Fliegende Händler verkauften Muscheln, Cooldrinks, Mineralwasser, Fisch, Plastikspielzeug, Götterbilder und jeden Kitsch, den man sich denken konnte. Am Strand entlang ritten junge Männer auf mageren, jedoch erstaunlich dynamischen Pferden und boten Touristen an, einen Ritt zu wagen. Gegen Geld natürlich. Einige besonders pfiffige Geschäftemacher gruben Kuhlen in den Sand, bis Grundwasser kam. Dies schöpften sie ab und verkauften es für wenige Paisa an durstige Kundschaft. Es waren am Strand sogar kleine Karussells aufgebaut, die per Hand gedreht wurden. Kinder amüsierten sich zur Freude ihrer Eltern.

Staunend marschierten die Deutschen durch den losen Sand. Inzwischen war es dunkel geworden. Am Ufer ging es recht steil hinunter. Die Wellen rollten heran. Die Kämme leuchteten im Mondlicht und wurden von den Lichtern der Buden angestrahlt. Allerdings leuchteten sie nicht weiß, sondern schienen grau oder gar schwarz eingefärbt.

»Das stinkt ja wie eine Güllegrube!« Max rümpfte die Nase. »Da wird irgendwo ganz kräftig die Umwelt verschmutzt!«

Den indischen Strandliebhabern schien das nichts auszumachen. Baden tat hier ohnehin niemand. Man vergnügte sich auch so. Mädchen standen in Gruppen mit den Füßen im Wasser und kreischten, wenn die heranrollenden Wellen ihre flatternden Kleider durchnässten. Kinder plantschten in den auslaufenden Schaumkronen, ängstlich bewacht von ihren Eltern. Junge Männer schäkerten mit Mädels herum, als wäre es ihre eigene und nicht Sache ihrer Eltern, sich eine Braut zu suchen.

»Na, hier ist ja echt was los!« strahlte Max. »Aber komm, so ganz ist das nicht meine Vorstellung von erholsamem Strandleben.«

Sie beschlossen, nicht über die beleuchtete Gasse, sondern weiter südlich quer über den Strand zurück zu gehen. Dabei wurde ihnen allerdings mulmig zumute. Es gab hier draußen außer dem blassen Licht des Mondes keine Beleuchtung. Dunkle Gestalten hockten neben Fischerkähnen, die am Ufer lagen. Weiter hinten flackerten Feuer am Strand. Hunde streiften über den hier überaus schmuddeligen Sand auf der Suche nach Fressbarem. Zweimal lieferten sie sich unter lautem Geheul böse

Schlachten, jagten dabei in großem Tempo über die freie Fläche und ließen sich von den beiden Zweibeinern keineswegs beeindrucken. Eines der Tiere, ein magerer, schwarzer Rüde, blieb stehen und fletschte die Zähne. Kurz darauf wäre Max fast über einen Mann gefallen, der in einer Senke seine Notdurft verrichtete. Hinter einigen der auf den Strand gezogenen Boote meinten sie, sich bewegende Gestalten zu sehen und einmal kam tatsächlich eine Gruppe Männer schweigend auf sie zu. Einige von ihnen sogen an kurzen Zigarren und die aufflammende Glut ließ ihre Gesichter gespenstig aufleuchten.

»Lass uns hier bloß schnell verschwinden!« sagte Tobias und ging so schnell, dass Max kaum noch mitkam. »Bevor wir Ärger kriegen, sie uns überfallen oder entführen!«

Max ließ sich das nicht zweimal sagen. Zwar war er den indischen Leichtgewichten vermutlich körperlich überlegen, doch darauf ankommen lassen wollte er es lieber nicht. Also gingen sie schnellen Schrittes den Lichtern der Straße entgegen.

Endlich kamen sie beim Parkplatz an. Und tatsächlich, Ramesh war noch da. Er wartete.

»Ehrlich gesagt, da hab' ich eben wirklich Schiss gehabt.«

Mit Blick auf Ramesh ergänzte Max: »Aber wenn man diese dunklen Gestalten dann persönlich kennt, wirken sie gar nicht mehr so bedrohlich.«

Etwas später, als sie sich an einem Teestand noch eines der heißen Getränke gönnten und ihm eines spendierten, behauptete Ramesh, er sei der glücklichste Mann der Welt!

»Glücklicher als Bill Gates!« fügte er hinzu.

»Wieso denn das?«

»Weil ich frei bin! Was hat schon Bill Gates vom Leben! Trotz seines vielen Geldes – kann er sich einfach an den Strand setzen und in seinem Auto schlafen? Kann er sich zwischendrin ein Mützchen Schlaf gönnen? Oder entscheiden, dass er heute mal blau macht? Ich glaube nicht. Überall Sicherheitspersonal, immer Angst vor Entführern oder Räubern, auf Schritt und Tritt von Medien und Neidern beobachtet, niemals frei!«

Ramesh beeindruckte die beiden. Sie gaben ihm, als er sie direkt vor dem Gästehaus absetzte, zweihundert Rupien und er ihnen seine Telefonnummer.

Als Max und Tobias an diesem Abend ins Bett gingen, hatten sie kaum noch Kraft, von der hübschen Sandra zu schwärmen und Max fiel nicht einmal mehr eine spitzfindige, sarkastische oder ironische Bemerkung über den Strandspaziergang ein. Bevor er einschlief, dachte Tobias an Rama Krishna Rao, jenen undurchsichtigen Fremden vom Flughafen. Wo mochte dieser Krishna wohl geblieben sein? Warum war er hinter ihnen hergefahren? Warum hatte er erkundet, wo sie wohnten? Ging es wirklich nur darum, sie einzuladen, einen Abstecher an die Godavari zu machen? Tobias kam sich unfair vor, weil er sogar am Strand an Krishna gedacht hatte. Er schien schon unter Verfolgungswahn zu leiden.

Irgendwann schlief er ein. Als er mitten in der Nacht noch einmal aufwachte, hörte er Max schnarchen. Er stieß seinen Freund an. Max murmelte etwas wie: »Schnell weiter! Nur nicht anhalten!«

27. Dezember: Krishnas Butterball

Noch vor dem Frühstück versuchte Tobias, dem Boy im Gästehaus beizubringen, wie eine saubere Toilette auszusehen hatte. Er zeigte ihm die Toilette, nahm einen Lappen, wischte, kratzte, erklärte, spülte... und merkte nicht, dass der Boy zwar freundlich nickte, aber kein Wort und keine Geste wirklich verstand. Max stand in der Tür zum Bad und grinste.

»Tobias, wir werden Indien durch unseren Besuch nicht ändern!«

Diesmal klang er etwas belehrend und sein Freund reagierte entsprechend.

»Aber ich werde mich wegen Indien auch nicht ändern! Mein Klo muss sauber sein!«

»Meinst du wirklich, wir kommen hierher und werden nicht verändert? Du siehst diese Menschenmassen, die überquellenden Städte, die Kontraste, das Chaos – und gehst davon völlig unberührt nach Hause? Kann ich mir nicht vorstellen!«

»Wir werden ja sehen.«

Der Skeptiker Tobias wollte sich alle Optionen offen lassen.

Chennai war eine moderne Stadt, ohne Zweifel. Hier pulsierte das Leben. Shopping, Kultur, Musik, Industrie – Stadtmenschen mussten sich hier einfach wohl fühlen. Doch obwohl sie aus Hamburg kamen, zog es die beiden Abenteurer aufs Land.

»Ich will sehen, wie Indien wirklich ist«, sagte Max beim Frühstück und würzte sein Omelette noch mit einer Prise Salz nach, obwohl es doch bereits chilischarf war.

»Angeblich leben trotz der gigantischen Millionenstädte 80 Prozent der Menschen auf dem Land. Und das will ich sehen! Hier in Chennai können wir uns am Schluss unserer Reise noch etwas umsehen und dann auch Souvenirs kaufen und Shoppen gehen.«

Tobias war einverstanden. Ihm ging das Gehupe und Gedränge schon nach dem ersten Tag auf die Nerven.

Sie nahmen sich einen Mietwagen mit Fahrer. Diese Art des Reisens erschien ihnen angemessen, wollten sie doch frei und beweglich bleiben. Die Tagesmiete für den fast neuen Ford Fiesta mit Klimaanlage war nicht höher als der Stundenlohn eines Informatikers wie Max. Tobias wollte seinem Freund vorrechnen, wie sich dessen Gehalt ausmachte, wenn man es mit dem Einkommen von Ramesh verglich. Max lehnte dankend ab.

»Du willst mir nur ein schlechtes Gewissen machen. Wahrscheinlich wird mir schwindelig, wenn ich ausrechne, wie lange Ramesh seine Kunden für meinen Tagesverdienst durch den Smog kutschieren müsste.«

Sandra hatte ihnen den Wagen schon gestern über eine Agentur vermittelt und ihnen außerdem einige gute Tipps für eine Rundfahrt gegeben.

»Wenn ihr euch nur zwei Tage für diese Gegend Zeit nehmt, dann solltet ihr euch nicht zu viel vornehmen. Zuerst fahrt ihr am besten zur Central Station und besorgt euch Zugfahrkarten für Hyderabad. Direkt vor Abfahrt des Zuges kriegt ihr keine Tickets mehr. Die müsst ihr immer vorbuchen. Danach...«

Dann hatte sie einen Vorschlag für die Tour gemacht und die beiden Männer wollten es genauso machen.

Der Fahrer des Mietwagens war ein älterer Herr fast ohne Haare. Er strahlte Gelassenheit und Ruhe aus, was den beiden gut tat. Leider sprach er kein Englisch. Sein Name erschien ihnen unaussprechbar. Also nannten sie ihn einfach »Driver“. Zum Glück fuhr er genauso beruhigend wie er aussah. Beim Fahrstil der anderen Verkehrsteilnehmer erschien dies fast wie ein Wunder – aber sie kamen mit »Driver“ sicher und sogar relativ flott durch den dicksten Verkehr dorthin, wo sie wollten.

Das mit den Tickets klappte gut. Dieser Bahnhof, eindrücklich im viktorianischen Stil und in rotem Klinker offensichtlich noch von den Engländern erbaut, hatte es in sich! Max freute sich schon auf die Abreise mit dem Zug. Dann hatten sie mehr Zeit, sich dieses Treiben anzusehen. Die Sicherheitsvorkehrungen waren immens. Hunderte Polizisten in hellbraunen Uniformen standen herum, teilweise mit Pistolen und Gewehren bewaffnet. Auch Frauen waren darunter. Kontrollschleusen wie am Flughafen verbreiteten ein Gefühl der Sicherheit. Trotzdem war es wahrscheinlich ohne Probleme möglich, eine

Kofferbombe irgendwo abzustellen. Die Wirkung wäre entsetzlich. Tausende liefen, standen, lagen oder saßen in den Hallen herum. Bei aller Faszination des bunten Treibens beschlich die beiden Europäer ein ungutes Gefühl. Wenn hier passiert, was in Bombay geschah...

Als Ausländer wurden sie freundlich aber bestimmt in den ersten Stock geleitet, wo es einen speziellen Fahrkartenschalter für sie gab. Alles klappte reibungslos und bald hatten sie ihr Ticket von Chennai nach Hyderabad in der Tasche. Bereits nach einer Stunde konnte sich Driver mit seinem Ford wieder auf den Weg machen.

Eine weitere Stunde später hielten sie irgendwo auf freier Strecke. In großen Lettern stand auf dem Schild vor dem Eingang eines durch Mauer und Zaun abgegrenzten Areals: »Crocodile-Park«. Vor dem Eingang parkten zwei Touristenbusse und mehrere PKW's.

»Ob sich das wirklich lohnt?«

Max war skeptisch. Ein paar Krokodile – was sollte es da schon zu sehen geben? Für wenige Rupien erhielten sie eine Eintrittskarte. Eine Erlaubnis, Fotos zu machen, kostete extra. Soviel hatten die beiden schon von Indien begriffen: Hier machte man Geld, wo immer es ging. Aber das war letztlich in Deutschland nicht anders. In der Hoffnung, auch entsprechende Motive zu erhalten, investierte Tobias die wenigen Rupien in eine Fotoerlaubnis.

Am ersten Gehege des Rundweges hatte er den Eindruck, sein Geld für Nichts ausgegeben zu haben. War dort überhaupt etwas zu sehen? Doch, dort bewegte sich etwas im schlammigen Tümpel. Plötzlich hob sich eine lange Schnauze mit einem Gnubbel am Ende aus dem Wasser.

»Äh, dieses Biest hätte ich gar nicht gesehen. Baden gegangen wäre ich in dieser Brühe allerdings sowieso nicht.«

Ein riesiges Gehege auf der anderen Seite war möglicherweise überbevölkert. Zuerst sahen sie aus wie in Beton gegossen. Reglos lagen sie in der Sonne, grau mit weißen Zähnen, übereinander, nebeneinander, kreuz und quer, alle etwa anderthalb Meter lang. Salzwasserkrokodile. Plötzlich schnappte ein vermeintliches Betonmaul nach dem Bein eines Nachbarn. Andere schnappten zurück. Schnelle Bewegungen, die die Besucher kaum mit den Augen verfolgen konnten. Tumult, Unruhe.

Ein Tierpfleger näherte sich mit einem Eimer. Die Tiere mussten einen ausgesprochen sensiblen Geruchssinn besitzen. Hunderte Schläfer wurden plötzlich zu Fressmaschinen. Als der Mann einige Fleisch- und Knochenstücke ins Gehege warf, schnappten die schnellsten und stärksten der Echsen sie bereits aus der Luft weg. Sie schossen, angetrieben von ihren starken Schwanzmuskeln, nach oben und klatschten dann bereits kauend wieder auf die Tiere unter ihnen. Die zwischen starken Kiefern zermalmten Knochen knackten. Wie alle anderen Besucher, denen diese Fütterung vorgeführt wurde, hielten auch Max und Tobias respektvoll Abstand.

Soviel brutale Urinstinkte konnten selbst Max beeindrucken.

»Wie hat der Crocodile-Dundee das bloß gemacht? Rennt zu Fuß über eine ganze Krokodilflotte und erreicht lebend das andere Ufer!? Unmöglich!«

Erst recht beim stattlichsten Vertreter dieser Krokodilart, der halb an Land, halb im Wasser eines großen Geheges vor sich hindöste. Dieses Salzwasserkrokodil sollte einem Fischerboot zwischen Sri Lanka und Indien in die Netze gegangen sein.

»Erstaunlich, dass der Kahn nicht mit Mann, Maus und Krokodil gesunken ist«, meinte Max und schüttelte den Kopf. Der Koloss war 12 Meter lang. In Worten: Zwölf Meter!

Und doch war dieses Untier noch nicht die Krönung des Rundganges. Vor allen Gehegen standen Schautafeln und Erklärungen. Jetzt wies Tobias auf eine von ihnen. Sie informierte über vier oder fünf nette kleine Krokodile, die nur so zwei bis drei Meter lang wurden.

»Schau mal, die leben in der Godavari.«

»Hey, das ist doch Krishnas Fluss! Der scheint uns ja tatsächlich zu verfolgen. Nun sogar in Krokodilgestalt!«

»Na«, lachte Tobias, »fressen wird er uns ja wohl nicht! Und wenn doch, ist er satt, nachdem er dich verspeist hat. Ich habe da nichts mehr zu befürchten!«

Max schoss noch ein paar Fotos. Als sie den Park verließen, hatte er so viele unzähmbare Monster digitalisiert wie weder vor- noch nachher in seinem Leben.

Ihr Hotel hieß ‚Mamallaram Ressort'. Sie hatten die Straße, die parallel zum Meer auf den höher gelegenen Sanddünen verlief, Richtung Meer verlassen und dort eingecheckt. Ihr Zimmer war schlicht, aber sauber. Und das Beste: Durch einen lichten Pinienwald hindurch hatte man einen direkten Blick aufs blaue Meer.

»Vielleicht haben wir hier doch viel zu wenig Zeit eingeplant!« meinte Max selbstkritisch, als sie auf der Terrasse des Restaurants saßen, einen süßen Masala-Tee tranken und aufs Meer blickten.

»Wir haben ja später noch Zeit. Am Schluss der Reise können wir die Besichtigung Chennais ja abkürzen und hier noch zwei Tage ausruhen. Jetzt aber ist mir noch nicht nach Ausruhen zumute. Für einen Strandurlaub müssten wir nicht nach Indien reisen!«

Mit dem Mietwagen waren sie flexibel und nicht auf Busse oder Motorrikschas angewiesen. Nach einem Tee, den sie auf der Terrasse mit Meerblick genossen, ließen sie sich in den Ort fahren, direkt zum Prunkstück Mamallapuram, seinen aus Granitfelsen geschlagenen Tempelanlagen.

»Ist ja irre! Hier haben die Architekten aus dem ersten Jahrhundert wirklich Einmaliges geschaffen und ich verstehe, dass es zum Weltkulturerbe erklärt wurde!«

Max war begeistert, als sie auf dem eingezäunten Gelände ihre Runde machten. Für Tobias war das umso erstaunlicher, da sein immer der Gegenwart zugewandter Freund doch von Kirchen und Tempeln nicht besonders viel hielt. Diese hier waren allerdings wirklich etwas Herausragendes. Ihre Erbauer hatten die Tempel samt den dazugehörigen Figuren aus riesigen Felsen herausgeschlagen. Elefanten, Stiere und Affen, Götterfiguren von Shiva, Vishnu und anmutigen Göttinnen, sie alle waren kunstvoll und manchmal in Lebensgröße in Granit geschlagen und bis heute hervorragend erhalten.

»Irre, guck mal, die haben alle ein anderes Dach und auch die Säulen und der Aufbau sind verschieden. Da haben die wohl erst einmal ausprobiert, welches Design der Hinduismus bekommen soll.«

Tatsächlich hatten sie es hier mit Modellen für Tempelbauten zu tun. Ein Meisterwerk der Architektur!

Sehr interessant fand Tobias den Fußweg, der von den Modellen in Richtung Stadt führte. Sie kamen an unzähligen kleinen Werkstätten vorbei, wo Steinmetze ihre Produkte herstellten. Überall wurde vor den Augen der Touristen gehämmert, gesägt und gefeilt – und natürlich auch gefeilscht. Götterfiguren aller Art, aber auch Gefäße, Tiere und abstrakte Skulpturen wurden hier gefertigt. Sie sahen überdimensionale Figuren, die einer ägyptischen Pyramide würdig gewesen wären, aber auch winzig kleine Kunstwerke, wo der Stein filigran bearbeitet war und innerhalb eines Körpers noch zwei oder gar drei andere kleinere Figuren herausgearbeitet waren.

»Hey, schau dir das mal an!«

Tobias hielt einen schwarzen Ganesha hoch. Der saß vor einem Apple-Computer und bediente mit dem noch intakten Stoßzahn die Tastatur.

»Da soll mir einer sagen, die Religion dieser Leute sei rückwärtsgewandt.«

Wenn der Stein nicht so schwer gewesen wäre, hätte Max ihn gekauft. Er wäre ein echter Hingucker für ihn und alle anderen Computerfreaks an seinem Arbeitsplatz gewesen. So aber begnügte er sich mit einem Foto.

Sie bogen in einen kleinen, ausgeschilderten Fußweg

ein, der bald zu einer Kletterpartie über in Felsen gehauene Treppen und schmale Pfade zwischen Steinen und Gebüsch wurde. Auch hier gab es riesige Felsen und Felsplatten. Immer wieder waren kleine Tempel in sie hineingeschlagen worden. Braune Affen turnten zwischen ihnen herum. Besonders viele von ihnen hockten auf einem kleinen Leuchtturm, der früher wahrscheinlich den Schiffen des nahen Meeres den Weg gewiesen hatte.

Eine japanische Touristin schrie plötzlich laut auf. Einer der ziemlich frechen Affen hatte ihr die Wasserflasche aus der Hand gerissen und war damit auf und davon. Max meinte ironisch, sie habe ganz vergessen, das Tier zu fotografieren. Auch Kinder, offenbar auf Klassenausflug, liefen ängstlich davon, als sich ihnen einige Affen mit fletschenden Zähnen näherten.

»Die sehen allerdings echt gefährlich aus!« gestand Max und hielt Abstand. Einige der Affen hatten lange, spitze Eckzähne. Mit denen wollte er lieber keine Bekanntschaft machen. Was der Affe zu spüren schien, denn Zähne fletschend kam er furchtlos auf Max zu, nun dessen Wasserflasche fest im Blick. Erst als ein Inder einen Stein aufhob und ihn in Richtung des Affen schleuderte, nahm das aufdringliche Tier Reißaus.

»Sieh mal!«

Tobias hatte an einer der Tempelhöhlen eine Säule entdeckt, auf der übereinander verschiedene Gestalten abgebildet waren. Er zeigte auf eine Gestalt ziemlich weit oben.

»Ich glaube, diese Gestalt hier ist der Hirtenjunge Krishna.«

Max sah es sich genauer an. Ja, das konnte sein. Krishna in Stein gehauen. Sie wurden Krishna in diesem Land wahrscheinlich niemals los. Tobias redete weiter und Max ärgerte sich, dass sein Freund einen belehrenden Ton anschlug. Ungern musste er jedoch zugeben, dass Tobias sich vor der Reise gründlicher vorbereitet hatte als er, jedenfalls mit den geschichtlichen und religiösen Hintergründen ihres Reiselandes.

»Krishna ist die achte Inkarnation des Vishnu. Hier sehen wir ihn als eine von zehn Gestaltwerdungen des Erhalters der Welt.«

Eine halbe Stunde nach dem Vortrag seines Freundes hatte Max bereits vergessen, was er eben über Inkarnationen und andere göttliche Merkwürdigkeiten gehört hatte. Er hatte die tolle Landschaft genossen, sich der unglaublich zähen Andenken- und Postkartenverkäufer erwehrt, sich von dem riesigen Relief mit Elefanten und hinduistischer Schöpfungsgeschichte begeistern lassen und nun in Gedanken auf einen Abend im Fischrestaurant eingestellt. Doch Tobias schleppte ihn noch zu zwei weiteren Attraktionen. Sie standen vor einer riesigen Felskugel. Ein Ball, etwa zehn Meter im Durchmesser, lag auf einer schiefen Felsplatte, rollte jedoch nicht hinunter. Welch ein statisches Kunstwerk der Natur! Max stellte sich unter den Ball und stemmte sich mit ausgestreckten Armen gegen den Felsen. Auf dem Foto, das Tobias machte, sah es aus, als ob Max diesen riesigen Felsen aus eigener Kraft hielt. Welch ein Kraftmensch!

»Und wie heißt diese Felskugel?« fragte Tobias ihn und grinste dabei. Max wusste es nicht, bekam es jedoch sofort zu hören.

»Krishnas Butterball!«

»Schon wieder dieser Krishna!« Max stöhnte. »Ein Mann am Flughafen, ein Hirtenjunge, ein Gott, ein Allerweltsname und nun auch noch eine steinerne Butterkugel! Ich glaube, du hast doch recht! Krishna verfolgt uns die ganze Zeit!«

Der Abend war angenehm. Noch in der Dämmerung besuchten sie den aus dem Sand ausgegrabenen Tempel am Meer. Dann entdeckten sie ein tolles Fischrestaurant im ersten Stock eines Geschäftshauses. Lästig waren nur die Mücken, die mit gleichem Appetit wie die Europäer über Fisch und Krabben, über deren weiße Waden und Füße herfielen. Trotzdem, ein gelungener Tag war das, meinte Tobias, als sie sich müde und satt auf die Sitze ihres Miettaxis fallen ließen und sich auf den Rückweg zum Hotel machten.

»Sind wir wirklich erst zwei Tage in Indien?« Max machte ein wirklich ungläubiges Gesicht als er das fragte. »Mir kommt es vor, als seien wir schon eine ganze Woche hier.«

*

Jedes Mal, wenn er um die Verkehrsinsel kurvte, ärgerte er sich. Dieses Ding war für alle ein Skandal – wenn auch aus verschiedenen Gründen. Die Presse hatte es durchgekaut, in Artikeln und Leserbriefen. Statt den eigens zur Verkehrsentlastung errichteten Kreisverkehr zu nutzen, wurden alle Fahrzeuge einspurig um die halbe Verkehrsinsel geleitet. Die Straße um die andere Hälfte war gesperrt und mit Stacheldraht abgezäunt. Klar, dass die Meisten dies als Bürokratenposse hinstellten und über »die da oben« schimpften. Ein steinerner Dr. Ambedkar wies mit ausgestrecktem Arm gen Süden, so als wolle er sagen: »Fahrt lieber dorthin und verlasst diesen Ort!«

Wie jeder in Indien kannte Chidambaram nicht nur die Geschichten um Mahatma Gandhi, sondern auch jene um Dr. Ambedkar, der sich um die indische Verfassung, aber vor allem für die Rechte der Stammesbevölkerung und Kastenlosen in Indien verdient gemacht hatte. Was würde der wohl sagen, wenn er wüsste, dass sich sein Denkmal nun hinter Stacheldraht und Schutzzaun befand? Und das ausgerechnet, weil Widerstandsgruppen angeblich für genau die Volksgruppen kämpften, für die sich der Freiheitskämpfer so nachdrücklich eingesetzt hatte!

Chidambaram lenkte seinen Jeep vor den Schlagbaum. Ein Constabler salutierte und öffnete seinem Chef. Immer, wenn er dieses klotzige Gebäude mit seinem Stacheldraht und den zu Schießscharten umgebauten Fenstern betrat, grummelte etwas in ihm. Was für die Öffentlichkeit wegen der Verkehrsbehinderung und Optik ein Skandal war, ärgerte ihn wegen der Ignoranz seiner vorgesetzten Stellen. Er hatte damals gewollt, dass die Polizeistation gänzlich aus der Stadtmitte verschwand. Als vor Jahren die ersten Überfälle auf Polizeireviere begannen, wurden diese Stück für Stück zu Festungen ausgebaut. Die Naxaliten hatten ihre Taktik geändert. Hatten sie zunächst vor allem Schutzgelder von Großgrundbesitzern erpresst, einige dieser aus dem Osten in die Region eingewanderten Männer ermordet und so den Anspruch der Stammesleute auf das Land mit Gewalt eingeklagt, gingen sie dann immer stärker gegen die Polizei als Vertreter der Regierung vor. Polizisten wurden ermordet, deren Familien bedroht und ihre Häuser niedergebrannt. Wie viele Eingaben hatte er gemacht, bis der Polizeichef des Distriktes überhaupt reagierte? Er hatte die Verlegung der Station an den Stadtrand beantragt. Ohne Erfolg.

Erst als das Revier in Yelerupadu überfallen wurde und dabei vier Kollegen ums Leben kamen, reagierten seine übergeordneten Stellen. Er solle das Gebäude schützen, war der Befehl. Erneut hatte er die Verlegung beantragt. Zu teuer. Geld für Stacheldraht, Straßensperren und Mauern war da. Geld für neue Gebäude nicht. Also blieb ihm nichts übrig, als mitten an der zentralen Kreuzung des Ortes ein Verkehrschaos zu inszenieren und aller Welt zu zeigen, dass die Polizei für Sicherheit sorgt – vor allem für die eigene.

»Tee!« rief er, als er im ersten Stock über den Flur in sein Büro ging. Ein schmächtiger junger Mann mit großer Brille und breitem Grinsen im Gesicht brachte eine Tasse des dampfenden Getränks herein, so als habe er bereits auf seinen Chef gewartet.

»Chef, es ist mir ein Vergnügen!«

Chidambaram musste schmunzeln. Er war seinem immer gut gelaunten Sekretär dankbar, dass er nicht mehr an Stacheldraht, Pressemitteilungen und Vorgesetzte denken musste. Zwar war sein Sekretär Zivilist, er war aber hundertprozentig zuverlässig und gerade in Fällen wie dem sich jetzt anbahnenden mit Sicherheit eine große Hilfe.

»Babu«, sagte er deshalb und gab ihm das Diktiergerät, »hier ist ein Band. Bitte tippe den Report ab und komm dann damit in mein Büro.«

Babu verschwand. Der Inspektor lehnte sich auf seinem Bürostuhl zurück. Er war müde. Während er den Tee trank, überlegte er.

Zunächst sollte er die Zeugen einbestellen. Bereits am frühen Morgen, gleich nachdem die Nachricht sie erreichte, war er an beiden Tatorten gewesen. Gesehen hatte er die Zeugen also schon, sie jedoch noch nicht ausführlich vernommen.

Er sah seine Notizen von den Tatorten durch. Die Polizeistation von Kukunuru lag am Rand des Dorfes. Unvorstellbar, welches Blutbad es hätte geben können, wenn sie wie hier, im Zentrum gelegen hätte! Kukunuru war eines von hunderten Dörfern, die dem Staudammprojekt komplett weichen sollten. Vielleicht wurde es deshalb zum Ort des Überfalls.

Ebenfalls mit dem Polavaram-Staudamm verbunden war die Indira-Sagar-Colony bei Gullavai. Die Anlage war als Musterdorf für die Tribals errichtet worden, die umgesiedelt werden sollten. Da der Staudamm im Moment laut Gerichtbeschluss nicht weiter gebaut werden durfte, leugnete die Regierung dies zwar und behauptete, die Siedlung sei ein Dorf für Überschwemmungsopfer – Chidambaram wusste es allerdings besser. Wie die Meisten. Es lag auf der Hand, dass es bei den Angriffen irgendwie um den geplanten Großstaudamm bei Polavaram, das

Indira-Sagar-Projekt ging. Die Naxaliten hatten mehrfach verlauten lassen, dass sie sich zusammen mit den Kommunisten auf die Seite der betroffenen Bevölkerung stellen würden.

Ansonsten gab es an den Tatorten nichts Besonderes. Doch, wenn man die Linie zwischen beiden Attentaten und jene Stelle, an der die Demonstration stattfand und der Jeep erneut gesehen wurde, weiter zog, kam man bis hierher. Wer weiß, vielleicht war dieser graue Jeep sogar um seine Polizeistation herumgekurvt!

Was war heute noch dran? Morgen hatte er einen Termin am Gericht in Khammam. Anschließend gab es dort noch eine Sitzung wegen der Sicherheitsvorkehrungen anlässlich einer politischen Großveranstaltung. Also musste er heute sämtliche Recherchen auf den Weg bringen.

Welche Ausländer, speziell Weiße hielten sich zurzeit in dieser Region auf? Das heraus zu finden konnte nicht schwer sein. Nicht nur bei der Einreise nach Indien, auch in Hotels und bei Reiseveranstaltern wurden Touristen und ausländische Geschäftsleute registriert. Wenn jemand Geld umtauschte oder einen Zug buchte, musste er seine Adresse angeben und die Passdaten wurden vermerkt. Also musste es, wenn wirklich Weiße in die Region gekommen waren, irgendwo eine Spur geben.

Chidambaram notierte auf dem Blatt vor sich die Arbeitsaufträge für seinen Assistenten: Polizei Hyderabad (Flughafen, Hotels und Zugverbindungen überprüfen). Auswärtiges Amt Delhi (Wer hat für diese Zeit Visa für Andhra Pradesh und Khammam Distrikt beantragt?), Polizeistationen in Khammam, Rajamundhri und Bhadrachalam (Wurden Weiße in der Region gesehen?)

Wieder lehnte er sich zurück. Es würde dauern, bis Babu die Antworten bekommen hätte. Die meisten Behörden waren völlig überlastet und vieles lief nur schleppend. Manchmal, in dringenden Fällen, musste man

man nachhelfen. Druck oder Geld halfen gelegentlich. Familiäre Verbindungen halfen oft. Alles drei zusammen meistens. Wen also konnte er anrufen.

»Raja, schön, dass du gleich am Apparat bist!«

Sein erster Gesprächspartner nahm so schnell ab, dass sich Chidambaram beinahe erschrak.

»Chidam! Das ist aber eine Überraschung! Wie schön, dass du anrufst! Gerade gestern haben wir von dir geredet.«

Der Inspektor war auf der Hut. Wenn sein Schwager derart freundlich wurde, lag etwas in der Luft.

»Wir haben überlegt, ob wir dich zu Pongal zu uns einladen sollen! Du als Single solltest jedenfalls mal unter Leute kommen!«

Sein Schwager redete wie immer nicht lange um den heißen Brei herum. Chidambaram musste nun diplomatisch bleiben, wollte doch er etwas von Raja und das war alles Andere als die Festtage mit seiner großen Schwester, deren Mann und ihrer dreiköpfigen Rasselbande zu verbringen. Stress hatte er schon genug! Er hatte längst geplant, zu seinen Eltern nach Vizag zu fahren. Er wollte nach den Feiertagen dann noch ein paar Tage Urlaub dranhängen und am Meer entspannen. Wenn das nun wegen des Mordfalls überhaupt noch etwas würde. Er konnte ohnehin erst am letzten Tag des Festes losfahren, da sie noch diese Großveranstaltung zu sichern hatten. Also sollte seine Schwester mit ihrer Familie doch ebenfalls nach Vizag fahren. Dann könnten sie sich dort treffen und er hier in Ruhe seine Arbeit beenden.

Geschickt versuchte er, seinem Schwager ein Treffen im schönen Küstenort Vizag lieb zu machen. Auf die Sache mit dem »Single« ging er dabei nicht mehr ein. Er hatte es aufgegeben, seinen Verwandten zu erklären, dass er sich überaus wohl in seiner Haut fühlte und die Sache mit seiner gescheiterten großen Liebe längst überwunden hatte. Raja wollte den Vorschlag mit Vizag mit seiner Frau besprechen.

»Und warum hast du angerufen, wenn es nicht um Pongal geht?«

Chidambaram berichtete, soweit es ohnehin morgen in der Zeitung stand, was passiert war.

»Ich bitte dich, mal unter deinen Freunden herum zu horchen«, sagte er dann. »Du könntest auch im lutherischen Kirchenbüro nachfragen. Die haben doch immer wieder Gäste aus Übersee. Vielleicht sind auch jetzt welche da. Jedenfalls kommen sonst ja wohl kaum Weiße in unsere Region!«

Sein Schwager hatte eine leitende Stelle in der Verwaltung der Papierfabrik. Er war Mitglied des Rotary-Club von Bhadrachalam und kannte deshalb die High-Society der Stadt. Und er passte gut zu dieser Sorte Mensch.

»Okay.« Er wollte es machen. Dann fing Raja allerdings damit an, dass sie ja auch zusammen ein Zimmer am Meer nehmen könnten und nach Pongal gemeinsam Urlaub machen...

Als das Gespräch beendet war, seufzte der Inspektor. Der Schuss könnte nach hinten losgegangen sein. Am Ende bekam er womöglich keine Informationen, dafür aber einen nervigen Urlaub mit drei Chaoten, seinem vornehmen Schwager samt großer Schwester in einer Ferienwohnung am Meer.

Er führte ein weiteres Gespräch. Das mit den Kirchenleuten war durchaus eine Idee. Sie waren die einzigen, die immer wieder ausländische Gäste hatten. Doch der Generalsekretär im hiesigen lutherischen Büro nahm ihm die Hoffnung. Es war zurzeit niemand da – und soweit er wusste auch nicht bei den Christen in Bhadrachalam.

Er telefonierte mit der Tourismusabteilung der Regierung in Rajamundhri. Von dort gab es eine Schiffsverbindung bis zum Sriramagiri, dem heiligen Berg an der Godavari. Früher wurde der Fluss nur einmal in der Woche befahren, jetzt gab es täglich sogar mehrere Touristenboote. Vielleicht waren auf diesem Wege Weiße in die Region gelangt. Man reichte ihn dreimal weiter.

Fehlanzeige.

Chidambaram schimpfte vor sich hin. Solche Telefonate sollte besser Babu machen.

Er telefonierte mit dem Chiefinspektor des Distriktes, einem gleichrangigen Kollegen aus Khammam. Der versprach, sich persönlich hinter die Anfragen zu klemmen.

»Aber ich gehe davon aus, dass du morgen nach Khammam kommst, wir den Gerichtstermin und die Sitzung mit den Sicherheitsleuten durchziehen und dann gemeinsam Essen gehen!«

Es war klar, wer bezahlen würde. Eine Hand wäscht die andere.

28. Dezember: Blinde machen Licht

Den Vormittag ihres dritten Tages in Indien verbrachten sie am Meer oder saßen im Restaurant, tranken süßen Masala-Tee, blickten über die hier schneeweißen Wellenkämme hinaus zum Horizont und ließen ihrer Fantasie freien Raum. Von dort mussten Ende des 13. Jahrhunderts Marco Polo und hundertfünfzig Jahre später Vasco Da Gama auf diese Küste zugesegelt sein. Welch ein Gefühl, aus dem Blickwinkel der Ureinwohner Indiens aufs Meer zu schauen. Wie nannte man diese, die eigentlichen ‚Indianer' noch? Adivasi. Davon hatten sie gelesen. Bis heute sollten sich deren Nachkommen in den Stammesvölkern der abgelegenen Regionen Indiens erhalten haben. Hatte nicht auch Krishna von den ‚tribals' erzählt?

Vom Meer wehte eine kühle Brise herüber. Man konnte es selbst in der Sonne gut aushalten. Irgendwo am Strand schienen sich Krähen zu streiten. Lautes Gekreische tönte herüber. Vielleicht hatten die Fischer dort ihre Netze gereinigt und nun stritten sich die Vögel um die Fischreste. Ob diese Fischer auch zu den Ureinwohnern, den Adivasi gehörten? Möglich war es. Die nur mit dem Lendenschurz bekleideten drahtigen und muskulösen dunklen Männer, die aus groben Planken schlank und schnittig gezimmerten Boote, die Ausleger, die grauen Segel, die Weise wie sie die Brandung bezwangen, wenn sie hinausfuhren, die Netze – sehr viel anders wird es vor hunderten von Jahren auch nicht gewesen sein.

»Schon wieder reden wir von Krishnas Welt!«

Max nannte mit Namen, was in beider Köpfe herumspukte.

»Heißt das, wir sollten ihn vielleicht doch anrufen?«

»Wäre ja vielleicht gar nicht so dumm. Mir gefällt es hier draußen. Die Stadt dagegen finde ich einfach nur anstrengend. Und Adivasi-Stämme kennen zu lernen, fände ich wirklich sehr reizvoll.«

Tobias kannte Max lange genug, um zu merken, dass sich etwas in dessen Kopf eingenistet hatte. Sein Freund konnte ziemlich kreativ werden. Einmal gemachte Pläne umzuwerfen, war dann seine leichteste Übung. Oder er wurde stur. Oder beides zusammen!

»Mal sehn«, sagte er deshalb, »lass uns nun erst einmal nach Hyderabad fahren. Dann entscheiden wir weiter.«

Er hatte immer noch ein mulmiges Gefühl wegen dieses Krishna, vermutete inzwischen jedoch, dass er dem Mann Unrecht tat. Ihre konkrete Planung war ohnehin nur bis Hyderabad gediehen. Für die verbleibende Zeit wollten sie dann mit dem Zug nach Goa zu den Traumstränden ehemaliger Hippiekommunen weiterreisen oder einen billigen Inlandsflug nach Kerala nehmen, um dort eine Schiffsreise in den berühmten Backwaters zu machen. Die Rückreise nach Deutschland sollte am 14.1. mit Emirates von Chennai über Dubai gehen. Also Zeit für ein Adivasi-Abenteuer hätten sie durchaus.

Noch gestern Abend hatten sie beschlossen, Kanchipuram, die Stadt der hundert Tempel, zu streichen.

»In Deutschland sehe ich ja auch nur selten eine Kirche von innen«, hatte Max gesagt. »Warum soll ich hier in Indien von Tempel zu Tempel pilgern. Einer oder zwei reichen mir. Das Pilgern überlasse ich lieber unserem Sinnsucher aus dem Flieger.«

Tobias sah dies zwar etwas anders, hatte aber nichts erwidert. Er fand es merkwürdig, ein Land zu bereisen, das dermaßen von Religion geprägt war, dessen Tempel jedoch nicht zu besuchen. Er war überzeugt, dass man diese Kultur nur dann kennenlernen konnte, wenn man sich auch mit der heimischen Religion befasste. Trotzdem hatte Max Recht. Gestern hatten sie ja bereits ‚tote' Tempel kennen gelernt. Die ‚lebenden' Tempel konnten noch warten. Und ein oder zwei würden vielleicht ja wirklich reichen. Es machte keinen Sinn, nur durch die Gegend zu hetzen. Vielleicht hätten sie den Zug nach Hyderabad doch ein oder zwei Tage später buchen sollen. Nun aber hatten sie Fahrkarten für heute Abend um sechs.

Die kurze Rückfahrt nach Chennai verlief ohne Probleme. Sie kamen wieder an der Krokodilfarm vorbei.

»Was unser Zwölf-Meter-Freund wohl so macht?«

»Was schon, der frisst oder schläft. Kein wirklich schlechtes Leben!«

Max verdrehte genüsslich die Augen.

»Du, ich finde das mit dem Essen ist auch für uns eine gute Idee. Wir sollten vor der langen Zugfahrt noch irgendwo schnell etwas essen?«

Sie einigten sich, an einer Raststätte zu halten. An der Straße parkten mehrere Lastwagen und einige Kleinwagen und unter einem Blechdach standen Tische, Plastikstühle und Holzbänke. Sie baten ihren Fahrer, sie zum Essen zu begleiten. Er setzte sich bescheiden ans andere Ende des Tisches. Die meisten Gäste hatten einen mit einem Stück von einem Bananenblatt abgedeckten Blechteller mit Reis und kleinen Schälchen vor sich. Das war wohl das ‚Menü', welches auf der handgeschriebenen Speisekarte an der Wand empfohlen wurde. Also bestellten sie ‚Menü'.

Englisch sprach hier niemand, doch der nette Kellner in gestreiftem Hemd und mit Namenschild versehen, schien trotzdem zu verstehen, dass sie Huhn wollten. Er rauschte davon, in den hinteren Teil des Restaurants. Max und Tobias schauten sich um.

Was sie sahen, machte allerdings nicht gerade Appetit. Das Ambiente war milde gesagt gewohnheitsbedürftig.

Am Ausgang saß der Kassierer, ein wohlgenährter Mann mit glänzender Haut. Ihm wurden vom Kellner alle Belege vorgelegt. Er stempelte ab, trug ein und gab das Wechselgeld zurück. Jeder sah es sofort: Dies war der wichtigste Mann in diesem Laden. Wer das Geld hatte, hatte die Macht. Und wer die Stempel und die Formulare hatte, regierte das Imperium. Sie beobachteten den Kellner bei der Arbeit. Eben brachte er den Leuten am Nachbartisch die Rechnung und stellte ein Schälchen mit Minze und kleinen Kandisstücken auf den Tisch. Es war nach einem scharfen Essen sehr angenehm, sie zu kauen. Als der Kellner den Tisch verließ, kam ein etwa vierzehn Jahre alter Jugendlicher. Barfuss in seinen Gummischlappen, bekleidet mit blaugraubrauner Hose und hellblauhellgrauhellbraunem Hemd hielt der Junge mit einer Hand eine unter den Arm geklemmte Plastikschüssel. In die legte bzw. schob er alles, was greifbar war: Teller, Becher, Gläser, Plastikflaschen, Essensreste, alles. Mit der anderen Hand benutzte der Bursche seinen Lappen. Und der hatte es in sich. Was, war schwer zu sagen, vermutlich den Dreck einer ganzen Saison. Braun und ausgefranst glitt dieser Lappen über den Holztisch. Reiskörner, ein Stück Doshai, die Knochenreste des Chicken, die Plastikkappe einer Wasserflasche, alles verschwand in der Schüssel. Als der Junge schlurfend gen Abwaschraum ging und seine volle Schüssel abgab, folgte Tobias dieser mit Blicken. Im Nebenraum waren die Wände schwarz und feucht. Aus den Becken lief Wasser auf den Boden. In rasantem Tempo landete das Geschirr unter einem Wasserstrahl und dann im Trockenbecken. Ob das Trockentuch ein Vorstadium des Tischwischtuches war? Wahrscheinlich. Die Tellerwäscher, gekleidet in blaugrau bis schwarzgrau, waren barfuss und schmutzig wie das Geschirr. An ihnen vorbei konnte man einen Blick in die Küche werfen. Man sah riesige Töpfe für Reis, Gaskocher, triefend vor Fett, Heizplatten für Doshai und Fettbäder für Chappati und Puri, Regale und Säcke auf dem Boden mit Nahrungsmitteln. Alles war schmutzig, inklusive der Köche.

»Na dann guten Appetit!« meinte Max, als der Kellner ihnen die Menüs brachte. »Ich jedenfalls lasse ihn mir von diesen gastronomischen Schmutzfinken nicht verderben.«

Es schmeckte gut. Eine derartige Vielfalt an Gemüse und Saucen bekam man in deutschen Imbissen nicht. Noch ein Tee, ebenfalls eine Portion Minze und Kandis, dann Hände waschen unter Vermeidung des Berührens von Hahn und Waschbecken und sie konnten weiterfahren. Max wollte nur noch zur Toilette.

Als er von irgendwo hinter dem Gebäude wiederkam, sah er blass aus. Im Taxi erklärte er, warum.

»Tobi, mein lieber Tobi, geh nur bloß niemals in diesen Restaurants auf eine Toilette! Es war grausam. Die Tür, unten längst weggegammelt, schloss nicht. Die Wände waren mit den gleichen Schweinkram-Zeichnungen dekoriert wie bei uns zu Hause, sie strotzten vor Schmutz, es stank bestialisch. Zum Glück war das ein Klo wie die in Frankreich, also mit einem Loch im Boden. So konnte man wenigstens vermeiden, etwa zu berühren. Na ja, und Toilettenpapier suchst du vergebens. Dafür steht ein Eimer mit Schöpfgerät unter einem Wasserhahn bereit.«

Tobias grinste.

»Du hast dann hoffentlich die linke Hand benutzt!«

Max jedoch schien nach diesem Erlebnis keinen Spaß mehr zu verstehen.

»Mir scheint, wenn wir solche Klos gesund überstehen, haben wir die größten Herausforderungen Indiens gemeistert!«

Wie geplant waren sie kurz nach vier an der Central Station. Vor dem wunderschönen Backsteingebäude wuselten die Menschenmassen. Kaum waren sie aus dem Mietwagen gestiegen, kamen Männer in orange Hemden am hageren Körper und Dollarzeichen in den Augen und wollten ihr Gepäck tragen. Schnell schulterten sie ihre Rucksäcke selbst und enttäuscht zogen die Kulis davon. Die weißen Herren waren auch nicht mehr das, was sie damals waren, als der Bahnhof noch jung war. Beim Anblick der Sicherheitsschleusen musste Tobias an das denken, was Ramesh über Terroristen in Indien gesagt hatte. Er bekam ein mulmiges Gefühl.

Laut sagte er jedoch:

»Scheint wirklich was dran zu sein, was Sandra erzählt hat«.

Tobias schaute über das Gewusel im Bahnhof. Sandra hatte erzählt, böse Zungen behaupteten, ein Drittel der Inder arbeite, eines lese Zeitung und eines säße im Zug.

Sie suchten sich zwei leere Plätze auf den etwa dreihundert Stühlen aus Edelstahl. Diese waren vor riesigen digitalisierten Anzeigetafeln, die über Züge, Zeiten und Bahnsteige informierten, fest installiert. In der Nachbarhalle standen nochmals Stuhlkolonnen und doch mussten die meisten Reisenden auf dem Boden sitzen. Mussten? Vielleicht wollten sie auch, denn alle machten einen zufriedenen Eindruck und hatten es sich zwischen Koffern und zum Teil riesigen Gepäckstücken sichtlich bequem gemacht.

Tobias und Max beobachteten das Treiben. So etwas

wie eine Jugendgruppe machte diverse Späße miteinander und es schien zwischen den Mädels und Jungen erotisch zu knistern. Na, wenn das die Eltern wüssten... Vor ihnen saß eine Ordensschwester in hellgrauer Tracht, neben ihnen ein Mann im karierten Polyesterhemd, der ein kleines Heft mit Hindischrift las, aber immer wieder zu ihnen herüberschaute. Zwei Männer tauschen Geldscheine aus. Viele derer, die am Boden lagen, schliefen auf dem spiegelglatten und harten Marmor. Frauen trugen kleine Kinder im Arm. Manche ihrer Saris waren fein aus edler Seide gewebt, andere trugen billige, verwaschene und eingerissene Kunstfasersaris. Ob arm oder reich, warten mussten sie alle. Wann immer ein Zug kam, quollen Tausende nahezu unaufhörlich gen Ausgang, strömten gleich Lawinen über den Bahnsteig, umgingen dabei Gepäckstücke und Wartende, schlängelten sich dann zwischen jenen in der Halle hindurch und verschwanden in den unzähligen Straßen der Großstadt.

»So ein Gewusel habe ich noch nie gesehen! Nicht einmal in New York, wo nun wirklich das Leben pulsiert!«

»Und jeder von ihnen«, ergänzte Tobias, »hat eine Familie, eine Biografie, Träume und Sorgen!«

Die Masse mit solchen Gedanken anzusehen, öffnete den Blick für einzelne Menschen. Die alte Frau mit der runzligen Haut, die Plastiklatschen trug und eine der typischen bunten Taschen mit Holzgriff vor sich stehen hatte; die Familie mit fünf Kindern, die an der Wand saß und gerade per Handschlag gelben Reis verteilte, offenbar mitgebracht für die Reise; der Mann mit überaus dickem Bauch, der sich weiter rechts neben den beiden Deutschen niederließ und seiner Frau im roten Sari Anweisungen zurief, welchen Sitz sie ergattern sollte; der Kofferträger mit zwei Koffern auf dem Kopf und je einer Reisetasche an jedem Arm; jene Männer, die sich die Schweißperlen von Gesicht und Hals wischten; die Blumenverkäuferin mit ihren auf Ketten aufgezogenen und wunderbar duftenden Jasminblüten. Max und Tobias sagten eine Weile gar nichts, sondern beobachteten einfach nur die Leute. Manchmal kam es Tobias vor, als habe er Krishna zwischen all den Menschen gesehen. Viele der männlichen Reisenden, gekleidet mit dunkler Hose und hellem Hemd und mit einem Aktenkoffer in der Hand, waren dem Mann aus dem Flugzeug zum Verwechseln ähnlich. Doch jedes Mal erwies es sich als Einbildung.

Als die Anzeigetafel, die nicht nur in verschnörkelten Telugu Schriftzeichen, sondern auch auf Englisch zeigte, wann welcher Zug fuhr, den Charminar-Express anzeigte, gingen sie auf den Bahnsteig. Nicht viel später kam ihr Zug. Er fuhr ganz langsam in den Bahnhof ein, so als wolle er es sich noch einmal überlegen. Die alte, mitgenommen aussehende Elektrolok stieß vorsichtig an die Puffer des im Bahnhof endenden Gleises. Zurück musste es also in die andere Richtung gehen. Jetzt war auf dem Bahnsteig kaum ein Durchkommen mehr. Die Aus- und die Einsteigenden prallten aufeinander. Doch wie im Straßenverkehr, irgendwie funktionierte es.

Am Anfang des Zuges waren Gepäckwagen. Sie hielten vor riesigen Bergen von Kisten, Ballen, Fässern, Koffern. Die Sitzplätze der 2. Klasse ohne und dann die A/C Wagen mit Kühlung zogen an ihnen vorbei, als der Zug einfuhr. Sie mussten noch weiter nach hinten.

»Hey«, sagte Max, während er sich durch die Menge schob, seinen schmaleren Freund im Windschatten, »die sehen ja alle gleich aus, die Waggons. Und die Gitter vor den Fenstern erinnern mich sehr an einen Knast.«

Tatsächlich hatten, bis auf die mit Scheiben verschlossenen klimatisierten Waggons der 1. Klasse, alle Fenster waagerecht eingebaute Gitter. Die Scheiben konnte man hochschieben, die Gitter nicht.

»Dabei hatte ich nicht vor, einen indischen Knast von innen zu sehen!«

Tobias lachte, als habe er einen guten Witz gemacht.

»Sind nicht im letzten Jahr bei einem Attentat über

hundert Leute in so einem Waggon verbrannt, weil sie nicht hinauskamen?«

Max mochte gar nicht daran denken, dass sie dort drinnen saßen und ein Unglück geschah, oder ein Anschlag.

Nun entdeckten sie ihren Waggon ‚Sleeper S2'.

Max bemerkte links vom Eingang ein aufgeklebtes Blatt.

»Tobi, schau mal her! Hier ist ein Zettel mit den Namen und sogar dem Alter der Fahrgäste! Wenn das nichts ist! Unsere Namen stehen in Indien an einem Zug! Hier steht Maximilian Hoyer, 30 Jahre. Und dort Tobias Grunert, 28 Jahre.«

»Aber bist du nicht schon 32?«

»Na und? Das wissen die doch nicht. Also habe ich mich etwas verjüngt.«

Max grinste und stieg mit jugendlichem Schwung in den Waggon.

Auch ihre Schlafplätze fanden sie anhand der Nummern auf den Fahrkarten problemlos. Ihre Rucksäcke schoben sie unter die Sitzbank, die später zum Bett umfunktioniert wurde und richteten sich auf eine lange Reise ein.

Pünktlich ging es los.

»Wie? Wir fahren schon?« wunderte sich Tobias, als der Bahnsteig sich plötzlich zu bewegen begann und durch die abgedunkelten Scheiben Menschen, Kisten, Getränkestände und Schilder an ihnen vorüber glitten. Irritiert sah er auf seine Uhr.

»Dabei habe ich doch gelesen, in Indien seien die Züge niemals pünktlich.«

»Vielleicht war die Ausgabe deines Reiseführers etwas überaltert. Du bist im modernen Indien, nicht mehr im letzten Jahrhundert.«

Langsam fuhr der lange, schwere Zug an, beschleunigte dann aber merklich. Max schätzte das Tempo auf ungefähr achtzig Stundenkilometer, immerhin viel schneller als auf den meisten Straßen. Die Räder begannen ihr monotones Lied. Die Schläge der nicht verschweißten Schienenverbindungen gaben den Rhythmus an.

Der A/C Wagen war gut, aber nicht zu üppig gekühlt. Neben den beiden saß ein junger Mann, der aus Bangalore kam. Das obere Bett schien frei zu bleiben. Max spendierte dem Nachbarn einen Tee. Immer wieder kamen Verkäufer durch den Zug, die ihre Angebote mit besonderer Betonung anpriesen: »Coffetea, coffetea!« Es klang fast wie ein Gesang. Der Tee schmeckte ausgezeichnet. Gebackenes wurde verkauft, Mineralwasser, Eiscreme, Abendessen oder kalte Getränke. Ein blinder Junge verkaufte Stifte mit kleinen Lampen daran.

Das konnte Max natürlich nicht unkommentiert lassen. Als der Blinde, sich vorsichtig voran tastend, vorbei war, meinte er:

»Ist ja toll! Ein Blinder verkauft Licht. So etwas kann es nur in Indien geben!«

Als ob ihr Nachbar die auf Deutsch gemachte Bemerkung verstanden hätte, mischte er sich ein.

»Ja, ich verstehe, was ihr wahrscheinlich denkt. Es ist paradox, dass ein blinder Junge Licht verkauft. Doch es ist nicht zum Lachen, sondern zum Weinen. Diesem Jungen sind vielleicht die Augen bewusst zerstört worden. Es gibt bei uns kriminelle Vereinigungen, die Kinder aus den Slums und von der Straße holen und sie so zurichten, dass sie dann für sie betteln gehen – oder eben Licht verkaufen.«

Max und Tobias wurden still. Welch ein Land, welche Kontraste!

Die Rückenlehnen der Sitze konnte man hochklappen. So bekam man ein oberes Bett. Irgendwann kam ein Zugbegleiter und verteilte Decken und weiße Bettlaken, die nach Desinfektionsmitteln rochen. Die vier Betten ergaben eine Art Kabine, die man mit Vorhängen verschließen konnte. Was vor allem Max jedoch hinauszögerte. Der Grund war einfach. Auch auf der Gangseite gab es noch zwei Betten. Dort saß eine junge, hübsche Frau und las in einem Modemagazin. Die in dem Blatt vorgestellte Mode war von der des Westens kaum zu unterscheiden, abgesehen von den Saris und den überaus attraktiven indischen Models. Die Frau gegenüber stand denen in nichts nach und so war Max Blick immer wieder gefesselt.

Irgendwann ging Tobias zur Toilette. Als er den Wagen verließ, konnte er einen Blick in die zweite Klasse werfen. Dort schien man, harmlos ausgedrückt, etwas anspruchsloser zu reisen als in dem Nobelwagen, wo sie saßen. Es war proppevoll. Die Leute saßen auf mit Kunststoff bezogenen Pritschen. Zum Schlafen war wahrscheinlich kaum Platz. Manche hockten sogar zwischen den Waggons auf dem Fußboden. Drei Männer rückten zur Seite, um Tobias auf die Toilette zu lassen.

Das Klo war ein Loch im Boden. »Schöne Scheiße!« hätte Max wahrscheinlich gesagt. Der Schiet fiel einfach hinaus. Jetzt erinnerte Tobias sich, dass er im Bahnhof gesehen hatte, wie die Schienenbereiche gereinigt wurden und Kulis mit dickem Wasserstrahl den Kot wegspülten. Hier, auf freier Strecke, machte niemand sauber. Auch das Klo selbst wurde wohl eher vom Zahn der Zeit gereinigt als von Menschenhand.

Düfte zogen durch den Zug: Kloake, Jasmin, Brandgeruch und Abendessen. Die Außentüren waren geschlossen, da der Nachtwind inzwischen recht kühl wurde. Als Tobias wieder im angenehmen Schlafwagen war, atmete er erleichtert durch. Da er auch seinem Freund die Erfahrung einer Zugtoilette gönnte, empfahl er ihm, den Blick von der Schönen für einen Moment zu lassen und sich den wirklichen Herausforderungen des Lebens zu stellen. Max akzeptierte. Seinen Kommentar, als er nach wenigen Minuten zurückkam, hatte Tobias bereits vorhergesagt: »Schöne Scheiße!«

Die Schöne ging schlafen. Als sie die Vorhänge geschlossen hatte, konnte auch Max seinen Tag ohne das Gefühl, etwas zu verpassen, beenden. Der smarte Nachbar aus Bangalore lag bereits auf seinem unteren Bett. Tobias klappte die Lehne hoch, hängte sie ein, fummelte sein Bettzeug fest und kletterte hinauf. Dem gewichtigen Max das schmale obere Bett zuzumuten, wäre alles andere als ein Freundschaftsdienst.

Der Rhythmus der Schienen, ein leichtes Schaukeln und vor allem die Müdigkeit eines langen Tages ließen Tobias schnell einschlafen. Gelegentlich wachte er allerdings wieder auf. Zweimal sah er Lichter vorbeiziehen, die dem Dunkel jedoch nichts anhaben konnten. Einmal stand der Zug in irgendeinem Bahnhof und dumpf hallte das monotone »coffetea« der mobilen Teehändler herein. Und einmal klangen die Schienen irgendwie hohl. Der Zug fuhr über eine lange Brücke. Als Tobias durch das Fenster spähte, sah er Wasser unter sich im Mondlicht funkeln. Wenn er sich mit der Zeit nicht ganz täuschte und sich an seine Indienkarte richtig erinnerte, dann war das einer der größeren Ströme Indiens, die Krishna.

Krishna? Als Tobias aus dem Schlaf gerissen wurde, hatte er gerade etwas Chaotisches geträumt. Ein Blinder wollte ihm Licht verkaufen und behauptete, mit diesem Licht könnten sogar Blinde sehen. Und Rama Krishna Rao kam in dem Traum auch irgendwie vor. Nur war Tobias nicht klar, ob er der Blinde war oder der Gangster, der dem armen kleinen Jungen die Augen ausgestochen und ihn zum Bettler gemacht hatte.

Gut, dass es um sie herum plötzlich lebendig wurde. Max stieß Tobias an.

»Tobi, nun wach endlich auf! Wir sind da!«

29. Dezember: Vorspiel im Central Court

Es war früher Morgen, als der Charminar-Express im Hauptbahnhof der Zwillingsstadt Hyderabad und Secunderabad einfuhr. Die Hauptstadt des Bundesstaates Andhra Pradesh begrüßte sie mit einem freundlich blauen Himmel. Während es in Chennai wegen des Meeres morgens neblig war und am Nachmittag sogar manchmal regnete, strahlte hier schon früh die Sonne. Eine Autorikscha, von denen es hier wahrscheinlich ebenso viele gab wie in Chennai, brachte sie zum Central Court Hotel. Dieses Hotel hatten sie im Internet gefunden, als sie nach einem halbwegs bezahlbaren Mittelklassehotel gesucht hatten. Der Name hatte irgendwie Vertrauen erweckend geklungen, so als seien sie dort sicher. Und das Hotel hielt, was es versprach, auch wenn es inzwischen seine Preise empfindlich erhöht hatte. Letzteres galt nach Auskunft des Portiers jedoch für alle Mittelklassehotels in Hyderabad. Die ‚High Tech City' boomte.

»Bevor wir hier irgendetwas unternehmen«, meinte Max, »will ich erst einmal ausgiebig duschen und frühstücken.«

Der Boy brachte ihre Rucksäcke ins Foyer und ignorierte dabei die Sicherheitsschleuse, durch die eigentlich alle Besucher des Hotels gehen sollten. Nach dem Einchecken fuhren sie mit dem Aufzug in den dritten Stock. Dieser Aufzug war sozusagen von außen an das Treppenhaus angehängt und seine verglaste Kabine gab den Blick hinunter in die Lobby frei, die sich unter der dreistöckigen Halle befand.

Zusammen mit ihren Rucksäcken brachte der Boy auch eine Zeitung mit, an die ein Frühstückscoupon geheftet war. Es war der Deccan Chronicle, ein englischsprachiges Blatt. Während Max im komfortablen Bad duschte, blätterte Tobias darin. Die meisten Nachrichten aus Indien interessierten ihn nicht. Eine große Computerfirma Satyam hatte falsche Bilanzen vorgelegt, um die Börse zu täuschen. Der Chef saß nun im Gefängnis. Irgendwo war ein Bus von der Straße abgekommen und es hatte Tote gegeben. Es gab Gerüchte, dass der Geheimdienst nach ausländischen Terroristen suchte, die verdeckt eingereist waren, um Telangana-Rebellen zu unterstützen. Es gebe bereits Hinweise auf illegale Transaktionen großer Geldbeträge aus Europa. Tobias dachte, dass ‚ausländisch' alles heißen konnte. Hatte nicht sogar der Inder Krishna bei seiner Einreise einen englischen Pass vorgelegt? Indien und Pakistan verhandelten endlich wieder und es schien nach den Attentaten von Bombay nun doch kein Krieg zu drohen. Die weltweite Finanzkrise hatte jetzt auch Indien erreicht. Barack Obama stand kurz vor seiner Amtsübernahme. Alles schön und gut, aber für zwei Abenteurer in Indien wenig interessant.

Ein Artikel jedoch fesselte seine Aufmerksamkeit. Er las ihn aufmerksam. Dann saß er da und überlegte. Vielleicht lohnte es sich doch!

Als Max aus dem Bad kam, weihte er ihn ein und las Teile aus dem Artikel vor.

»Hyderabad. Das Forrest Department hat der Regierung von A.P. (Andhra Pradesh) jetzt seine Konditionen zum Bau des Indira-Sagar-Staudamms (Polavaram-Projekt) vorgelegt. Zwei der Konditionen könnten das gesamte Projekt gefährden, denn Chhattisgarh und Orissa sollen gänzlich vom Stausee verschont werden. Kenner bezeichnen dies als indirekte Ablehnung einer Aufstauung der Godavari...«

Aus dem Artikel ging weiter hervor, dass die Regierung bereits viele Milliarden Rupien zum Bau von Kanälen und als Entschädigungen für die dem Projekt weichenden Familien ausgegeben hatte. Es hatte offenbar keine Genehmigung für den Staudamm gegeben. Weil die Landesregierung trotzdem mit dem Bau der Anlagen begonnen hatte, drohten jetzt Anklagen wegen Missbrauchs von Steuergeldern.

Insgesamt machte der Artikel jedoch eher den Eindruck, als ob das Projekt gebaut würde, egal, welche Hindernisse zu überwinden waren.

»Und wieso zeigst du mir das?«

Max interessierte sich für Politik genauso wenig wie für Religion. »Die wollen einen Staudamm und boxen das durch. Die Verlierer sind wahrscheinlich die kleinen Leute, die dort wohnen, wo alles überschwemmt wird. So etwas gibt es öfter auf der Welt. Ich glaube, in Indien hat es das auch schon mehrfach gegeben!«

»Aber lies doch mal genau!« Tobias ließ nicht locker. »Da ist von einem Fluss die Rede. Nun, und wie heißt der? Godavari!«

»Ach ja. Es ist also jener Fluss, den uns unser mysteriöser Rama Krishna Rao angepriesen hat.«

Nun wirkte Max interessiert.

»Wenn die Godavari ausgerechnet in seiner Heimat aufgestaut wird, dann ist es bald vorbei mit den Tigern, den Wasserfällen und den idyllischen Stammesdörfern.«

Tobias war überrascht, wie genau Max noch wusste, was der Inder ihnen erzählt hatte. Andererseits war sein Freund bereits gestern früh auf die Idee angesprungen, den Adivasi in Krishnas Welt zu begegnen – und da hatte er selbst sich noch zurückgehalten. Dabei konnte es wirklich interessant sein! Also gab er sich einen Ruck und machte einen Vorschlag.

»Max, ich finde, wir sollten Krishnas Einladung annehmen. Wir könnten das ja unter dem Titel machen: Solange es diesen Fluss noch gibt.«

»Und wie soll das gehen? Wir wissen nicht, wo die Godavari liegt und Krishna ist jetzt nicht hier.«

»Doch«, in Tobias Stimme lag ein Hauch von Stolz, »ich habe im Internet nachgeschaut, als wir in Mamallapuram waren. Jedenfalls weiß ich ungefähr, wo Bhadrachalam liegt. Und daran könnten wir uns orientieren. Außerdem haben wir doch seine Visitenkarte und können ihn anrufen.«

Er kramte in seinen Papieren. Irgendwo zwischen Quittungen und Reisepass fand er die Karte.

»Hier ist sie, soll ich anrufen?«

Max überlegte nicht lange. Nach all den bisherigen ‚Hinweisen' kam diese Entwicklung nicht unbedingt überraschend. Es war, als liefe alles darauf hinaus, dass sie diesen Abstecher ins Stammesland machten...

»Okay, aber sag ihm, dass wir erst übermorgen kommen, damit wir uns morgen noch die Stadt ansehen können. Einkaufen will ich auch noch. Ich brauche dringend ein Hemd. Und mehr als fünf Tage sollten wir nicht investieren.«

Tobias wählte die Mobilnummer von der Karte.

Statt des Klingeltons hörte er indische Popmusik. Dann nahm jemand ab.

»Mr. Krishna! Hallo! Hier spricht Tobias Grunert. Wir haben uns in Dubai getroffen. Und Sie haben uns in Chennai eine Nachricht hinterlassen.«

»Oh!« Der Mann auf der anderen Seite klang freudig überrascht. »Das ist ja grandios, dass ihr anruft! Ich hatte schon befürchtet, all meine Bemühungen, euch einzuladen, hätten nichts genutzt!«

»Na ja, wir haben es uns erst jetzt überlegt. Wir sind in Hyderabad. Und wir haben uns entschlossen, für maximal fünf Tage Ihre Heimat kennen zu lernen.«

»Wo genau seid ihr in Hyderabad?«

Tobias sagte es dem Inder und gab ihm auch die Telefonnummer des Hotels.

»Hört zu, ich schicke euch jemanden!« sagte Krishna. »Er besorgt für morgen Abend Busfahrkarten für euch. Ihr könnt dann mit dem Nachtbus nach Bhadrachalam fahren, euch dort ausruhen, den Tempel ansehen und dann zu mir nach Kukunuru kommen.«

»Und wie?« Krishna hörte sich an, als habe er bereits alles im Detail geplant. Dabei hatte er seit der Begegnung am Flughafen nichts von den beiden Deutschen gehört.

»Kein Problem, mein Freund Saresh, der euch abholt,

wird euch begleiten.«

Als Tobias aufgelegt hatte und Max wiedergab, was sie besprochen hatten, rieb der sich die Hände und sagte:

»Das läuft ja wie geschmiert! Na, dann kann ja unser Abstecher ins Land, das es bald nicht mehr geben soll, morgen anlaufen. Und jetzt? Was läuft jetzt?«

»Ich denke, wir beginnen mit der Altstadt. Und nachher könnten wir noch zu Fuß das Birla-Mahir besuchen.«

Dabei wies er aus dem Fenster. Man sah, hinter Wohnblocks im Rohbau und ebenso unfertig aussehenden, aber bewohnten Gebäuden, die Kuppel eines weißen Marmortempels in den Himmel ragen. Seine goldene Spitze blinkte in der Sonne.

»Und mein Einkauf?«

»Nach dem Tempel nehmen wir eine Rikscha und fahren in einen der modernen Konsumtempel auf die Banjara Hills. Geld tauschen will ich auch noch.«

»Okay. Und morgen sehen wir uns dann die Ruinen des Golkonda Forts an. Ob wir das schaffen, bevor wir den Bus nach Bhadrachalam nehmen?«

»Es wird wohl recht stressig. Aber wir können im Bus schlafen.«

Der Tag verlief wie geplant. Die Eindrücke allerdings, die sie in der Altstadt von Hyderabad rund um das riesige Charminar und Mekka Masjid, eine der größten Moscheen Asiens, bekamen, beschäftigten Max noch im Traum.

Er irrte in dieser Nacht durch ein Gewusel von mit schwarzen Burkas verhüllten moslemischen Frauen. Hunderte schwarze Augenpaare schauten ihn durch den schmalen Spalt der Kopfbedeckung an, prüfend, staunend, herausfordernd und verängstigt. Wenn er sich einer dieser Frauen vorsichtig näherte, war er plötzlich von Soldaten und Polizei umstellt, die eben noch zur Sicherung des Charminars und der Eingänge zur Moschee abgestellt waren. Einer von ihnen fuchtelte mit seinem Gewehr herum und schrie ihn an, er solle die moslemischen Mädchen in Ruhe lassen. Plötzlich liefen hunderte Moslems und Hindus in Panik auf Max zu. Sie flohen vor irgendetwas. Dann explodierte auf dem kleinen Obstmarkt neben dem Charminar eine Bombe.

Vor Schreck wachte Max auf.

*

Die ersten Informationen kamen aus Hyderabad, zum Erstaunen Babus.

»Das hatten wir schon lange nicht mehr«, begann der seinen Bericht. »Schon nach wenigen Stunden kommt Antwort aus dem Zentralkommissariat der Hauptstadt. Also muss es denen wohl wichtig sein. Sie haben dieses Fax geschickt.«

Er legte Chidambaram ein vier Seiten langes Dokument auf den Schreibtisch, wartete jedoch nicht darauf, dass sein Chef es durchlas, sondern redete weiter.

»Sie suchen mehrere Ausländer. Vor vier Wochen sind dem Geheimdienst in Delhi mehrere große Geldtransfers von England nach Indien aufgefallen, die nicht genau zuzuordnen waren. Das Geld wurde über diverse Konten transferiert und einer der Beträge ist letzte Woche bei der Andhra Bank in Warangal gelandet, inzwischen aber verschwunden. Ein Konto wurde aufgelöst, das Geld bar ausgezahlt und weg ist es!«

»Aber da muss es doch einen Empfänger geben?!« Chidambaram verstand nicht viel vom Bankgeschäft, so viel aber wusste auch er als Laie.

»Klar, aber der ist nicht mehr auffindbar. Offensichtlich eine falsche Identität. Der Mann war Inder, allerdings sprach er Englisch mit britischem Akzent.«

»Und, um wie viel Geld handelte es sich?«

»Es waren 350.000 Dollar.«

Chidambaram war beeindruckt. Mit einem solchen Vermögen konnte man in seinem Land fast alles kaufen. Und Alle. Wenn Extremisten über derartige Mittel verfügten, konnten sie damit ohne Probleme Politiker und Beamte bestechen, Waffen und Sprengstoff beschaffen, Naxaliten und Widerstandsgruppen aus den Bergcamps für ihre Zwecke engagieren – und vieles mehr.

»Gibt es eine Beschreibung von diesem Mann?«

»Nur eine sehr vage. Er trug einen Schnurrbart wie wir fast alle, war mittelgroß und sah aus wie viele andere auch. Mit Kameras war die Zweigstelle der Bank in Warangal leider nicht ausgestattet.«

»Na, das hilft ja wirklich weiter!« Der Inspektor schüttelte mit dem Kopf. »Und Weiße? Ist da auch von Weißen die Rede?«

»Nein, nur von Ausländern, die angeblich nach Indien eingereist sind, um hier außerhalb legaler Wege ihre politischen Ziele zu verfolgen. Oder anders gesagt: Es geht um Terroristen.«

Babu berichtete, dass im Zusammenhang mit den Anschlägen von Bombay diverse Überprüfungen liefen. Diese bezogen sich natürlich vor allem auf Pakistan und Terrorgruppen aus dem moslemischen Norden, es wurden aber auch andere Verbindungen geprüft. So war man auf das Geld aus England, das hier noch alle UK (United Kingdom) nannten, gekommen. Allerdings war der Reiseverkehr gerade von dort nur schwer zu kontrollieren. Mit Großbritannien pflegte Indien intensivste Beziehungen, auch und gerade wegen der gemeinsamen Geschichte. Unzählige Inder arbeiteten oder studierten dort, hatten Verwandte im Königreich oder besuchten es als Touristen.

»Und Weiße? Ist im Zusammenhang mit dem Geld oder den ausländischen Agenten auch von Weißen die Rede?«

Babu schüttelte den Kopf. Also waren sie keinen Schritt weiter gekommen. Oder doch? Selbst wenn die beiden Weißen in die Morde verwickelt waren, konnten doch auch Inder dahinter stecken.

»Was ist mit Weißen, die als Touristen oder Geschäftsleute im Bundesstaat sind?«

Babu entnahm einem braunen Pappdeckel einen Stapel Papiere.

»Hier stehen alle drauf.«

Als sein Vorgesetzter zu blättern begann, wurde er blass unter seiner dunklen Haut. Nach wenigen Minuten schob der Inspektor den Stapel resigniert zur Seite.

»Mehr hast du nicht? Das müssen Tausende sein. Was wollen die denn alle in Andhra? Engländer, Deutsche, Italiener, Spanier, Amerikaner, Japaner... habe ich irgendwie verpasst, dass wir hier eine Weltmeisterschaft oder Ähnliches veranstalten?«

Babu lachte.

»Nein, nein, Chef! Ich habe das zuerst auch gedacht und gleich nachgefragt. Die haben mir dann gesagt, das seien immer so viele. Vor allem von November bis Februar kommen Touristen und meist religiös motivierte Sinnsucher. Und Geschäftsleute, Angestellte internationaler Firmen, Delegierte diverser sozialer oder kirchlicher Organisationen, Praktikanten, Sportler, Künstler, Studenten... und was weiß ich alles, sind das ganze Jahr über bei uns. Sorry, ich habe auch nicht gewusst, dass es so viele sind. Indien scheint ein beliebtes Reiseziel zu sein!«

»Wir müssen die Zielgruppe eingrenzen.«

Chidambaram dachte laut, wusste er doch, dass sein Sekretär oft gute Ideen hatte. Diesmal allerdings fiel auch dem nichts ein.

»Wir sollten zunächst abwarten, wer uns aus Delhi gemeldet wird. Vielleicht haben ja einige unseren Distrikt als Ziel ihrer Reise angegeben, als sie ihr Visum beantragten. Aber das kann dauern. Eher erhoffe ich mir Infos aus Bhadrachalam oder von irgendwo sonst in unserer Region. Zwei Weiße können hier ja nicht einfach so abtauchen.«

Die Zeugen waren am Nachmittag gekommen. Chidambaram hatte sie einzeln vernommen, jedoch nichts Neues erfahren.

Jetzt, als Babu gegangen war, um weitere Telefonate

zu führen, ging der Inspektor die Zeugenaussagen noch einmal durch. Übereinstimmend wurde einer der Weißen, der mit dem Fotoapparat, als stämmig beschrieben. Beide sollten dunkelblonde oder braune Haare haben. Keinen Bart. Der schmächtigere der Beiden trug eine Sonnenbrille. Das war's. Die Nummer des Jeeps hatte sich niemand gemerkt oder notiert. Ein »A.P.« kennzeichnete ihn als Fahrzeug, das in diesem Bundesstaat zugelassen war. Am Steuer des Jeeps hatte, während die Weißen ihn sowohl in Kukunuru als auch an der Siedlung bei Gullavai verlassen hatten, noch jemand gesessen. Wahrscheinlich war es ein Fahrer. Man konnte nicht davon ausgehen, dass Weiße in Indien selbst hinterm Steuer saßen. Indischer Straßenverkehr war nichts für Ausländer!

Der Inspektor nippte an seinem dritten Tee. Wenn bis gegen sechs keine neuen Informationen kamen, wollte er im Hotel schräg gegenüber etwas essen, dann noch einmal für ein oder maximal zwei Stunden ins Büro kommen und danach Feierabend machen. Was sonst sollte er heute Abend noch tun als etwas fernsehen oder mit seinem Nachbarn klönen? Das war eben der Nachteil des Single-Daseins. Man war oft allein. Völlig frei, zu arbeiten, zu reisen, Zeit zu vergeuden – aber eben allein. Warum hatte es damals eigentlich nicht geklappt? Es hatte doch so gut begonnen. Sie war ihm zugeneigt, das hatte er deutlich gespürt. Aber er musste irgendetwas falsch gemacht haben. Nicht ‚irgendetwas'. Er wusste schon, was. Jedenfalls hatte sie ihm einen deftigen Korb gegeben. Und sein Traum war zerplatzt.

Immerhin, er hatte seine Energie umgeleitet. Damals noch kleiner Constabler, war er heute Polizeichef von Ashwaropeta, wenn auch nur Subinspektor. Das war schon was, wenn auch für inzwischen vier Jahre eine Art Endstation. Nun war er fünfundvierzig. Ob er noch einmal eine Chance bekam, die Polizeistation einer größeren Stadt zu übernehmen? Khammam oder Rajamundhri? Er würde seine Chance ergreifen, wenn sie sich ihm bot.

Wer weiß, wenn er jetzt gute und vor allem schnelle Arbeit leistete, könnte sie sich bereits anbahnen.

Als Babu plötzlich im Raum stand, schrak Chidambaram auf. Hatte er eigentlich »Herein« gesagt? Egal. Seinem Adjutanten konnte er ohnehin nicht verbergen, wenn seine Gedanken auf Wanderschaft gingen.

30. Dezember: Der Schritt in den Strom

Als er seinem Freund am nächsten Morgen beim Frühstück im ‚Pepper & Salt', dem Frühstücks-Restaurant des Hotels, von seinem Traum erzählte, reagierte Tobias ernsthaft, fast bewegt.

»Komisch«, sagte er, »du hast alles, was wir erlebt haben, mit dem vermischt, was du an Informationen über Hyderabad hast. Das mit der Bombe ist ja leider hier schon oft passiert. Im letzten Jahr sind viele Leute gestorben. Zuerst wurde die Mekka Moschee überfallen und dann gingen auf mehreren Märkten Kofferbomben hoch. Der Streit zwischen extremen Moslems und ebenso fanatischen Hindus wird hier, in Hyderabad, manchmal mit brutaler Gewalt ausgetragen. Allerdings, glaube ich, hat man damals als Hintermänner nicht Hindus, sondern Terroristen aus Pakistan ausgemacht. Die bekämpfen einen liberalen Islam genauso wie unseren westlichen Lebensstil.«

»Heute Nacht sind sie dann leider auch in meinen Traum eingedrungen«, meinte Max. »Aber du hast Recht, ich träume mit ernstem Hintergrund. Ich frage mich nur, warum träume ich nicht von diesem tollen Birla-Tempel mit seinem weißen Marmor und dem berauschenden Blick über die Stadt? Warum nicht von den malerischen Händlern und Geschäften oder von den in einer Straße am Charminar konzentrierten und wie Weihnachten funkelnden Läden mit Armreifen und Schmuck? Wieso träume ich von Bomben und panisch weglaufenden Menschen?«

»Keine Ahnung, ich hoffe nur, du hast nicht irgend welche negativen Vorahnungen.«

Dann erzählte er seinem Freund, wovon er selbst geträumt hatte.

»Ich habe geträumt, wie wir gestern, als wir einkaufen waren, die Straße überquert haben!«

»Na«, meinte Max und grinste, »das kann auch nur ein Albtraum gewesen sein.«

»Genau, während du in die schwarzen Augen deiner Moslemmädels gestarrt hast, musste ich diese Straße im Traum noch einmal überqueren.«

Sie hatten dies gestern machen müssen, als sie in die Banjary-Hills fahren wollten. Wenn sie eine Rikscha auf der dem Hotel gegenüberliegenden Seite der Straße nahmen, sparten sie Zeit und Geld. Es hatte sich so einfach angehört, als die freundliche Frau an der Rezeption diesen Tipp gegeben hatte: »Geht einfach über die Straße.«

Das sagte sich leicht. Wie ein Strom quollen die Fahrzeuge je Richtung auf drei Spuren an ihnen vorbei. Drei? Es waren so viele Spuren, wie Fahrzeuge nebeneinander passten. Im Abstand von zehn Zentimetern und weniger. Wie viele Ansätze sie machen, um einen ersten Schritt zu wagen? Tobias hatte nicht mitgezählt. Und auf Max zu achten war schlicht nicht möglich gewesen. Wer nicht seine volle Konzentration auf den Verkehr richtete, würde den vielleicht nicht überleben. Gerade wollte Tobias losgehen, da brauste ein dicker Bus heran. Dahinter ein LKW. Wieder wagte er es. Wildes Hupen einer Motorrikscha. Gleich fünf oder sechs dieser Minitaxis rauschten hupend an ihm vorüber. Er sprang einen Schritt zurück, um nicht von einem Motorradfahrer erwischt zu werden, der mitsamt seiner Frau und zwei Töchtern unterwegs war. Hilflos wartete er auf eine Lücke im Strom der Fahrzeuge. Sie entstand nicht. Also musste er sich doch an an jenen Lebensmüden orientieren, die trotzdem gingen. Also los, gerade waren keine dicken Busse oder Lastwagen in Sicht. Er ging langsam, ganz wie ein vorsichtiger Schwimmer einen reißenden Strom betrat, einen Schritt hinein in den Verkehrsstrom. Es ging. Autos umfuhren ihn, Motorräder und Fahrräder machten einen Bogen, hielten an, wurden langsamer. Sie hielten Abstand, wenn auch nur wenige Zentimeter. Ein Geländewagen kam bedrohlich nahe ohne sein Tempo zu drosseln. Tobias ging einen Schritt zurück. Damit allerdings schien hier niemand zu rechnen, denn prompt wurde er beinahe von einer der Lastenrikschas angefahren. Also vorwärts, eine andere Möglichkeit blieb ohnehin nicht mehr. Wie ein Torero im Angesicht des Todes wartete er jenen Moment des nächsten Schrittes ab und gleich wütenden Stieren glitten die Fahrzeuge zum Greifen nahe an ihm vorüber. Längst hatte er keinen Sinn mehr für den furchtbaren Smog, der ihnen schon in der Altstadt die Luft zum Atmen geraubt hatte. Irgendwann erreichte er den Mittelstreifen. Dort gab es eine 30 cm hohe Steinbrüstung. Ruhepause. ‚Keep the city clean!' forderte ein Schild jene auf, die es fertigbrachten, in Lebensgefahr noch zu lesen. Ja, das hatten sie geschafft in Indien, jedenfalls fast. In den letzten Jahren, hatte Tobias in einem Bericht über die Entwicklung Indiens gelesen, hatten Müllabfuhr und Begrünung das Bild der Großstädte deutlich verändert. Sogar die heiligen Kühe mussten die Innenstädte verlassen. Hier, an dieser Stelle, hätten sie auch keine Chance. Wie Tobias. Er war nun beidseitig von Fluten umgeben. Doch weiter. Losgehen, stehen bleiben, Handzeichen, dezent zurückweichen, einen winzigen Schritt nach vorn, um in nächster Reihe zu stehen. Noch zwei Schritte. Angst vor dem Bus, der ohne Rücksicht auf ihn zudonnerte. Hupen in allen Tonlagen. Stoßgebete. So kam er denn doch auf die andere Seite der Straße. Im Traum wie in der Wirklichkeit.

»Du hast gut reden!« meinte Max. »Du warst noch zehn Minuten schneller am anderen Ufer als ich! Und ich frage mich inzwischen, was kann uns nun noch passieren? Die Gegend an der Godavari wird uns, wenn Krishna nur zur Hälfte Recht hat, wahrscheinlich wie ein Teil des Paradieses vorkommen. Und Fliegen wie ein Spaziergang im Park.«

Max stand auf und holte sich noch eine Schale mit saftigem Obstsalat, Wassermelone und Ananas, frisch und süß. Als er wieder am Tisch saß, sagte er:

»Was mich am meisten an diesem Land irritiert aber gleichzeitig fasziniert, sind seine Gegensätze.«

Max schien an diesem Morgen richtig Lust zu haben, ihre bisherige Reise zu reflektieren.

»Wir schauen einer Kulifrau zu, wie sie für etwas über einem Euro am Tag acht Stunden schuftet und Zement oder Steine in einer Schale auf dem Kopf in den dritten Stock eines Rohbaus schleppt. Alte, abgewetzte Kleidung, barfuss oder in Latschen, Arbeiterhände. Und gleichzeitig sitzen wir im Cafe und sind von Teenies umgeben, die auch in Amsterdam oder Hamburg leben könnten. Sie tragen Jeans, darüber luftige Blusen. Sie schlürfen wie wir italienischen Cappuccino, spielen mit ihrem Handy herum und warten auf ihren Freund. Irgendwie habe ich den Eindruck, sie lassen Indien hinter sich und verkörpern es doch gleichzeitig.«

Tobias nickte. Sie hatten gestern gegenüber dem Beginn des Fußweges zum Birla-Tempel Geld umgetauscht. Dort gab es vier Wechselstuben, die sich gegenseitig Konkurrenz machten. Also hatten sie einen guten Kurs bekommen, weil sie handeln und vergleichen konnten. Um das zu feiern, hatten sie sich dann nach dem Einkauf einen Cappuccino gegönnt, für den Tageslohn jener Kulifrau.

»Na ja, letztlich sind wir wie diese Teenager. Wir können es uns leisten.«

Max widersprach:

»Hier in Indien ja! Hier kaufe ich ein supergutes Hemd für sechs Euro. Zu Hause gehören wir zu den Normalverdienern. Diese Jugendlichen in den Bistros und Cafes haben aber einen Lebensstil, der sich von denen der Kulifrau unterscheidet wie unserer von dem eines Bill Gates!«

»Wobei wir wieder beim Thema Lebensglück sind, jedenfalls wenn wir an unseren Freund Ramesh aus Chennai denken!«

Da sich das Frühstück durch die Gespräche in die Länge gezogen hatte, beschlossen sie, sich für den ganzen Tag ein Taxi zu mieten. Das war zwar teurer als mehrere Autorikschas, sparte jedoch Zeit und Nerven. Außerdem war es bequemer, denn heute wollten sie allerhand sehen. Diesmal hatten sie Glück mit dem Fahrer – er sprach ein wenig Englisch. Allerdings trug auch dieser Held der Straße einen unaussprechlichen Namen und wurde deshalb schlicht »Driver“ genannt.

Sie fuhren hinaus zum Golkonda Fort. Bewusst nahmen sie eine Strecke über Jubilee Hills, einem Stadtteil der Reichen. Zwischen Palmen und Felsbrocken, immer abgeschirmt von hohen Mauern, standen malerische Villen. Dann brachte sie ihr Taxi nach High Tech City. Dort waren alle Firmen, die etwas auf sich hielten, in modernen Hochhäusern und Prachtbauten angesiedelt. Tata, Siemens, Satyam... die globalisierte Welt ließ grüßen.

Kurz bevor sie zum Golkonda Fort vor der Stadt kamen, passierten sie die engen Gassen eines moslemischen Viertels. Diese Häuser hätten auch in Kairo oder Amman stehen können. Klein und eng duckten sie sich, als ob sie Angst vor ihrer eigenen Vergangenheit hätten, zwischen Felsen und Stadtmauer.

Die riesige Festungsanlage aus dem 13. Jahrhundert, eine der wichtigsten Sehenswürdigkeiten Hyderabads, war in Teilen erstaunlich gut erhalten. Von ganz oben sah man mehrere noch erhaltene Mauerteile, die das Ausmaß der ehemaligen Anlage eindrücklich wiedergaben. Kilometerlange Mauern, enge und weite Innenhöfe,

»Ich bin Saresh!« sagte er in gebrochenem Englisch und verbeugte sich leicht. »Mr. Rama Krishna Rao schickt mich, um euch nach Bhadrachalam zu begleiten und euch zu helfen.«

Er sprach freundlich, wirkte jedoch distanziert. Auf der Stirn trug er einen roten Punkt. Also war er Hindu und wahrscheinlich regelmäßig im Tempel.

Es klappte ja wie am Schnürchen! Dieser Krishna konnte jedenfalls gut organisieren.

Die Rikscha, mit der Saresh gekommen war, schickten sie weg und nahmen ihren Mietwagen zum Busbahnhof. Wie gut, dass Saresh alles besorgt hatte und sich hier auskannte. Sonst wären die zwei wahrscheinlich das erste Mal auf ihrer Reise völlig gescheitert. In einem unglaublichen Knäuel von Menschen und Bussen brachte der Inder es fertig, den Bus nach Bhadrachalam zu finden. An den Seiten prangte auf ehemals weißer Fläche zwischen einem grünen und einem roten Feld die Aufschrift ‚Super Deluxe'. Der Bus stand wie aufgebockt auf hohen Rädern mit niedrigem Profil, hatte auf dem Dach einen schwarzen Gepäckträger und war äußerst robust aus dickem Blech und Stahl gefertigt. Also, er machte einen soliden Eindruck. Aber ob ‚Superluxus' zutraf? Als die beiden ihre Rucksäcke in den unteren Gepäckfächern verstaut hatten und auf ihrem Sitz saßen, meinte Max anerkennend:

»Ist doch ganz bequem hier. Man kann die Lehnen nach hinten stellen und hat auch genug Beinfreiheit.«

Saresh dagegen entschuldigte sich:

»Leider habe ich nur noch Karten für die hintere Sitzreihe bekommen.«

Warum er das bedauerte, begriffen die zwei erst, als sie die schmaleren Überlandstraßen benutzten. Während sie noch aus der Stadt hinaus fuhren, waren sie ständig im Verkehr eingezwängt und kamen recht langsam voran. Diese City war ein Moloch, der nicht enden wollte. Dann jedoch ging es flotter. Auf einer Schnellstraße fuhr der Bus gen Osten und hinten begann es empfindlich zu schaukeln. Später, auf schlechter und enger Straße, wurden sie dann bei jeder Unebenheit vom Sitz gen Decke geschleudert. Offenbar war der Radstand so, dass die hinteren Plätze einer Wippe glichen. Die Straße schien streckenweise nur aus Schlagloch oder bewusst angelegten ‚Speedbrakern' zu bestehen, jedenfalls wurden sie mächtig durchgeschüttelt und an Schlaf war kaum zu denken.

Trotzdem war dies, zumindest für Max, nicht die größte Herausforderung dieser Reise ins Unbekannte. Er saß in der Mitte, hatte also den Blick frei durch den ganzen Bus und dann durch die Frontscheibe.

Tobias merkte, wie sein Freund sich immer verkrampfter an seinem Sitz festklammerte. Und jener Schweiß auf der Stirn, kam der wegen der Wärme im Bus? Wohl kaum, denn sie fuhren klimatisiert. Max schien Angst zu haben. Und Tobias, der sich jetzt ein wenig herüberbeugte, um auch einen Blick nach vorn zu erhaschen, ahnte bald, warum. Die Fahrt über die nächtliche Landstraße war der Horror schlechthin. Sein Straßenüberquerungstraum war nichts dagegen. Der Busfahrer hielt einfach drauf, wenn von vorn ein anderes Fahrzeug kam. Nur vor den LKW schien er wenigstens etwas Respekt zu haben. Da diese jedoch meistens sehr langsam fuhren, überholte er sie ständig. Da konnten die von vorne kommenden Fahrzeuge noch so oft ihre Lichthupe betätigen oder ihr Licht auch ganz ausschalten, der Busfahrer hielt drauf. Manchmal war die Straße völlig überfüllt. Auf ihrer Seite fuhren LKW und Busse in langer Reihe. Trotzdem wurde überholt. Kleinwagen schoben sich an ihnen vorbei, Jeeps, Motorräder und LKWs. Zu zweit oder zu dritt nebeneinander nahmen sie die Straße in Beschlag, auch in Kurven, auch bei doppelter Mittellinie. Nach welchen Regeln sich das Ganze abspielte, vermochten sie nicht zu erkennen. Im Prinzip galten wahrscheinlich, ähnliche Regeln wie in Deutschland - abgesehen vom Linksverkehr, den Indien als Altlast von den Engländern mit sich herumschleppte. Nur, niemand schien irgendwelche Verkehrsregeln zu beachten.

Max meinte staunend und mit Panik in der Stimme:

»Das ist ja hier wie im Wilden Westen. Das Gesetz, das sind wir! Also machen diese Fahrer offenbar auch ihre Regeln selbst: Höchstens zwanzig Zentimeter Abstand halten! Bei Gegenverkehr überholen und Lichthupe betätigen! Links oder rechts überholen, je nach Bedarf! Mit Fernlicht fahren und so besser sehen! Abblendlicht nur im Notfall! Wenn das entgegenkommende Fahrzeug blendet, zwischendurch mal die Lichter ganz ausschalten, um den Gegenverkehr wenigstens als Kontur wahrzunehmen! Nur größere Fahrzeugen bringen mich dazu, mit einem Rad vom Asphalt auf den sandigen Seitenstreifen zu fahren!«

Größere Fahrzeuge als ihren Deluxe-Bus gab es auf dieser Strecke nicht. Also kamen sie gut voran. Nachdem Max seinen Platz mit Saresh getauscht hatte und am hinteren Seitenfenster saß, beruhigte er sich etwas, obwohl die Fahrt nicht weniger dramatisch und gefahrvoll verlief.

Stattdessen blickte er über weite Strecken ins Dunkle. Was mochte sich dort hinter den manchmal riesigen Bäumen am Straßenrand verbergen? Felder, Steinwüste oder Wald? In Hyderabad hatten sie viele Felsmassive gesehen. Gelegentlich standen am Rand der Schnellstraße riesige beleuchtete Tore an der Straße. ‚Film City' stand auf einem, ‚Engineering College' auf vielen anderen. Indien war längst in der Moderne angekommen und bildete Experten auf allen Gebieten aus. Max wusste, dass die Inder gerade im IT-Bereich richtig gut waren. Sie hatten bereits viele gute Leute exportiert, die zu günstigen Löhnen arbeiteten und deshalb in seiner Branche sehr gefragt waren. Noch günstiger war es allerdings, die indischen Spezialisten in ihrem eigenen Land zu belassen. Mit der ganzen Welt vernetzt, konnten sie auch von hier aus arbeiten.

Tobias unterbrach den Gedankenfluss seines Freundes. Sie waren nach fast vier Stunden in eine größere Stadt gekommen.

»Sind wird da? Was meinst du?«

Saresh schlief selig auf dem Mittelplatz. Sein Kopf fiel immer wieder auf Tobias Schulter. Er setzte sich jedoch jedes Mal auf, sobald er den Weißen berührte. Vielleicht war er allergisch gegen zu viel Nähe. Saresh wirkte, als ob ihn das mit dem chaotischen Verkehr alles nichts anginge. Tobias stieß ihn jetzt an und der Inder schreckte auf.

»Sind wir da? Oder dauert es noch länger?«

Saresh gähnte, ohne sich die Hand vor den Mund zu halten und meinte, sie seinen in Khammam, der Distriktstadt. Bis Bhadrachalam dauerte es noch über zwei Stunden. Tobias und Max waren enttäuscht. Nur noch schlafen war ihr Wunsch. Und endlich ankommen.

In Khammam blieben sie länger stehen. Draußen sah es irgendwie gespenstisch aus. Dunkle Gestalten liefen zwischen den Bussen umher. Manche sahen wirklich verwegen aus, zumal sich viele aufgrund der Kälte vermummt hatten. Manche bettelten, andere verkauften etwas. Die meisten wollten einfach nur mit dem Bus fahren. Ein Junge brachte dem Busfahrer Tee.

31. Dezember: Jenseits der Brücke

Als sie an die Brücke kamen, wurde es bereits hell. Gerade hatten sie eine riesige Fabrik passiert. Saresh erklärte, dass dies die Papierfabrik sei. Auf vier über dreihundert Meter langen Produktionsstraßen wurde dort Papier und Pappe produziert. Zwar würden inzwischen zur Hälfte Abfälle recycelt, trotzdem verbrauche die Produktion Unmengen an Rohstoffen. Saresh schien zwar Distanz zu Menschen, jedoch eine große Nähe zu Bäumen zu spüren.

»Ihr werdet das noch sehen«, sagte er und es klang engagiert, »überall baut die Fabrik unter dem Titel ‚Bhadrachalam Clones' Eukalyptus an. Der wächst schnell, verdirbt jedoch den Boden. Aber«, und das klang jetzt beinahe resigniert, »wenn der Stausee sowieso alles überflutet, ist´s ja auch egal.«

Am Anfang der Zufahrt zur Brücke fuhren sie durch ein großes Tor, das wie ein bunter Triumphbogen des Hinduismus aussah, denn überall waren Götterfiguren angebracht. Da die Straße im Verlauf der über einen Kilometer langen Brücke sehr eben war, fuhr ihr Luxusbus besonders schnell. Schade, denn sie hätten das Panorama gerne in Ruhe genossen. Über bewaldeten Hügeln im Osten, auf der anderen Seite des Flusses, stieg die Sonne immer höher. Es war dunstig. Den Fluss selbst fand Max enttäuschend.

»Hey, da ist ja fast gar kein Wasser drin.«

Tatsächlich gab es nur einige schmale Rinnsale. Sie flossen von Norden nach Süden zwischen Felsen und Sanddünen dahin. An einigen Stellen bildeten sie größere Bassins.

»Ohne Zweifel, ein beeindruckender Fluss!« meinte Max ironisch. »Allerdings scheint er sich im Moment verabschiedet zu haben. Na ja, aber die Landschaft ist wirklich schön.«

Das Flusstal war vor der Stadt durch einen hohen Deich begrenzt. Tobias fragte Saresh, wieso ein so wasserarmer Fluss einen Deich benötigte. Der lachte.

»Da müsst ihr mal in der Regenzeit kommen! Oder vor zwei Jahren. Da stand das Wasser hier an der Oberkante des Deiches. Und 1986 wurde die ganze Stadt überschwemmt und bis unterhalb des Tempelturms war alles nur ein riesiger See.«

Unfassbar.

Max staunte. Der Tempelturm erhob sich auf einem Hügel über der Stadt und gab ihr, neben einigen noch höheren Sendemasten, ihr Profil.

»Bis dort oben stand das Wasser! Unglaublich. Dann mussten ja hier und überall am weiteren Verlauf des Flusses unzählige Dörfer überschwemmt gewesen sein«.

»Genauso war es, Damals hatte es sogar Tote gegeben und riesige Ackerflächen waren vom Sand des Flussbettes bedeckt und damit zunächst unbrauchbar. Den Deich hat man erst danach gebaut.«

Man wird eben erst aus Schaden klug, dachte Tobias. Wie bei uns.

Am Ende der Brücke gab es einen Polizeiposten. Die Männer dort waren bewaffnet. Wo immer sie hier gelandet waren, die friedlichste Gegend Indiens war es wahrscheinlich nicht.

Links von der Brücke gab es einen schwarzen Tempel. In seinem Umfeld bewegten sich viele junge Männer, die mit schwarzen Lunghis und Hemden bekleidet waren.

»Der Ayyappa-Tempel«, meinte Saresh. Als Tobias ihm weitere Informationen aus der Nase zog, erzählte er von einer Art moderner Jugendbewegung, die sich auf einen Tempel in Kerala konzentrierte. Von überall in Indien seien inzwischen die meist jugendlichen Pilger in schwarz unterwegs zu ihrem Heiligtum. Sozusagen als Vorgeschmack auf das Original wurden, wie hier in Bhadrachalam, ähnliche Tempelanlagen gegründet.

Der Busbahnhof von Bhadrachalam lag kurz nach der Brücke auf der rechten Seite. Etwas lädiert von dem Auf und Ab der abertausend Schlaglöcher reckten und streckten sich die beiden Freunde, als sie ausstiegen.

»Ob ich das noch mal mitmachen muss... ich hoffe nicht«, meinte Max.

»Na ja, zurück wollen wir doch auch noch – oder?«

Saresh leitete sie über die Straße. Für eine Nacht sollten sie im Samrath Hotel gegenüber dem Busbahnhof bleiben. Tobias sah seinen Freund vielsagend an, als sie die Rezeption betraten. Ein müde wirkender Portier übergab ihnen einen Schlüssel, nachdem sie ihre Pässe vorgelegt und eingecheckt hatten.

»Vielleicht hätten wir uns die Zimmer doch vorher ansehen sollen«, meinte Tobias, als sie ein schäbiges Treppenhaus hinauf in den zweiten Stock gingen.

»Was willst du für sechs Euro die Nacht erwarten? Das High Court Hotel ist es sicher nicht!«

Richtig. Es war das ganze Gegenstück. Abgenutzter Teppichboden, der wahrscheinlich Flüssigkeiten jeder Art absorbiert hatte; Wände, an denen weder die Farbe noch die Tapeten hielten; ein Bad mit Stockflecken und Schmutzrändern. Fehlten nur noch Dekorationen der krabbelnden Art.

»Wollen wir hier wirklich bleiben?«

Tobias rümpfte die Nase.

»Na ja, es ist nur für diese eine Nacht. Wir können uns frisch machen, uns die Stadt und den Tempel ansehen und dann knipsen wir das Licht aus und schlafen. Augen zu und durch!«

Max überraschte Tobias. Er hätte nicht gedacht, dass der sich auf so etwas einlassen würde. Also ließ er sich nichts anmerken und nickte. Er setzte den Ventilator an der Decke in Gang. Eine Klimaanlage gab es nicht.

»Ist doch gut«, meinte Max, »wenn man wenigstens einen Fan hat!«

»Ich glaube nicht, dass ich mal Fan dieses Hotels werde«, meinte Tobias und machte das Wortspiel mit. Der Fan unter der Decke lief nicht rund. Er ratterte.

Der Boy, der sie hinauf begleitet hatte, stand immer noch in der Tür. Er hatte den alten Fernseher und das Licht angemacht und nun schien er auf etwas zu warten. In seinem graublauen und wahrscheinlich selten gewaschenen Pagenuniform wirkte er, als warte er sein ganzes Leben lang.

»Gib du ihm was!« bat Max seinen Freund.

Der zog zehn Rupien aus der Hemdtasche und reichte sie dem Jungen. Der strahlte und verschwand. Tobias zog die dicken Vorhänge am Fenster zur Seite. Ein Schwall Straßengeräusche schwappte, zusammen mit warmer Luft, ins Zimmer. Die Sonne stand direkt auf dem Fenster. Der Busbahnhof, die Hauptverkehrsstraße und die Innenstadt lagen vor ihnen.

»Na, Volltreffer! Zieh lieber die Vorhänge wieder zu.«

»Und das alles zum Jahresausklang.«

Tobias fiel ein, dass heute Silvester war. Sie hatten durch die vielen Eindrücke jedes Zeitgefühl verloren und schon mehrfach gestaunt, dass immer noch derselbe Tag war und sie erst wenige Tage in diesem verrückten Land waren.

»Na, dann mal Prost Neujahr! Das nächste Jahr kann also nur noch besser werden.«

Mangels warmem Wasser duschten sie kalt, zogen sich um, verschlossen ihre Rucksäcke mit den Vorhängeschlössern, die sie vorsorglich aus Deutschland mitgebracht hatten und gingen hinunter.

Saresh wartete vor dem Hotel auf sie. Er lotste sie in ein Restaurant, wo sie Doshai Masala zum Frühstück aßen und Tee tranken. Dieses Restaurant war zwar schmutzig wie der Anzug des Hotelboys, die Doshai schmeckte jedoch hervorragend.

Dann gingen sie in die Stadt. Schnell wurde deutlich, dass diese Stadt vor allem vom Tempel lebte. Saresh erzählte, dass der in ganz Indien bekannt sei. Lord Rama, eine Menschwerdung des Vishnu, habe hier in Bhadrachalam Sita geheiratet. Im April würden hier deshalb Massenhochzeiten ausgetragen. Hunderte Paare kamen dann zusammen und weihten ihr Leben nicht nur einander, sondern auch Lord Rama.

»Ich schlage aber vor, dass ihr euch den Tempel für nachmittags oder abends aufspart. Da ist es dort am Schönsten. Jetzt führe ich euch einfach mal herum.«

Max meinte auf Deutsch, dass er sich frage, was daran schön sein sollte. Er fand weder Tempel, noch Kirchen, noch Moscheen besonders aufregend.

»Außerdem«, meinte er, »war nicht auch Krishna eine Menschwerdung dieses Gottes Vishnu? Der war dort unten im Süden doch auch mit auf dem Pfeiler. Und hieß unser neuer Freund nicht ‚Rama' Krishna? Alle Achtung, wir treffen uns morgen persönlich mit einer doppelten Menschwerdung Gottes! Was sollen wir da noch im Tempel?«

Tobias fand die Bemerkung seines Freundes irgendwie geschmacklos.

Die Einkaufsstraße war wie überall: Läden und Fahrzeuge aller Art und Menschen. Viele Menschen. Hier herrschte ein wirklich buntes Treiben. Es wurde gekauft und verkauft, gehandelt und gestritten. Manche Leute saßen einfach nur so herum, vor allem Männer. Frauen in bunten Saris aller Preisklassen sah man an, dass sie Shopping liebten. Schwarze Schweine suchten nach Fressbarem im offenen Abwassergraben neben der betonierten Straße. Kühe wühlten in Betonringen, die als Mülldeponien zu dienen schienen. Jenes ‚keep the City clean' aus der Landeshauptstadt war hier in der Provinz offensichtlich noch nicht angekommen.

Sie gönnten sich, da Cola nicht zu bekommen war, eine kalte Limca. Um die süße Limonade zu genießen, setzten sie sich auf eine Holzbank vor die rotweißen Kühltruhen eines Getränkeladens und beobachteten das Treiben. Allerdings schienen in diesem Ort selten Weiße zu sein, denn auch sie wurden aufmerksam und neugierig beäugt. Manchmal blieben die Leute stehen. Einmal hätte ein Motorradfahrer beinahe eine Frau umgefahren, weil er sich nach den Weißen umgeschaut hatte. Ein junger Mann mit Büchern unter dem Arm kam auf sie zu.

»Lutheran Office?« fragte er. Tobias und Max verstanden nicht, was er meinte. Der Junge versuchte es ein zweites Mal:

»Lutheran Church? Ayyagaru Samuel Raj?«

Die beiden Deutschen verstanden nicht, worum es ging.

»Saresh! Übersetze doch mal!«

Ihr Begleiter kam gerade aus einem Bekleidungsgeschäft, wo ein Verwandter von ihm arbeitete, den er mal kurz besucht hatte. Er sprach mit dem jungen Mann.

»Er will wissen, ob ihr zur Kirche gehört. Er sagt, die Weißen, die hier auftauchen, sind so gut wie immer Gäste eines Politikers, der hier irgendwo eine lutherische Kirche hat. Ayyagaru nennen sie ihn.«

»Mitten unter den Hindus und hunderttausend Rama-Anhängern? Eine christliche Kirche? Und dann noch die eines Politikers?«

Jetzt war auch Tobias überrascht. Saresh lachte.

»Warum denn nicht! Warum sollte ein Kirchenmann nicht auch in die Politik gehen? Und wegen der Rama-Anhänger? Na ja, ich weiß von Freunden, dass die Christen hier in Bhadrachalam toleriert werden. Ihre Alina-Schule läuft gut und deshalb werden sie akzeptiert. Ansonsten arbeiten sie aber mehr in den Dörfern.«

»Und du«, wagte Tobias Saresh zu fragen, »bist du Hindu oder Christ?«

»Ich bin natürlich Hindu«, antwortete Saresh und wirkte irgendwie pikiert. »Ich halte nichts von der christlichen Kirche und von Mission schon gar nicht. Allerdings finde ich gut, was die Christen an Sozialarbeit tun. Sie haben außer den Schulen auch Kinderheime und engagieren sich sehr für die Stammesleute.«

Sie gingen an den Fluss und setzten sich eine ganze Weile auf den Deich. In einer Art Parkanlage waren mehrere Denkmäler aufgebaut. Sie zeigten Szenen aus den Göttergeschichten um Rama, Sita und Shiva. In weißem Marmor gearbeitet, mussten diese Monumente vor allem nachts, wenn sie angestrahlt wurden, sehr eindrücklich erscheinen.

»Hey, ist das nicht wieder Krishna?«

Max hatte in dem Jüngling auf einer Marmorkutsche den Hirtenjungen erkannt. Saresh bestätigte das.

»Klar, er gehört ja auch zu den wichtigsten Gottheiten unseres Glaubens!«

Tobias fand es merkwürdig, dass die Leute ihre Kinder direkt nach den Göttern benannten. Wie würde sich das anhören, wenn sein Freund Maximilian oder er selbst ‚Jesus' heißen würde? Auf jeden Fall wäre so ein Name eine gewisse Verpflichtung. Nun, sie würden diesen Krishna ja bald näher kennenlernen und sehen, ob er etwas von dem beliebten Hirtenjungen an sich hatte.

Unten am Fluss wuschen Frauen Wäsche. Man hörte es bis hier hinauf, wenn sie ihre nasse Kleidung ‚schleuderten', also auf glatte Steine schlugen. Der Fluss zog in mehreren dünnen Armen vorbei. Eine breite Treppe ging vom Deich bis an den Rand des nächsten Flussarmes. Unten badeten Kinder, dazwischen einige ältere Männer, die Pilger zu sein schienen.

»Die kommen von weit her«, meinte Saresh, als Tobias ihn darauf ansprach. »Sie waschen sich im heiligen Fluss. So bekommen sie neue Lebenskraft und reinigen ihre Seele.«

Max schüttelte den Kopf.

»Wenn man sich in diesem Wasser wäscht, bekommt man entweder Durchfall oder Hautausschlag – wenn es gut geht. Lebenskraft kriegt man so jedenfalls nicht.«

An einigen Stellen im Wasser hatte sich schmutzigweißer Schaum gebildet. Offenbar wurden hier Abwässer in den Fluss gepumpt. Oder die Filter der Papierfabrik funktionierten nicht.

Ein alter, magerer Mann streckte ihnen die Hand entgegen und sagte etwas. Ein Bettler. Dieser hier roch nach Schnaps.

»Gebt ihm nichts. Niemand hier muss unbedingt betteln, es sei denn, er ist behindert. Es gibt zumindest jetzt noch Arbeit genug auf den Feldern.«

Was Saresh da sagte, deckte sich mit dem, was die beiden von Freunden gehört hatten, die Indien kannten: Man sollte nur Behinderten etwas geben. Die meisten anderen Bettler waren entweder in Banden organisiert und mussten also abgeben, was sie bekamen, oder sie setzten es in Alkohol um. Wie zu Hause. Nach zehn Minuten penetranten Bettelns zog der Mann von selbst wieder ab.

Es war inzwischen sehr warm geworden. In dieser Gegend schien es heißer zu sein als in Hyderabad und erst recht als in Chennai und am Meer. Zwischen Götterbildern, Armreifen in allen Farben, Spielzeug aus Plastik und Blech und anderem Nippes, der in Buden zu beiden Seiten der Straße angeboten wurde, gingen sie ein kleines Stück zurück bis zu einem Pilgerhotel. Es lag schräg gegenüber dem Platz, auf dem die Massenhochzeiten gefeiert wurden. Saresh schwärmte, diesmal unaufgefordert:

»Da kommen bis zu einer Millionen Menschen in die Stadt. Die Bräute tragen alle einen schneeweißen Sari, die Männer den traditionellen Dothi. Es ist ein riesiges Fest! Alle Hotels sind überfüllt. Wir würden da nicht so einfach einen Platz im Restaurant bekommen wie jetzt. Dann tragen die Priester die Götter aus dem Tempel in die Mitte des Platzes. Sie sitzen auf riesigen Wagen. Einer davon wird von einem Tempelelefanten gezogen, die anderen schieben Priester in einer Prozession durch den Ort. Es ist einfach toll! Lord Rama und Sita, Lord Shiva und Ganesha werden mit tausenden Blumen geschmückt und nehmen dann ein Bad in der Menge.«

Max sah zuerst Saresh und dann Tobias mit großen Augen an.

»Was ist denn mit dem los?« fragte er auf Deutsch. »Wie konntest du den fragen, ob er Christ ist? Der scheint ja mehr Hindu zu sein als Shiva und Rama selbst es waren.«

Dann schob er noch eine zu Hause vielleicht witzige, hier aber geschmacklose Bemerkung nach, die er wahrscheinlich schon lange auf der Zunge hatte:

»Und Rama. Was ist das für ein Name! So kann eigentlich nur eine Margarine heißen!«

Gut, dass Saresh kein Deutsch verstand.

Im Restaurant nahmen sie ein Menü zu sich, bestehend aus Reis und diversen Gemüsesorten. Es war scharf.

»Hier gibt es die schärfsten Chilischoten Indiens!« meinte Saresh, der jetzt offenbar tatsächlich langsam auftaute. »Ihr müsst mal im März kommen, wenn sie die roten Schoten zum Trocknen in die Sonne legen. Das sieht dann vor allem auf den Sandbänken des Flusses wunderschön aus!«

Den Deutschen reichte es, Chili im Essen zu haben. Unter Tränen sagte Max:

»Wir können ja irgendwann mal zur Chiliernte wiederkommen. Im Moment reicht mir die Portion, die man mir unters Gemüse gemischt hat!«

Max überredete Tobias, noch einmal ins Hotel zu gehen, um etwas auszuruhen. Sie könnten den Tempel dann noch am Abend besuchen. Ansonsten gab es in der Stadt nichts Besonderes zu sehen und so erklärte sich Tobias einverstanden. Gerade als sie das Hotel erreichten, rief Krishna bei Saresh an. Der gab Tobias sein Mobiltelefon.

»Und«, fragte Krishna, »seid ihr heil angekommen und habt schon einen kleinen Eindruck gewonnen?«

Tobias antwortete, dass alles in Ordnung sei. Den Zustand des Hotels, das immerhin von Krishna ausgesucht worden war, verschwieg er. Krishna meinte, sie sollten morgen früh mit dem Bus nach Kunavaram kommen und von dort in sein Heimatdorf.

Es sei alles vorbereitet.

Was immer damit gemeint war. Tobias war froh, dass sie auf ihrer Reise etwas Besonderes erleben konnten. Die einzigen Weißen hier – das war schon etwas, na ja, abgesehen von jenen ausländischen Christen, die Kontakt zur hiesigen lutherischen Kirche hatten.

Als sie auf dem Bett lagen und dösten, kam ihnen das

Hotel schon nicht mehr so schlimm vor. Man konnte sich einrichten. Als Max dann allerdings zur Toilette ging, einen Schrei ausstieß und kurz darauf spülte, war Tobias doch etwas erschrocken.

»Was war das denn eben?«

»Das war mein indisches Hoteltrauma!«

Tobias erklärte, warum. Als er den Deckel der Toilette öffnete, schwamm im Abflussrohr eine große Maus – oder war es eine kleine Ratte? Wie sie dort hinein gekommen war, wusste er nicht zu erklären.

»Und? Was hast du gemacht?«

»Na was schon? Ich habe gespült.«

Arme Ratte. Einfach weggespült. Tobias wusste nicht, ob er lachen oder seinem Freund Vorwürfe wegen Tierquälerei machen sollte.

Am späten Nachmittag gingen sie in den Tempel. Dieser hier war anders als jener Marmortempel in Hyderabad. Das Birla Mahir war einst als Monument und nicht als Tempel gebaut worden, dieser hier hatte schon seinem Gründer Gopanna als Ort der Meditation, des Gebetes, des Gesanges und des Opfers gedient. Es war ein Tempel, der bis zum heutigen Tage sozusagen lebendig geblieben war.

Unten gab es einen Aufbewahrungsort für die Sandalen und sie gaben diese ab, wie sie es bereits mehrfach bei Heiligtümern kennengelernt hatten.

Als sie die lange Treppe auf der Ostseite hinaufstiegen, bekamen die beiden Weißen ein beklemmendes Gefühl. Irgendwie, so erzählten sie sich später, war dieses erst gewichen, als sie wieder in der Stadt zwischen den Geschäften und dem normalen Leben waren. Vielleicht wurde es durch die vielen Bettler ausgelöst, die an der Treppe saßen. Zumeist alte Männer und Frauen hielten flehend ihre Blechbüchsen hin und baten um Gaben. Anders als die Pilger, die zwei, dreimal etwas in die Gefäße warfen, dann jedoch eifrig aufwärts strebten, empfand Tobias es als ungerecht, dem einen etwas zu geben und dem anderen nicht. Also bekam niemand etwas, für den frommen Hindu wahrscheinlich verwerflich, denn wie die Waschung im Fluss diente auch das Opfer für den Tempel und seine Bettler der Reinigung.

»Wir haben die Möglichkeit, an unserem Karma zu arbeiten«, erklärte Saresh. »Durch Opfer, Pilgerreisen, Gebet und Treue zu unseren Traditionen beeinflussen wir unser Leben hier und auch nach der Wiedergeburt.«

Oben angekommen, hatten sie einen grandiosen Ausblick über den Fluss. Im Norden verschwamm das weite Tal im Dunst. Durch welche geheimnisvollen Welten mag die Godavari dort wohl geflossen sein? Nun sah man auch gut das breite Flussbett mit den Steinen und den Sanddünen. Von der anderen Seite fuhren sogar Trecker hinein und holten sich tonnenweise Bausand heraus.

Gigantisch und eindrücklich war die lange Brücke. Sie überspannte den Strom wie der Regenbogen den Himmel und war ‚Brücke' im wahrsten Sinne des Wortes. Die Welten hier und dort waren nur durch sie verbunden. Max und Tobias wussten, dass diese Brücke die einzige Verbindung über hunderte von Kilometern war.

Saresh zog Max am Arm zurück, als dieser auf die mit beschlagenem Kupfer verzierte Eingangsschwelle des Tempels treten wollte.

»Wir Hindus treten nicht darauf! Das bringt Unglück.«

Max sah Tobias an, als wollte er sagen: Auch noch abergläubisch, das kann ja heiter werden. Vor dem zentralen Heiligtum im Inneren des Tempels stand eine lange Schlange Wartender. Es waren Männer, Frauen und Kinder. Ganze Familien schienen hier zu pilgern und Gottesdienst zu begehen.

»Hier dürfen nur Hindus hinein.«

Die beiden zwar nicht aktiven aber doch amtlich bestätigten Christen sahen zwar kein Schild, nahmen es jedoch so hin. Die Schlange der Pilger vor dem Eingang war ohnehin sehr lang. Sie begann schon vor dem Opferkasten zu Beginn der Absperrung.

»Schon wieder ein riesiger Opferkasten! Religion und Geld machen, das scheint ja überall auf der Welt zusammen zu gehören! Und mit Sicherheit steuerfrei, oder?« Max grinste seinen Freund, den Steuerberater, mit wissender Miene an.

Sie hatten schon am Birla-Tempel vor jedem der Götterschreine Opferkästen gesehen. Fast alle Betenden, also täglich Tausende, steckten etwas hinein. So auch hier. Saresh meinte stolz:

»Ja, zugegeben, die Tempel sind neben dem Staat bei uns die reichsten Organisationen. Aber sie tun ja auch etwas für uns. Sie schenken uns schöne Momente und kümmern sich um unsere Götter. Und für uns Hindus ist das Opfer eine heilige Pflicht.«

Saresh war wahrscheinlich doch frömmer, als er es bisher zugegeben hatte. Allerdings hieß das nichts in diesem merkwürdigen Land. Hier schien es niemals eine Säkularisierung, also Trennung von Gesellschaft und Religion, gegeben zu haben. Irgendwie waren alle Inder religiös.

Zusammen mit einigen Pilgern umrundeten sie den Tempel. Während diese das jedoch sieben Mal taten, ließen es die Deutschen mit ihrem Begleiter bei einem Mal bewenden. Tobias und Max hatten immer noch dieses beklemmende Gefühl. Die Pilger blieben vor mehreren kleinen und mittleren Götterbildern, die in Schreinen untergebracht waren, stehen. Jeweils ein Priester saß daneben und bot den Segen dieser Götter an. Es waren Männer verschiedenen Alters. Sie trugen alle ein einfarbiges, meist helles Gewand um Hüfte und Beine, sonst jedoch einen freien Oberkörper. Bei manchen waren Arme und Brust bemalt. Auf der Stirn trugen die meisten weiße Striche. Von Saresh lernten Tobias und Max, dass die waagerechten Striche für die Shiva- und die senkrechten für die Vishnuschule standen. Die Priester legten den Pilgern symbolisch ein silbernes Gefäß auf den Kopf und gaben ihnen mit heiliger Farbe einen Punkt auf die Stirn. Es war wohl so etwas wie ein Segen, den sie da verteilten. Fast hätte ein junger Priester auch bei Max farbig gepunktet. Der zog sich jedoch schnell einen Schritt zurück. An einem Nebenaltar wurde gesegnet. Die Pilger bekamen einen Schluck Öl auf die Zunge geträufelt. Tobias versuchte, mit einem der Priester zu sprechen. Doch der sprach kein Englisch.

»Die können kein Englisch!« sagte Saresh. »Die meisten sind in Tirupati ausgebildet und lebten dort ab dem vierten Lebensjahr in der Tempelschule. Sie lernen Sanskrit, die heiligen Schriften und alles, was für die Religion wichtig ist. Sonst nichts, nicht mal Mathematik.«

Tobias war geschockt. Eltern gaben ihre Kinder der Gottheit zum Opfer, schoss ihm durch den Kopf. Genauso, wie es früher in Europa gemacht wurde, wenn junge Menschen, ohne sie zu fragen, ins Kloster gesteckt wurden.

»Und wer wird hier nun verehrt?« fragte Tobias, als sie die Runde fast hinter sich hatten und vor einem schwarzen Phallussymbol standen. Ganesha, den Gott mit dem Elefantenkopf, kannte er schon. Der war überall zu finden und äußerst populär. Auch Hanuman, den Kriegsgott in Gestalt eines Affen, hatte er sofort identifiziert.

»Vor allem Lord Rama. Er ist eine Inkarnation des Brahma, also einer unserer Hauptgottheiten. Dann wird hier natürlich Sita, seine Frau verehrt, aber auch Lord Shiva, dargestellt durch einen Lingum.«

»Also hat der was mit Fruchtbarkeit zu tun!«

Tobias wusste, dass der Penis als Symbol vor allem in Naturreligionen eine Rolle spielte.

»Ja, aber nicht nur. Lord Shiva ist der Zerstörer der Welt, aber auch, zusammen mit Lord Vishnu, ihr Erhalter.«

Tobias meinte, es sei interessant, dass die Götter im Hinduismus niemals nur eine Bedeutung hatten. So wie das Leben mehrdeutig war, so auch die Gegenwelt der Göttervorstellungen. In mehreren Nischen warteten ganze Schwadronen Göttergestalten darauf, auf eine der dort ebenfalls abgestellten hölzernen Sänften gesetzt und mit tausenden Blumen geschmückt durch die Stadt getragen zu werden.

Und natürlich war in einer der Nischen auch Gopanna abgebildet, der Gründer des Tempels, der einst im Golkonda-Fort wegen Steuermissbrauchs in Haft saß. Wobei sich der Kreis schloss.

Auf dem Weg hinunter, wieder zwischen bettelnd ausgestreckten Händen, sagte Max zu Tobias:

»Lass uns sehen, dass wir hier rauskommen. Das ist ja schlimmer als eine Kirchenbesichtigungstour im heiligen Rom. Ich komme mir zwischen diesen finsteren Mauern irgendwie vor wie in den Gewölben meines Computerspieles, wo Lara Croft alle möglichen Ungeheuer abknallt.«

Tobias fand es zwar nicht so extrem, konnte jedoch nachvollziehen, was sein Freund empfand.

»Lass uns noch einmal durch die Stadt gehen!«

Max wollte einfach nur auf andere Gedanken kommen und nach dieser geballten Ladung Religion und Kultur ein Stückchen abendliche ‚Welt' schnuppern.

Sie kamen an einem Markt vorbei. Hunderte Kleinbauern aus den umliegenden Dörfern boten ihre Erzeugnisse an, meist in vor sich auf einer Decke oder leeren Säcken aufgehäuften oder gestapelten Auslagen. Früchte aller Art, Gewürze, Gemüse... viele der zum Teil merkwürdigen Gewächse hatten die beiden Europäer noch niemals gesehen. Es gab Stände mit Kämmen, Spielzeug, Seife und allem möglichen Kleinkram. Was vor allem auffiel, allerdings zuerst nicht durch sein attraktives Aussehen, sondern durch seinen Geruch: Getrockneter Fisch. Er stank bestialisch.

Am Abend rief Krishna wieder an, diesmal über die Festnetznummer des Hotels. Er hätte keine Zeit, sie persönlich abzuholen. Also sollten sie morgen früh mit dem

Bus nach Kunavaram fahren. Saresh würde sie begleiten und ihnen bei der Überfahrt über den Fluss helfen. Auf der anderen Seite würde sie jemand abholen.

»Nun denn«, meinte Tobias, als sie wie verabredet schnell das Licht gelöscht und sich schlafen gelegt hatten, »dann kann das Abenteuer ja morgen beginnen!«

»Ich finde, es hat schon längst begonnen. Schon als wir den Flughafen verließen, begann eine Reise, die ich mir so in meinen kühnsten Träumen nicht ausgemalt hätte. Amerika war nichts dagegen!«

»Ich ahne allerdings, dass es jetzt noch mal spannender wird. Wir waren bisher immer schön in der Zivilisation. Da gab es Telefon, Strom, Kaltgetränke und alles andere. Jetzt könnte sich das ändern.«

»Aber Klopapier werden die doch wohl haben!«

Max grinste ironisch.

»Auf jeden Fall sollten wir morgen etwas einkaufen.«

*

Endlich hatten sie eine brauchbare Spur. Ein Adrenalinstoß ließ ihn hellwach werden, als er am nächsten Morgen den Anruf seines Schwagers entgegen nahm. Die Morde in der Nacht des zweiten auf den dritten Januar, erste Recherchen und Untersuchungen gestern. Und heute, am vierten Januar, bereits eine heiße Spur. Das war äußerst hoffnungsvoll!

»Also«, begann Raja, »bei der lutherischen Kirche wusste niemand etwas von Ausländern. Sie haben zur Zeit selten Besuch, da die Deutschen ihre Fraktion nicht anerkennen und statt dessen mit den Leuten bei dir in Ashwaropeta zusammen arbeiten.«

Chidambaram wusste davon. Die christliche Kirche ihrer Region war gespalten. Sehr schmerzhaft, aber offenbar nicht zu ändern. Er hatte ja bereits gestern erfahren, dass auch hier zurzeit niemand aus Europa war.

»Aber dafür habe ich eine Spur aus dem Tempel!«

Der Triumph war seinem Schwager anzumerken.

Wahrscheinlich verbuchte er jetzt wieder etliche Punkte auf seinem ‚Du schuldest mir was – Konto'.

»Einer der Direktoren der Verwaltung ist Rotarier. Er hat zwei Weiße im Tempel gesehen. Allerdings war das schon Silvester, also vor vier Tagen. Genau deshalb hat er sie sich genau angesehen. Er hat sich gewundert, dass Weiße zum Jahreswechsel in den Tempel kommen. Für uns Hindus ist dieser Abend ja völlig bedeutungslos, aber Weiße würden ihn doch wohl lieber ausgiebig feiern. Das jedenfalls dachte mein Freund im Tempel. Ein junger Mann begleitete die beiden Ausländer und erklärte ihnen den Tempel. Es könnte gut sein, dass der Guide einer Hinduorganisation angehörte. Er trug eine entsprechende Markierung auf der Stirn. Na ja, jedenfalls sind sie dann plötzlich wieder gegangen. Wohin, wusste mein Freund nicht.«

Raja schwieg, als wolle er den Triumph dieser Information auskosten – oder als habe er noch ein As im Ärmel.

»Großartig!« bedankte sich Chidambaram und bemühte sich, nicht allzu überschwänglich zu reagieren. »Ich werde umgehend die Hotels bei euch anrufen und versuchen, den Aufenthalt der beiden herauszufinden.«

»Schon geschehen! Sie waren im Samrath Hotel.«

Der Inspektor war nun wirklich beeindruckt. Sein Schwager entwickelte sich zum Detektiv. Vielleicht war er ihm doch ein paar Tage gemeinsamen Urlaubs schuldig.

Er bat Babu ins Büro und rief umgehend im Samrath Hotel an. Den Lautsprecher stellte er auf Mithören. So konnte Babu alles notieren.

Ja, die beiden waren dort gewesen. Sie waren am 31.12. gekommen und am 1.1. morgens gefahren. Ja, Namen und Passnummern lagen vor. Maximilian Hoyer und Tobias Grunert aus Deutschland. Ja, sie würden ein Fax mit den Details schicken. Nein, sie wären nicht mehr da. Ja, vermutlich sind sie mit dem Bus gefahren. Ein indischer Begleiter? Ja, ein junger Hindu. Wie er heißt, wisse man nicht. Er habe die zwei ins Hotel gebracht, zwischendurch einmal abgeholt und am nächsten Morgen war er mit ihnen gegangen. Wohin? Wie gesagt, wahrscheinlich zum gegenüber liegenden zentralen Busbahnhof. Ach ja, noch etwas: Sie hatten kurz nach ihrer Ankunft einen Anruf bekommen. Nein, nicht aus Deutschland. Ein Einheimischer ließ sich in ihr Zimmer durchstellen. Er sprach Telugu. Das war´s.

Als Chidambaram auflegte, strahlte er. Babu hatte eine ganze Seite bekritzelt. Noch gestern Abend war es dem Inspektor gar nicht gut gegangen. Er hatte bis nach neun im Büro auf Neuigkeiten gewartet. Umsonst. Dann hatte er frustriert vor seinem Fernseher gesessen und war durch die Programme geseppt. Nichts als übertrieben bunte Werbung, hüpfende und tanzende Teenager, feiste Politiker und Mord und Totschlag. Letztere hatte er im wahren Leben bereits genug. Ein Stromausfall gegen elf machte dem Fernseherlebnis ein Ende. Er war Schlafen gegangen, hatte sich aber noch lange herumgewälzt und irgendetwas von Stacheldraht und einem Arzt mit langem Messer geträumt. Der Arzt hatte Ähnlichkeit mit jenem von gestern Vormittag, das Messer mit der Tatwaffe und der Stacheldraht mit seiner irgendwie steckengebliebenen Karriere.

Jetzt jedoch war das alles vergessen. Er hatte nur ein Problem: Er musste nach Khammam. Ausgerechnet jetzt, wo er eine heiße Spur hatte! Vor drei Tagen waren diese Männer in Bhadrachalam. Wo waren sie jetzt? Falls sie wirklich in die Morde verwickelt waren – und er war davon inzwischen überzeugt – konnten sie jetzt bereits sonst wo sein. Die nächsten Flughäfen waren in Vijayavada und Rajamundhri. Er musste dort unbedingt nachfragen. Auch Hyderabad selbst käme in Frage. Und der Bahnhof Khammam.

Letzteren konnte er persönlich aufsuchen und auf dem Rückweg über Bhadrachalam fahren, um das Hotelpersonal direkt zu befragen. Fast hätte er vergessen, dass er in Khammam noch mit seinem Kollegen Essen gehen sollte. Okay, dann musste das eben schnell gehen. Aber es war schön ärgerlich, dass er nicht vor dem Abend zurück sein konnte.

Chidambaram gab Babu die nötigen Anweisungen. Sie wollten über Mobiltelefon in Verbindung bleiben. Seit diese kleinen Wunderdinger überall verbreitet waren, lief vieles einfacher.

Noch eine Doshai und drei Idli im Hotel drüben, einen Tee hinterher – und dann würde er seiner Pflicht nachkommen und nach Khammam fahren.

Eine gute Stunde später, schon auf der Schnellstraße hinter Sathupally, kam ihm diese Fahrt irgendwie unpassend vor. Wollte und sollte er nicht Mörder und Terroristen fassen? Warum fuhr er dann zu einer dummen Gerichtsverhandlung wegen Landangelegenheiten, einer politisch begründeten Sitzung und zu einem Essen mit einem Kollegen, der sich am Ende wahrscheinlich als sein größter Konkurrent in Sachen Aufstieg entpuppen würde?

01. Januar: Am Ende der Welt

Sie hatten erstaunlich gut geschlafen. Der Straßenlärm war in der Nacht etwas abgeebbt. Max war zwar zuerst eingeschlafen, hatte jedoch nicht, wie sonst üblich, geschnarcht. Also waren sie guter Dinge, als sie das Hotel nach einem deftigen Doshai-Frühstück verließen.

»Dann ein frohes neues Jahr!«

Max klopfte seinem Freund auf die Schulter.

»Ich finde es toll, dieses Jahr mit dir zu beginnen und bin gespannt, was es bringt!«

»Na ja, ich auch, aber meine Frau würde ich auch ganz gerne in die Arme schließen!«

»Wir können ja versuchen, zu telefonieren! Allerdings ginge das erst gegen Mittag. Die schlafen noch in Deutschland.«

Saresh hatte bei seinen Verwandten übernachtet und führte sie jetzt in einen Supermarkt. Dort lag zwar alles kreuz und quer durcheinander, es gab auch nur ein vollgestopftes Mittelregal und die ebenfalls überquellenden Wandregale darum herum, aber es war ein richtiger Supermarkt mit Selbstbedienung und Einkaufskörben. Allerdings ohne Klopapier.

»Das wird hier nicht nachgefragt«, erklärte die Verkäuferin den Missstand und Saresh sagte draußen, dass sie eben alles ganz und gar hygienisch mit Wasser abwuschen, mit der linken Hand. Max grinste.

»Wie gut, dass sie sich nicht die Hände reichen und mit rechts essen.«

Irgendwie besorgte Saresh ihnen dann aber doch noch eine Rolle Toilettenpapier, woher auch immer.

»Die hüte ich, wie meinen Augapfel.«

Max steckte die Rolle in seinen Rucksack.

»Ob das mit dem Telefonieren noch klappt, weiß ich nicht«, meinte Saresh. »Vielleicht gibt es einen ISD-Telefonladen in Kunavaram, oder in Kukunuru. Ich weiß es nicht.«

Das war übel. Sie Beide hätten gerne noch mit ihren Angehörigen in Deutschland telefoniert und ihnen ein glückliches Neues Jahr gewünscht. Sie hätten gestern anrufen und ‚einen guten Rutsch' wünschen sollen. Nun gut, vielleicht hatten sie ja Glück.

Das Gewusel am Busbahnhof war zwar enorm, jedoch kein Vergleich zu Hyderabad. Relativ leicht fand Saresh ihren Bus. Sie steigen ein, stellten ihre Rucksäcke auf einen leeren Sitz und setzten sich ziemlich weit nach vorn. Es fuhren nur wenige Leute mit. Vielleicht zog es niemanden gen Osten, wo sie hin wollten. Zwei junge Männer, die vielleicht von einer der weiterführenden Schulen waren und zurück in ihr Dorf fuhren, setzten sich nach hinten. Sie trugen billige aber offenbar coole Jeans und Baseballkappen. Ein Ehepaar hatte Tüten und Einkaufstaschen dabei, vollgestopft mit Stoffen und unsichtbaren Kleinigkeiten. Er sah müde aus und sie setzte sich neben ihn, als ob sie einander fremd wären. Noch drei oder vier Erwachsene stiegen ein, darunter eine alte Frau, die sich mühsam die steile Treppe in den hochbeinigen Bus hinauf quälte. Als Tobias aufstand, ihren Arm ergriff und ihr half, in den Bus zu kommen, schaute sie ihn an, als habe sie so etwas noch niemals erlebt. Sie rückte ihren Sari zurecht und schien unter der wie Leder wirkenden Haut rot zu werden. Was sie sagte, verstand Tobias nicht.

Der Bus fuhr los. Mit seinem feinen Bruder, dem ‚Super Deluxe' von gestern Nacht, hatte er nichts gemeinsam außer vier Rädern und dass er fuhr. Die Kunststoffbezüge der Sitze waren abgewetzt und zerschlissen. Die braunen Vorhänge hingen nur noch in Fetzen vor den Fenstern. Die Farbe der Verkleidungen war verblichen. An Stellen, wo sich die Fahrgäste festhielten, um nicht das Gleichgewicht zu verlieren, glänzte das Metal silbern. Wo niemand anfasste, wirkte es stumpf und verrostet.

An zwei oder drei Haltestellen innerhalb des Ortes stiegen noch ein paar Leute ein. Es waren einfache Menschen. Eine Frau zählte dem Fahrer das bisschen Fahrgeld sorgfältig in die Hand, so als sei es ein Vermögen.

»Dann also auf nach Osten, ins touristenfreie Indien!« Tobias spürte eine gewisse Aufregung.

Zwar hatten sie schon in Hyderabad kaum Weiße gesehen, in dieser Gegend jedoch waren sie die einzigen. Er staunte darüber, wie er selbst das immer wieder vergaß und es erst wieder wahrnahm, wenn er den hellen Kopf seines kräftigen Freundes zwischen den viel kleineren Indern aufragen und blass leuchten sah. Ohne Zweifel, sie fielen hier mindestens so auf, wie ein Schwarzer in irgendeinem Kuhdorf Norddeutschlands.

Schnell ließen sie die Kreisstadt hinter sich. Noch ein paar Schulen links, dann Sendemasten der Mobilfunkbetreiber und schon fuhren sie über Land. Manchmal sah man rechts das Flussbett. Genauer gesagt, man sah die Steilküste, einen Teil des breiten Flusstales und manchmal auch die Steilküste gegenüber. Die Straße folgte also dem Flusslauf. Manchmal führte eine Brücke über einen Bach oder kleinen Nebenfluss. Jedes dieser Gewässer war tief eingeschnitten und die Ränder bildeten eine brüchige Schlucht aus Lehm und ausgespültem Brachland. Sie kamen an mehreren Seen vorbei. Im braunen Wasser blühten prächtige Seerosen, in weiß und lila. Max machte Tobias darauf aufmerksam.

»Sieh nur! Dort wachsen Lotusblüten. Die spielen hier in Indien in religiösen Zeremonien doch eine große Rolle, oder? Und bei uns gibt es die auch im Center-Parc Bispingen! Sie sind wunderschön!«

»Wie die Wasserbüffel!«

Tobias konfrontierte Max mit der Wirklichkeit. Dies hier waren keine Zierteiche. Es waren Tränken für Viehherden, Fischgründe der anliegenden Dörfer und vor allem lebenswichtige Wasserreservoirs für die Menschen. Kein Platz für Romantik.

Die beiden Abenteurer saßen im Bus und konnten sich nicht satt sehen. Zwar benahm sich auch dieser Busfahrer, als sei er der einzige Nutzer der schmalen Straße, hier schien das alles jedoch weniger gefährlich zu sein als auf den Highways. Zweiräder verließen die Asphaltdecke ohne Widerstand, Fußgänger wichen schon aus, wenn der Bus in Sichtweite war und entgegenkommende Fahrzeuge einigten sich mit Lichthupe oder Handzeichen irgendwie mit dem Fahrer. Solange Menschen im Spiel waren, ging es immer irgendwie vorwärts. Anders, wenn Tiere die Straße beherrschten. Tobias hatte bei seiner Vorbereitung gelesen, dass Andhra Pradesh der viehreichste Bundesstaat Indiens sei. Nun wusste er, wie das gemeint war. Dabei war die Zeit des morgendlichen Auftriebs auf Weiden, Brachland und abgeerntete Felder schon fast vorbei. Dennoch mussten sie immer wieder Herden mit Ziegen, Schafen oder Rindern durchfahren. Das dauerte. Die Hirten, alte Männer oder Jungen mit langem Stock und meist nur mit dem Lendenschurz oder einem Lunghi bekleidet, griffen kaum ein. Und die Tiere schienen sich mit den lauten Huptönen bereits arrangiert zu haben. Stoisch und ohne Angst hielten vor allem die fast schwarzen Wasserbüffel ihre Spur. Mit ihren langen, krummen Hörnern und den langsamen Bewegungen wirkten sie, wie soeben der Urzeit entflohen.

»Hey, diese Viecher sind mir echt sympathisch!«

Max schien zu den Büffeln eine besondere Nähe zu entwickeln.

»Sieh nur, wie die uns anschauen! So als wollten sie sagen: Ihr mit eurer Hektik! Wir haben doch alle Zeit der Welt!«

Dann zeigte er wieder aus dem Fenster.

»Und sieh mal, dort sind sie erst recht in ihrem Element. Es sind eben Wasser-Büffel.«

Tobias fand es bezeichnend, dass sein Freund diese gemütlichen und dickhäutigen Büffel besonders toll fand. Dort lagen einige dieser Tiere in schlammigem Wasser und schienen jenes Nirwana, was die Pilger in den Tempeln noch suchten, längst gefunden zu haben. Langbeinige weiße Vögel pickten Parasiten aus ihrem Fell oder suchten im flachen Wasser nach Nahrung.

»Kongas«, erklärte Saresh, als Tobias ihn danach fragte. »Ihr findet sie überall in dieser Gegend! Wie die Toddypalme.«

Während sie im Süden eher Kokospalmen gesehen hatten und in Hyderabad und Umgebung Felsen und wenige Laubbäume in karger Landschaft das Bild prägten, waren es hier die inzwischen abgeernteten Reisfelder, noch grüne Tabak oder Baumwollfelder, Plantagen mit erst kürzlich angelegten Eukalyptuswäldern und eben die Toddypalme, hier auch Palmary genannt. Unzählige dieser schlanken Palmen reckten ihre Stämme graziös gen Himmel und breiteten oben ihre Fächer aus, als wollten sie sich selber Schatten stiften.

Saresh machte die zwei auf einen Mann aufmerksam, der wie ein Affe an einem der schlanken Bäume hochkletterte.

»Toddysammler! Die Tribals zapfen die Blätter an. Daraus gewinnen sie dann nicht nur Saft, sondern machen auch Palmwein und Schnaps daraus.«

Sie hatten Glück. Gerade hielt der Bus an einer der aus drei Betonwänden bestehenden Haltestellen. So konnten sie den Mann beobachten. Er hatte die Beine lose mit Lederriemen zusammen gebunden, die Arme um die Palme geschlungen und die Hände ebenfalls mit einem Riemen verbunden. Indem er sich jetzt mit den Beinen vor dem Stamm abstieß und sich mit den Händen hinter dem Stamm hochzog, kletterte er geschickt und schnell hinauf.

»Ist ja irre! Das würde ich auch gerne können!«

»Vielleicht kannst du es ja gelegentlich mal versuchen«, meinte Tobias und lachte. »Hoffentlich hält die Palme das aus!«

Der Mann, der dort oben jetzt das Ende eines Blattes anritzte und ein braunes Tongefäß unter die Kerbe hing, war schwarz, fast nackt und vor allem schlank und durchtrainiert. Tobias musste grinsen, als er sich Max auf der Palme vorstellte.

Drei mit Reisstroh beladene Ochsenkarren kamen ihnen entgegen. Die hellen, fast weißen Zeburinder vor den Holzkarren mit ihren zwei großen Rädern schwenkten auf den sandigen Randstreifen ein und die drahtigen Burschen hinter der Deichsel brachten die Tiere zum Halten. Die Strohladungen waren breit gepackt und selbst als die Wagen neben der Straße standen, ragten sie noch weit über den Asphalt. Der Bus musste, um zu passieren, seinerseits die feste Straßendecke verlassen.

Der Fahrer fluchte.

Kurz darauf passierten sie eine Baustelle. Eine einfache Maschine verteilte Asphalt und glättete ihn. Eine Dampfwalze, die aus ähnlicher Urzeit zu stammen schien, wie die Wasserbüffel, presste die dampfende Masse zusammen. Kulis brachten Asphalt in Eimern und Schalen zu jenen Stellen, wo noch Löcher waren. Auch Kinder arbeiteten mit.

»Die streichen das untergehende Schiff«, meinte Saresh mit leicht verächtlicher Mine.

»Wieso untergehendes Schiff?“

»Diese Straßen rechts und links des Flusses sind in den siebziger Jahren gebaut worden. Damals sollte das Holz abtransportiert werden. Die Papierfabrik fraß die Wälder. In den letzten zehn Jahren war die Straße in katastrophalem Zustand. Sie bestand vor allem aus Schlaglöchern. Trotz großer Versprechen hat die Regierung nichts getan. Oder die örtlichen Beamten und Politiker haben sich das Geld für Reparaturen und Erneuerungen eingesteckt.«

»Aber nun scheinen sie ja doch etwas zu machen!«

Für wenige Minuten genoss Tobias die hier bereits geglättete Oberfläche der Landstraße, denn der Bus fuhr merklich ruhiger.

»Ja, hier und dort! Der Grund allerdings ist mehr als fragwürdig!«

Saresh verstand es, Spannung zu erzeugen. Er machte eine Pause und wirkte, als ob er irgendetwas oder irgendjemandem nachtrauerte.

»Sie benötigen die Straße, um die Dörfer hier zu evakuieren.«

Tobias brauchte einen Moment, um zu begreifen, was gemeint war. Dann verstand er. Es ging wieder um diesen gigantischen Staudamm, von dem sie bereits in Hyderabad gelesen hatten.

»Wie? Sie bauen die Straßen wegen der Umsiedlung der Staudammopfer?«

»Richtig. Es sollen zweihundertzweiundsiebzig Dörfer

umgesiedelt werden. Fast zwei Millionen Menschen sind betroffen. Fast alle Dörfer, die wir hier durchfahren, wird es nicht mehr geben, wenn sich die Regierung mit dem Staudamm durchsetzt.«

Auch Max hatte den letzten Teil des Gespräches mitverfolgt. Er schien wirklich geschockt zu sein.

»So viele? Aber wo sollen die denn alle hin?«

»Genau das ist das Problem«, antwortete Saresh, »es ist kein Platz da, es sei denn, man rodet den ohnehin schon dezimierten Wald. Die Regierung verspricht das Blaue vom Himmel herab, wird es jedoch nicht halten. Sie kann es nicht halten.«

»Aber sie bauen Straßen zum Abtransport der Dörfer?«

»Allerdings. Weiter unten am Fluss gibt es ein Dorf, das Jahrzehnte lang eine Straße beantragt hatte. Es ist, wie früher alle Dörfer hier, nur vom Fluss aus erreichbar. Alle Anträge auf die Straße wurden abgelehnt. Jetzt wird sie gebaut und der Kreisdirektor hat öffentlich gesagt, dass sie die Straße brauchen, um die Evakuierung gut abzuwickeln, wenn das Wasser kommt.« Max schüttelte den Kopf. Das war nicht zu fassen!

Links ragte eine rote Kirchturmspitze über die Bäume. Tobias hätte sie gar nicht registriert, wenn sie nicht kurz darauf eine zweite Kirche mit Turm und rotem Dach passiert hätten.

»Sieh mal Max, hier gibt es Kirchen wie bei uns in Deutschland!«

Max schaute sich um. Der Bus fuhr wegen der nun erneut löchrigen Straße wieder langsamer. So konnten sie auch identifizieren, was auf einem Hügel rechts der Straße stand. Es waren drei große Kreuze. Ein mit weiß getünchten Pfählen markierter Weg führte zu den Kreuzen hinauf. Ohne Zweifel war dies ein christliches Monument.

»Das sind die Leute vom ‚Lutheran-Office'.«

Saresh hatte die erstaunten Blicke seiner deutschen

Schützlinge gesehen. »Diese Kirche ist in der Gegend hier recht verbreitet. Sie haben Leute in vielen Dörfern, vor allem unter den Tribals vom Koyastamm.«

Mehrfach hatte der Bus gehalten. Manchmal waren Leute ein-, manchmal ausgestiegen. Jetzt kam ein Mann, der etwa zehn weiße Hühner trug. Er hatte sie an einem Knüppel angebunden, mit dem Kopf nach unten. Sie sahen aus wie tot.

Vor ihnen schien die Straße blockiert zu sein. Dieses Mal waren es jedoch keine Herden, sondern Menschen. Soldaten. Der Bus wurde langsamer. Dann hielt er.

Tobias sah zwei Männer mit Gewehren vor dem Bus stehen. An der Seite der Straße standen mehrere dunkelgrüne Militärjeeps.

»Ach du Scheiße, was ist denn jetzt los!«

Max wirkte eher verärgert als ängstlich.

Ein Soldat mit einem Gewehr und zwei Streifen am Arm sprach mit dem Fahrer. Dann kam er durch die ohnehin fehlende Tür in den Bus.

Tobias und Max trauten ihren Augen nicht. Sie meinten, es gäbe eine Razzia, vielleicht gegen Drogen oder Holzschmuggler, oder welche Staatsfeinde auch immer. Doch nichts dergleichen. Der Soldat grinste freundlich, schwenkte sein Gewehr hin und her und hielt ihnen eine Dose vor die Nase, ein Napf, wie sie ihn bei den Reisenden im Zug gesehen hatten. Doch in diesem Gefäß war kein Essen, sondern Geld. Der Fahrer legte einen Schein hinein, die beiden Studenten, der Mann, der seine Frau ignorierte, dann der Hühnermann und ihr Begleiter Saresh. Max aber schüttelte den Kopf.

»Ist das jetzt ein Überfall? Die kommen, halten uns die Waffe vor die Nase und nehmen uns Geld ab?«

»Nein«, antwortete Saresh. »Du siehst doch, sie geben uns einen Infozettel. Daraus geht hervor, dass sie für die Familien von im Kaschmirkrieg gefallenen Soldaten sammeln.«

»Was?!«

Max rührte sich nicht.

»Sie sammeln Spenden!«

Tobias legte einen Schein in den Napf. Der Soldat grinste dankbar und so als wolle er sagen: »Na bitte, geht doch!«

»Ich gebe nichts!« Max fuhr seine Stacheln aus. »Ich bin freier Bürger mit Touristenvisum. Mich kann man nicht mit der Waffe um Spenden bitten.«

Der Soldat schien zu spüren, dass dieser stämmige Ausländer sich gegen seine Sammelaktion sperrte. Für einen Moment hatte Tobias den Eindruck, das Gesicht des Mannes würde einen harten Ausdruck bekommen. Doch er lächelte wieder, ging weiter nach hinten, kassierte dort ab und verließ dann den Bus mit einem freundlichen Schwenken seines gut gefüllten Spendentopfes. Es sah aus wie ein Dankeschön.

Die Männer draußen gaben den Weg frei. Der Bus fuhr weiter.

»Äh, was war das denn eben?«

Max schien nicht darüber hinweg zu kommen.

»Wie wir für Brot für die Welt, so sammeln die für ihre Opfer. Ist ja okay! Aber stell dir vor, Tobi, wir machen Straßensperren und sammeln mit gezogener Knarre! Das gibt´s doch nicht!«

»In Indien offenbar doch.«

»Wo sind wir hier bloß hingeraten?«

Max machte ganz den Eindruck, als frage er sich das inzwischen wirklich.

»Straßen werden gebaut, um die Gegend sozusagen zu schließen. Mitten in Hinterindien stehen Kirchen und Kreuze und bewaffnete Soldaten sammeln für Witwen und Waisen. Ich bin gespannt, was noch kommt.«

Ein Ort tauchte vor ihnen auf.

»Kunavaram, wir müssen aussteigen. Hier ist ohnehin Endstation.«

Saresh stand bereits im Gang. Sie nahmen ihre Wasserflaschen, luden sich die Rucksäcke auf und verließen den Bus. Der Hühnermann wollte hier offensichtlich sein Geschäft machen. Als er eines der Hühner anhob, merkte Tobias, dass der Vogel keineswegs tot war. Er schien lediglich besinnungslos gewesen zu sein, erwachte jedoch jetzt, da er den Kopf heben konnte und das Blut wieder zirkulierte, zu neuem Leben.

Der Ort war schmutzig. Überall lagen Abfälle. Schweine, Ziegen und Hunde wühlten darin herum. Hier war die Welt offensichtlich zu Ende. Saresh bestätigte das, meinte allerdings, seit einigen Jahren gehe es doch noch weiter, da man eine Brücke über die Sabari gebaut hatte. Die Sabari, das konnte Tobias der Karte in seinem Reiseführer entnehmen, war ein stattlicher Nebenfluss der Godavari. Sie kam aus den nördlichen Nachbarländern und hier vereinte sie sich mit ihrer großen Schwester, der Godavari.

Saresh fragte, ob sie genug Mineralwasser hätten. Sie würden heute kein Mittagessen bekommen, also sollten sie sich Bananen und Kekse kaufen. Ob das in Ordnung sei? Max murmelte etwas vor sich hin wie: »Hoffentlich verhungere ich nicht!« Tobias meinte, es sei in Ordnung. Sie kauften die Sachen an einer Bude in der Ortsmitte, sofern man bei nur einer Straße von Mitte reden konnte.

»Wollt ihr noch einen Tee?«

Sie wollten. Also bestellte Saresh ihnen Tee an einem, ja was war das, ein Cafe, ein Schnellimbiss oder einfach nur ein junger Mann, der Tee kochen konnte. Jedenfalls war er gut darin, vor allem im Abkühlen des kochenden Gebräus. Er goss es dazu von einem Gefäß ins andere – und das mit einem Meter Strahl dazwischen.

»Luftgekühlt!« Max machte ein Foto mit seiner Digi.

Es schien, als habe es Saresh nicht besonders eilig. Jetzt war er plötzlich verschwunden, angeblich wieder einmal, um irgendwelche Verwandten zu besuchen. Sie tranken noch eine Pepsi. Anders als die Limca von gestern war diese recht warm. Vielleicht hatten sie hier am Ende der Welt häufiger Stromausfall, als in der Kreisstadt.

»Wolltet ihr nicht noch telefonieren?«

Es war ein wenig peinlich, dass erst Saresh sie daran erinnerte, als er von seinem Besuch wieder auftauchte. Zwar dachte Tobias ziemlich oft an seine Frau, trotzdem hatte er nicht besonders häufig mit ihr telefoniert. Es war so schwer, ihr im kalten Deutschland zu beschreiben, wie es hier aussah und was sie erlebten. Jeder Anruf war außerdem ein kleiner Stich, der die Sehnsucht zueinander anstachelte. Trotzdem, jetzt sollten sie wenn irgend möglich, telefonieren. Sie wussten schließlich nicht, was nach dem Ende der Welt käme – und möglicherweise war ein Telefon nicht dabei.

Es war möglich. Ein Telefonladen konnte nicht nur regionale, sondern auch internationale Gespräche verbinden. Es war jetzt früher Nachmittag, also musste seine Frau gerade gefrühstückt haben.

»Hallo! Bist du es? Ein frohes Neues Jahr! Ja, gut. Nein, wir sind jetzt irgendwo in der Pampa. Dreißig oder achtundzwanzig Grad ungefähr. Was, es friert? Ja, ich dich auch!«

Es rauschte und knackte in der Leitung und Tobias hörte sein eigenes Echo. Aber es war schön, mit seiner Frau gesprochen zu haben. Auch nach etwas über drei Jahren Ehe waren sie noch glücklich. Kinder wollten sie erst in einigen Jahren. Sonst wäre es mit dieser Reise natürlich nichts mehr geworden.

Max telefonierte mit seiner Mutter. Es war ein kurzes Gespräch. Inzwischen war es Nachmittag und die Sonne senkte sich mehr und mehr. Tobias wunderte sich, wieso Saresh plötzlich so viel Zeit hatte. Er musste doch immerhin noch zurück nach Bhadrachalam, denn Krishna hatte gesagt, dass sein Helfer sie hier verlassen würde.

Als ob Saresh seine Gedanken erahnt hätte, spornte er plötzlich zum Aufbruch an. Sie hatten ihre Rucksäcke schnell wieder auf den Schultern und es ging weiter.

»Hier entlang!«

Saresh bog von der Hauptstraße des Kaffs in eine enge Gasse ein. Rechts und links lagen Slumhütten. Oder waren dies normale Wohnhäuser? Im Spalt zwischen den Häusern sahen sie den Fluss vor sich. Auf einer breiten Mauer entlang gingen sie zur Steilküste. Dann weitete sich der Blick. Die Godavari in all ihrer Pracht lag vor ihnen. Hier war sie noch breiter als in Bhadrachalam. Sie führte auch mehr Wasser, hatte also offenbar viele Nebenflüsse, die sie speisten. Weit im Süden sahen sie das andere Ufer mit seiner Steilküste, an deren Kuppe Bäume und Büsche standen. Der Strom hatte sich in zwei Arme geteilt. Dazwischen lag eine riesige Düne, eine weiße Insel.

»Wir müssen dorthin!«

Saresh schob sie nach links, den Abhang hinunter.

»Aber seid vorsichtig«.

Sie stiegen die Küste hinab. Der rutschige Boden war lehmig und vom ablaufenden Wasser der Regenzeit ausgespült. Links unten lag ein Boot. Darauf steuerten sie zu.

Die ‚Fähre' war ein einfacher Kahn, gefertigt aus groben, dunklen Planken und etwa acht Meter lang. Zwar war das Boot als Personenfähre gedacht, es war jedoch bereits ein Motorrad an Bord. Sechs oder sieben Männer saßen auf der Kante des Bootes, zwei Frauen mit bunten Saris bekleidet und Basttüten in der Hand auf den Brettern, die als Sitze quer angebracht waren. Einer der Männer hielt sechs oder acht Hühner, wieder kopfüber an einem Knüppel hängend, in der Hand. Ein durchtrainierter Mann, bekleidet mit einer kurzen Hose und rotem T-Shirt, stand am Ende des Kahns und hielt eine lange Stange in der Hand. Mit dieser drückte er sein Boot gen Ufer, so dass die Strömung es nicht mitreißen konnte.

Sie hatten die Fähre offensichtlich gerade noch erreicht.

Saresh half den beiden Deutschen beim Einsteigen. Dann gab er dem Bootsmann einen Geldschein, zeigte auf die beiden Weißen und beide nickten.

»Ihr wisst ja Bescheid. Ich muss zurück nach Hyderabad. Auf der anderen Seite holt euch jemand ab und bringt euch zu Krishna.«

Der Abschied war kurz und distanziert wie die ganze Begegnung mit diesem jungen Mann. Tobias vermutete, dass Saresh seinen brahmanischen Glauben sehr ernst nahm und vielleicht deshalb so distanziert war. Wenn er in einer Brahmanenkaste aufgewachsen war und immer wieder mit Regeln konfrontiert wurde, wem man sich nähern durfte und wem nicht, dann war solches Verhalten erklärbar. Als jemand aus einer hohen Kaste war man schließlich etwas Besonderes. Tobias fiel jetzt auch ein, dass Saresh niemals einem der Kulis oder einfachen Leute die Hand gereicht hatte. Und er hatte sich immer nur neben sie als Weiße gesetzt. Vielleicht war seine Vermutung ja richtig.

Sie stellten ihre Rucksäcke auf längs gelegte Bambusstangen am Boden und setzten sich selbst auf die Seitenkante. Saresh hob nur kurz die Hand. Er war offenbar froh, sich wieder auf den Rückweg machen zu können.

Die Fähre legte ab, besser, der Fährmann stieß sie ab. Die hier erhebliche Strömung erfasste das Boot. Ein Junge, ungefähr vierzehn Jahre alt, saß am Ruder. Er lenkte den Kahn in die Strömung. Der Fährmann benutzte zusätzlich seine Stange und stakte ihn in Richtung Sandbank. Durch die Strömung verloren sie schnell an Höhe. Hinter der Sandbank gab es eine seichte Gegenströmung. Diese nutzten die Schiffer, um wieder ins ruhigere Wasser zu kommen. Der Mann schob die Stange ins Wasser, lehnte sich mit seinem ganzen Gewicht dagegen und trieb das Boot Richtung Ufer. Dabei ging er auf der Seitenkante entlang, so dass die dort Sitzenden ausweichen mussten. Er verstand sein Handwerk. Das Boot bewegte sich zwar langsam, aber stetig im Strömungsschatten der Sandbank Richtung gegenüberliegende Steilküste.

»Stell dir vor, da wartet nun niemand!«

Was Tobias durch den Kopf ging, musste auch Max gerade gedacht haben.

»Zwei Weiße allein unter echten Indianern! Du, das ist Filmreif. Niemand spricht Englisch. Niemand kümmert sich um uns. Tobi und Max allein in der Wildnis!«

Tobias schien soviel Dramatik nun doch überzogen.

»Na ja, dann fahren wir eben wieder zurück. Das kriegen wir schon hin.«

»Klar, und wir übernachten mal eben auf der Sandbank am Strand.«

Die Sonne war bereits hinter dem Steilufer verschwunden. Leichter Nebel legte sich über den Fluss. Erst jetzt konnten sie die Weite des Flussbettes ausmachen. Es musste hier beinahe einen Kilometer breit sein. Oberhalb erkannten sie fast nur den hellen Sand der Sandbank, die einen oder zwei Meter aus dem Wasser ragte. Flussabwärts sahen sie, dass ein riesiger Wasserstrom von links kam und sich mit dem der Godavari verband. Das musste die Sabari sein. Unterhalb dieser Vereinigung glänzte ein breites Wasserband im Abendlicht. Zwei oder drei Kongas flogen von Ufer zu Ufer. Sie hatten es leichter als die Menschen, wenn es darum ging, Gräben und Hindernisse zu überwinden!

Weiter unten begrenzte eine Silhouette von mehreren spitzen Bergen den Horizont. Besonders einer dieser Berge ragte hoch und spitz in den Himmel. Was mochte dort hinter den Bergen sein? Und was mochte sie hier am anderen Ufer erwarten? Wie weit war es wohl bis Kukunuru? Wer würde sie abholen und wie würden sie dann weiter kommen? Tobias hatte viele Fragen, sagte jedoch nichts. Beide schwiegen, als ob sie spürten, dass etwas Bedeutendes auf sie zukam.

Der Fährmann nutzte den letzten Schwung und drückte das Boot in die Strömung auf dieser Seite der Sandbank. Das Wasser umfloss das Hindernis von beiden Seiten. Dieser Arm war jedoch etwas schwächer. So gelang es den beiden Bootsleuten, durch Staken und Steuern ans andere Ufer zu kommen. Der Fährmann presste das Boot gegen die Abbruchkante des Sandes. Die Fahrgäste stiegen aus. Max und Tobias hievten ihre Rucksäcke auf den Rücken und sprangen auf den festen Sand. Zusammen mit den anderen marschierten sie Richtung Steilufer. Nur die Fährleute und zwei Männer blieben beim Boot. Sie versuchten, das Motorrad über eine Planke ans Ufer zu bringen. Daran, dass dies schon beim ersten Versuch gelang, merkten die Deutschen, dass solche Transporte hier zum Alltag gehörten.

»Ich komme mir vor wie bei einer Wüstenwanderung!«

»Zum Glück ist es jetzt nicht brütend heiß!«

Sie schwitzten trotzdem, als sie durch den zum Teil losen Sand Richtung Steilufer marschierten.

»Wer mag uns wohl abholen? Hoffentlich ist da oben überhaupt jemand!«

Am Ufer führte eine Treppe hinauf. An deren Ende stand ein kleiner Tempel. Sie stiegen hinauf. Der Mann mit den Hühnern und die beiden Frauen mit den Einkaufstaschen waren bereits oben verschwunden. Der Tempel ragte mit seinem Zementdach über die Treppe.

»Hanuman.«

Max sagte es, als kenne er sich inzwischen aus.

Oben standen drei Autorikschas. Die Fahrer lümmelten sich wartend auf den Vordersitzen.

»You Krishna?« einer der Fahrer, ein sehr junger Mann, sprach sie an. »You Kukunuru?«

Was sollten sie antworten?

»Ja, wir wollen zu Krishna und auch nach Kukunuru!«

Wahrscheinlich verstand der Mann nur die beiden

Namen. Doch es schien zu reichen. Er wies auf die Rückbank des ‚Autos'. Die beiden Rucksäcke nahmen viel Platz ein, Max und Tobias quetschten sich daneben.

»Hoffentlich ist es nicht so weit!«

Max stöhnte. Zu Recht. Es war weit.

Der Fahrer zog den Anlasser, der aussah wie die Handbremse eines PKW. Eine dicke Dieselwolke hüllte die beiden anderen Rikschas ein. Dann ging es los. Von einem Ort bemerkten die beiden kaum etwas. Einige Hütten schienen dort zwischen Dämmerung und Dunkelheit zu kauern. Sie fuhren einen Feldweg entlang. Es staubte. Immer, wenn sie abbogen oder wegen eines Schlaglochs langsam fuhren, überholte sie ihre eigene Staubwolke. Nach einer halben Stunde knirschte es zwischen den Zähnen. Inzwischen war es völlig dunkel geworden. Offenbar fuhren sie meistens zwischen Feldern hindurch, manchmal meinte Tobias, auch Büsche und Bäume zu erkennen. Zwei oder dreimal passierten sie ein Dorf. Rinder lagen vor Hütten, in denen winzige Lichter flackerten. Offenbar wohnten Leute dort. Durch die geöffnete Tür einer Hütte sahen sie einen Fernseher. In Farbe.

»Mann, wo bringt der uns bloß hin?!«

Max wurde sichtlich nervös. Auch Tobias fragte sich, worauf sie sich eingelassen hatten. Sie fuhren hier durch ein völlig fremdes Land, ohne Sprachkenntnisse, ohne Kontakte. Wer weiß, was alles passieren konnte!

»Ich hoffe, zu Krishna! Mit dem können wir uns dann wenigstens verständigen.«

Irgendwann erreichten sie so etwas wie eine Straße. Man merkte es allerdings nur daran, dass es nicht mehr so staubte. Das Fahrzeug umkurvte die vielen Schlaglöcher im Slalom. Einige nahm es auch mit und dann stießen die beiden sich entweder die Knie oder den Kopf. Einige Motorräder überholten sie. Eine andere Autorikscha kam ihnen entgegen. Sie hörte sich an wie eine rollende Disco und war vollgepfropft mit jungen Leuten. Sie überholten einen Ochsenkarren, dann Fahrräder und Fußgänger.

»Irgendwie scheinen wir wieder unter Leute zu kommen«. Tobias hatte Recht. Sie waren jetzt offenbar in einem größeren Dorf. Rechts sah man Sendemasten. Sie passierten einige gemauerte Häuser, umgeben von Mauern. Dann bog die Rikscha nach rechts ab.

»Ich freue mich schon auf eine Dusche oder ein Bad!«

Max konnte kaum noch sitzen.

»Hoffentlich kriegst du das!«

Tobias war zwar kein Pessimist, wollte jedoch nicht enttäuscht werden.

»Davon gehe ich aus. Dieser Krishna lädt uns ein. Der ist gebildet, aus gutem Hause wie es scheint. Seine Familie hat doch bestimmt Geld!«

Der Weg wurde immer schmaler. Sie schienen den Ort erneut zu verlassen. Dann stoppte der Fahrer. Sie standen vor einer hell getünchten Mauer. Dahinter duckte sich ein flaches Steinhaus. Die eiserne Pforte zu dem Gebäude öffnete sich. Licht strömte auf die Gasse. Die Gestalt eines Mannes war zu erkennen. Es war Rama Krishna Rao.

»Willkommen in Kukunuru!« sagte er und reichte Tobias die Hand. Als er auch Max begrüßt hatte, griff er nach dessen Rucksack.

»Kommt in mein Haus! Ich hoffe, ihr seid nicht allzu müde.«

Ihr Gastgeber wuchtete den Rucksack über die Schulter und wollte auch Tobias das Gepäck tragen. Der wehrte ab.

»Danke! Nein, wir sind zwar etwas durchgeschüttelt, aber doch noch recht fit.«

»Na prima! Dann können wir ja noch etwas zusammen sitzen und uns unterhalten.«

Krishna, jetzt mit einer dunklen Hose und einem karierten Hemd bekleidet, sprach ein paar Worte mit dem Rikschafahrer, drückte ihm einen Schein in die Hand und führte seine Gäste durchs Tor ins Haus. Das Auto sprang an, qualmte wie gewohnt, drehte und verschwand Richtung Ortsmitte. Dann war es still, bis auf das Plärren eines Fernsehers oder Radios irgendwo in der Nachbarschaft.

»Hier ist euer Zimmer!«

Krishna öffnete eine Tür und stellte den Rucksack auf ein Doppelbett. Als auch Tobias seinen Rucksack abgestellt hatte und sich auf die Matratze setzte, gab diese so gut wie gar nicht nach. Das Bett war steinhart.

»Ihr müsst etwas zusammen rücken. Ich lasse euch einen Moment allein. Vielleicht wollt ihr euch von der Fahrt erholen. Wenn ihr wollt, könnt ihr auch duschen. Ich lasse euch rufen, wenn das Wasser heiß ist.«

Er ging hinaus. Tobias kramte in seinem Rucksack nach seinem Waschzeug. Max legte sich aufs Bett.

»Mann, das war eine Tortur! Zwanzig Kilometer? Oder wie weit sind wir mit der Rikscha gefahren?«

»Keine Ahnung. Vielleicht kam es uns auch nur so weit vor. Jedenfalls haben wir jetzt ein Bett für die Nacht!«

»Hoffentlich bereust du es nicht. Es ist schließlich nur ein einziges Bett.« Max grinste.

»Du Fiesling! Wenn du schnarchst, kriegst du Prügel!« Tobias stieß Max in die Seite.

»Mal sehn, wer hier wen verprügelt«, Max erwiderte den Stoß. »Aber mal ehrlich, nach Reichtum und Gutem Hause sieht die Hütte hier nun nicht gerade aus. Ich dachte, dieser Krishna müsse mindestens Sohn eines Großgrundbesitzers sein.«

Tobias gab Max Recht. Krishnas Haus war eine etwas bessere Hütte. Ja, es war aus Steinen gemauert. Doch es war sehr klein. Wahrscheinlich war ihr Zimmer der einzige Raum, in den ein Doppelbett passte. Nebenan musste die Küche sein und dahinter vielleicht noch ein weiteres Zimmer.

Sie warteten über eine Stunde. Max war auf dem Bett eingeschlafen, als Krishna endlich anklopfte.

»Das warme Wasser steht bereit. Am besten ihr wascht euch und dann essen wir gemeinsam. Dabei können wir reden.«

Er zeigte ihnen noch den Duschraum und schon war er wieder verschwunden. Dusche, Toilette und Umkleidekabine waren hier ein und dasselbe. Der Raum hinter einer quietschenden Blechtür war nur etwa eins mal einsfünfzig Meter groß. Ein Keramikklo im Boden, davor eine betonierte Fläche zum Stehen und ein Loch am Rand als Abfluss. Das war´s. Immerhin war es recht sauber. Jeder hatte einen Eimer warmen Wassers. Auch wenn von Dusche keine Rede sein konnte, sie genossen es beide, sich das dampfende Nass über den Kopf zu gießen. Max pfiff sogar eine Melodie während er ‚duschte'.

»Jetzt noch ein Bier und mir geht es blendend!«

Nach dem Bad saßen sie nebeneinander auf Plastikstühlen vor dem Haus. Beide fühlten sich nun besser. Die lange Busfahrt und das eingequetschte Sitzen in der Rikscha waren anstrengend gewesen.

»Ein Schluck Whisky täte es auch!« ergänzte Tobias den Tagtraum seines Freundes.

Sie hatten weder das Eine noch das andere. Krishna brachte ihnen einen Tee.

»Ihr seht ja wieder ganz frisch aus! Trotzdem, ich kann doch nicht viel reden heute Abend. Ich muss noch mal geschäftlich weg.«

Tobias und Max bedauerten das. Sie trauten sich jedoch nicht zu fragen, welcher Art die Geschäfte Krishnas waren.

»Aber ihr bekommt gleich euer Abendessen!«

Krishna versprach es und verschwand.

Sie hörten, wie ein Eisentor an der anderen Seite der Mauer geöffnet wurde und ein Motor ansprang. Dann sahen sie für einen kurzen Augenblick einen grauen Jeep, der auf den Weg hinaus fuhr.

»Nun denn«, bemerkte Max, »dann erfreuen wir uns eben unserer eigenen Gesellschaft!«

»Ich finde, dieser Krishna ist ein merkwürdiger Gastgeber.« Schaute Tobias fragend, zweifelnd oder ärgerlich drein? Wahrscheinlich wusste er es selber nicht.

»Zuerst sollen wir unbedingt kommen und ihn besuchen. Dann scheucht er Saresh bis zur Fähre, statt uns selbst in Bhadrachalam in Empfang zu nehmen. Dann schickt er uns eine unbequeme Rikscha und hat doch einen Jeep auf seinem Grundstück stehen. Zum Schluss verspricht er zuerst einen netten Abend und dann verschwindet er.«

»Vielleicht hat er zu tun.«

»Aber was tut er denn?« Tobias fand, dass Krishna sich nicht gerade wie ein guter Gastgeber verhielt. Allerdings konnte er sich getäuscht haben. Wer wusste schon, wie man als Inder Gastfreundschaft interpretierte.

Etwas später brachte ihnen eine alte Frau das Essen. Auf einem silbernen Blechteller, der aussah wie ein rundes Tablett, servierte sie ihnen Reis, Gemüse und ein Fleischcurry. Max langte sofort zu, wenn auch das Essen mit den Händen nicht so einfach war.

»Immerhin, ganz vergessen haben sie uns nicht. Und dieses Huhn schmeckt ganz passabel.«

»Und woher weißt du, dass es Huhn ist?«

Tobias war sich nicht sicher, denn die Stückchen Fleisch hätten auch vom Lamm oder vom Rind sein können, zumal der Geschmack durch die scharfe Chilisauce für ihn nicht mehr zu unterscheiden war. Max verzog das Gesicht.

»Was willst du damit sagen? Dass ich Was esse?«

»Ich sag´ ja nichts! Du hast natürlich Recht. Wahrscheinlich ist es Huhn. Was sonst?!«

Nach dem Essen kam die Frau mit einer Schale Wasser und einem Handtuch. Sie konnten die Hände waschen, was nicht nur selbstverständlich, sondern ein absolutes Muss war.

Dann saßen sie noch eine Weile vor der Tür ihres Zimmers und sprachen über die Erlebnisse dieses Tages. Irgendwo hinter der Hofmauer quakten Frösche. Aus dem Ort hörten sie gelegentlich eine Hupe und Verkehrslärm. Hier, so abseits der Ortsmitte, kamen die Geräusche jedoch nur sehr gedämpft an. Etwas später legten sie sich zum Schlafen hin. Draußen war es ungemütlich geworden, weil Mücken sie umsummten und bereits einige üppige Mahlzeiten an ihren Knöcheln genossen hatten.

Tobias war es, als habe er irgendwann in der Nacht den Jeep gehört. Mit leisem Quietschen war die große Pforte geöffnet worden und ein Fahrzeug war hinein gefahren. Dann hörte er Stimmen, darunter die von Krishna.

Er stand auf, weil er nötig zur Toilette musste. Leise öffnete er die Tür ihres Zimmers. Auf dem Weg zum Toilettenhäuschen stolperte er über drei lange Kisten, die direkt neben ihrer Tür aufgestapelt waren. Die hatten vorhin noch nicht dort gestanden. Tobias stieß mit dem Schienbein an die Kante der oberen Kiste. Es tat weh. Die Kiste hatte sich nicht bewegt, musste also ziemlich schwer sein. Er las im Mondlicht eine Aufschrift: ‚Made in China. Caution!' Was immer dort drin war, es hatte einen weiten Weg hinter sich und war entweder zerbrechlich oder gefährlich. Oder Beides.

*

Sie hatten zwei Namen. Endlich!

Chidambaram war sich sicher, dass Babu noch heute viele Details über die beiden Deutschen herausfinden würde. Mit den Namen und allemal mit der Passnummer dürfte das kein Problem sein. Sie würden die Reise der beiden bald lückenlos nachvollziehen können.

Die Gerichtsverhandlung begann bereits um neun. Es ging um mehrere Kleinbauern, die behaupteten, dass ihnen allein das von ihnen bewirtschaftete Land gehörte. Ein großer Farmer hatte allerdings Dokumente, die bewiesen, dass er das Land von der Regierung gekauft hatte. Nun wollte er die Abfindung wegen des Staudamms einstreichen. Die Kleinbauern, allesamt Tribals, hatten demonstriert und sowohl den Hof als auch die Felder des Großbauern besetzt. Es war zum Streit zwischen Einheimischen und Familienmitgliedern des Landlords gekommen. Am Ende wurde die Polizei gerufen.

Ein Fall wie hunderte. Immer wieder kämpften die Adivasi um ihre Rechte am Land. Durch Gesetze gesichert, gehörte dieses zwar dem Staat, war ihnen und ihren Familien aber lebenslang zur Nutzung zugesichert worden. Als geschützte Ureinwohner hatten sie alles Recht auf ihrer Seite, ihren Lebensraum zu nutzen und zu behalten. Solange es im Sinne der Regierung war. Nun aber hatte sich die Lage geändert. Der Staat wollte den Staudamm. Für den Stausee musste Land her, Stammesland. Und Wald, Stammeswald. Wehe, die Tribals hatten keine Dokumente, die belegten, dass sie ihr Land bereits über Jahre bewirtschaften. Wehe, solche Dokumente befanden sich stattdessen in den Händen der zugewanderten Großgrundbesitzer...

Chidambaram verstand diese Kleinbauern. Zwar selbst aus der Stadt, selbst finanziell abgesichert und nicht auf Landbesitz angewiesen, fühlte er sich doch mit den Einheimischen verbunden. Sie machten ihre Arbeit, lebten wie Generationen vorher von der Hand in den Mund, nutzten Wald und Land – und dann wurde ihnen alles genommen. Klar, dass sie sich wehrten. Er fühlte sich in solchen Verhandlungen oft ohnmächtig und spürte dann, dass er als Polizist einen Staat vertrat, der sich das Gesetz oftmals so zurechtbog, wie es ins politische Konzept passte. Und oft genug vor dem Geld der Reichen und der Macht einflussreicher Politiker kapitulierte. In solchen Momenten fragte sich der Inspektor, ob er in einem derartigen System wirklich Karriere machen sollte.

Chidambaram machte seine Aussage und hoffte, die Kläger dabei zu unterstützen. Aber so richtig war er diesmal nicht bei der Sache. Er dachte an die beiden Deutschen. Und die Toten. Nach draußen hatte er hier im Gerichtssaal keine Verbindung. Mobiltelefone waren verboten, der Raum abgeschirmt. Wie lange, war nicht absehbar, denn immer wieder wurden neue Zeugen aufgerufen, es gab heiße Diskussionen, lange Statements und Anwälte, die sich wichtig machten. Zwei Stunden, oder gar drei... er kam sich wie abgeschnitten vor. Womöglich wurde die Verhandlung wieder einmal vertagt. Wie meistens. Wie lange konnten diese Kleinbauern wohl weitere Anwalts- und Gerichtskosten aufbringen? Es war absehbar, wer hier den längeren Atem hatte.

Chidambaram stöhnte. Wenn er doch nur endlich diesen Raum verlassen könnte.

02. Januar: Buschgeflüster

Am nächsten Morgen waren die Kisten verschwunden. Tobias bemerkte es, als er von der Toilette kam.

»Hast Du die Kisten gesehen, die vor unserer Tür standen?«

Max schüttelte den Kopf. Er hatte sie nicht bemerkt, obwohl er vor seinem Freund im Waschraum war. Also mussten die Kisten bereits in der Nacht abtransportiert worden sein. Tobias fand das merkwürdig.

Die Frau brachte ihnen Tee. Etwas später kam Krishna mit einem Motorroller angerauscht.

»Ich habe euch Frühstück aus dem Hotel geholt!« sagte er fröhlich und strahlend. »Ich hoffe, ihr habt gut geschlafen!«

Dass es hier ein Hotel gab, bezweifelte Tobias.

Sie hatten gut geschlafen, wenn auch Tobias in der Nacht aufgestanden und gegen diese merkwürdigen Kisten gestoßen war. Er sagte jedoch nichts davon.

Nun, bei Tageslicht, erkannten sie mehr von ihrer Umgebung. Das Haus war tatsächlich eher bescheiden denn üppig. Es war zwar gemauert, hatte jedoch ein krummes und defektes Ziegeldach. Darunter kauerten drei Räume, von denen ihr Schlafzimmer die Hälfte der Grundfläche des Hauses einnahm und ein kleines Zimmer mit einer Küche davor die andere. Eine Außenküche mit offener Feuerstelle war direkt neben der Tür unter einem Hüttendach eingerichtet. Durch den ständigen Rauabzug entlang der Hauswand war diese schwarz vom Ruß. Umgeben war das Haus von einer Mauer. Eine Pforte und ein größeres Tor waren die einzigen Öffnungen darin. Deren Eisengitter waren allerdings mit Stoff verhängt, so dass der gesamte Hof und Hausbereich von außen nicht einsehbar war. Außer einem orange blühenden Busch, einer Toddypalme und einer Papaya gab es innerhalb des Hofes keine Pflanzen.

»Das Haus gehört einem Onkel. Die große Überschwemmung von 1986 hatte ganz Kukunuru zerstört. Die Regierung hat dann Häuser wie dieses hier gebaut und den Opfern geholfen. Allerdings taugen die Häuser nicht viel.«

Krishna erklärte, dass in den Steinhäusern die Luft nicht richtig zirkulierte und sie deshalb im Sommer zu sehr aufheizten. Außerdem war das Ziegeldach viel zu schwer für die Balkenkonstruktion, das Material der Wände schlecht und... Die Liste der Mängel schien endlos. Nur die Kritik Krishnas an der Regierung schien sie noch zu übertreffen.

»Tatsache ist«, schloss er seine Mängelliste, »die mittleren Beamten und regionalen Politiker vertrösten die Leute und drehen ihnen Schrott an. Sie selbst werden durch Korruption reich.«

Draußen hielt ein Motorrad. Krishna ging hinaus, sprach mit jemandem und kam wieder zurück. Er holte ein schmales Paket aus dem Haus, ging wieder vor die Pforte und kam nach wenigen Minuten mit leeren Händen zurück. Das Motorrad fuhr davon. Bevor er sich setzte, trug Krishna etwas in ein kleines braunes Notizbuch ein. Dann schob er das Heftchen in die Gesäßtasche und wandte sich ihnen wieder zu.

»Ich hoffe, es stört euch nicht, wenn ich zwischendurch immer wieder mal etwas zu tun habe. Bald ist Pongal, einer unserer höchsten Feiertage. Da treffen wir Verabredungen, machen uns Geschenke und organisieren auch größere Feste.«

Tobias wusste nicht, was er sich darunter vorstellen sollte und was das mit Krishnas merkwürdigen Besuchern zu tun hatte. Auch als wenig später jemand an die Pforte kam, dem ihr Gastgeber ein Bündel Geld überreichte, sah Tobias keinen Zusammenhang zu diesem Pongal-Fest. Merkwürdig war auch, dass sich niemand dieser Leute sehen ließ. Sie waren sofort wieder verschwunden, kaum hatten sie, was sie wollten. Und merkwürdig auch, dass Krishna jedes Mal dieses kleine Notizheft zur Hand nahm und eine Eintragung machte. Na ja, vielleicht handelte er mit etwas. Aber womit?

»Ich schlage vor«, sagte Krishna, nachdem sie einen zweiten Tee genossen hatten, »dass wir heute unsere Tour beginnen. Ich habe versprochen, euch meine Heimat zu zeigen und werde mein Wort halten. Wie lange habt ihr Zeit?«

Max antwortete wahrheitsgemäß:

»Wir dachten so an drei oder vier Tage. Dann wollten wir nach Chennai zurück, uns die Stadt noch ansehen und vielleicht noch am Strand ausspannen.«

»Am 14. geht unser Flug zurück nach Deutschland«, ergänzte Tobias.

»Okay, das passt ja gut. Auch ich habe nicht allzu viel Zeit. Ich schlage vor, dass ich euch heute und morgen die Gegend zeige und ihr dann übermorgen nach Rajamundhri fahrt. Das ist eine Stadt am Delta der Godavari. Von dort könnt ihr am sechsen oder siebten nach Chennai fliegen. Dann bleibt euch dort noch genug Zeit für andere Unternehmungen.«

Sie waren einverstanden, wenn Tobias auch etwas enttäuscht war. Er hatte gedacht, sie würden vier oder fünf Tage hier verbringen. Immerhin hatten sie eine anstrengende Reise auf sich genommen. Andererseits hatten sie sich fünf Tage gegeben. Zwei davon waren genau genommen schon vorbei, einer in Bhadrachalam und einer für die Anreise in dieses abgelegene Dorf. Somit waren sie also doch im Zeitplan.

Max schien Krishna wesentlich unkritischer zu sehen, als sein jüngerer Freund. Er war begeistert.

»Klasse! Du zeigst uns heute die Gegend und wir bleiben im Zeitplan!«

Also machten sie sich startklar. Der Jeep, mit dem Krishna in der Nacht unterwegs war, stand neben dem Haus. Er war mit einer Plane bedeckt und war von Außen nicht sichtbar. Krishna zog die Plane weg und sagte:

»Ihr müsst eure Sachen mitnehmen! Wir kommen nicht hierher zurück.«

Die beiden packten ihre Sachen in die Rucksäcke und legten diese hinten in den Jeep. Krishna öffnete das Tor, sie stiegen ein und los ging es.

Die Frau schloss das Tor hinter ihnen und Tobias dachte noch, nun sei in diesem Haus wieder alles so, als wären die beiden Gäste niemals dort gewesen.

Sie fuhren durch den Ort. Kukunuru war ein Kaff wie Kunavaram, schien jedoch an einer Durchgangsstraße zu liegen. Deshalb war vor allem dort, wo die Straße einen Knick machte, viel los. Es gab hier viele feste Steinhäuser, ebenfalls aber auch Hütten und Hofstellen, wie in den Dörfern, die sie gestern mehrfach durchfahren hatten. Läden mit Zigaretten und Süßigkeiten, Obst und Gemüsehändler, Reparaturwerkstätten, ein Frisör mit

nung war nicht zu erkennen.

»Unglaublich!« staunte Max. »Die Elektriker und Telefonleute hier müssen wahre Experten der Chaosbeherrschung sein, wenn die da durchblicken.«

Sie bogen nach links ab. In den Augenwinkeln nahm Tobias plötzlich schon wieder einen Kirchturm wahr. Das spitze rote Dach leuchtete über Kokospalmen und Hausdächern bis zur Straße. Er sagte nichts. Max würde sonst wahrscheinlich wieder seine Aversion vor sakralen Räumen betonen. Aber merkwürdig war das mit den vielen christlichen Kirchen in dieser Gegend schon.

Sie hatten den Ort noch nicht verlassen, da hielt Krishna am linken Straßenrand.

»Hier rechts seht ihr die Polizeistation von Kukunuru!«

Er zeigte auf ein Gebäude, das etwas abgerückt von der Straße stand und ein großes Areal einnahm.

»Steigt ruhig aus und geht auf die andere Seite der Straße, dann könnt ihr besser erkennen, wie unsere Polizei sich vor lauter Angst hinter Mauern verschanzt.«

Krishna selbst blieb hinterm Steuer sitzen. Tobias und Max stiegen aus. Sie gingen über die Straße und, so weit es ging, noch ein Stück auf das Gebäude zu.

Weit kamen sie nicht. Ein doppelter Stacheldrahtzaun sicherte das Gelände. Dahinter stand ein fast quadratisches Gebäude, das aussah wie eine Festung. Oben auf dem Dach waren sogar gemauerte Schießscharten zu sehen. Und offensichtlich waren sie besetzt. Ein Mann mit einem Gewehr im Anschlag schaute zu ihnen herunter. Der Eingang des Gebäudes war ebenfalls durch eine nachträglich errichtete Mauer gesichert. Ein zweites, kleineres Gebäude, schien ebenso abgeriegelt. Zu sehen war außer dem Mann oben auf dem Dach zunächst niemand.

Max machte ein Foto. Tobias zeigte mit ausgestrecktem Arm auf den Posten oben. Plötzlich kamen zwei uniformierte Männer an die Eingangstür. Sie blieben im Bereich der Schutzmauer stehen. Einer ging kurz ins Haus und kam dann mit einem Fernglas zurück, durch das er zu ihnen herüberschaute.

»Lass uns lieber weiterfahren!« sagte Tobias zu Max, der bereits eine ganze Serie Fotos geschossen hatte. »Mir ist die Sache nicht ganz geheuer.«

Also stiegen sie wieder ein. Krishna ließ den Motor an und brauste in hohem Tempo davon. Tobias fand es irgendwie seltsam, dass ihr Bekannter ihnen als Erstes ausgerechnet eine Polizeistation präsentiert hatte.

Als sie auf einer halbwegs guten Asphaltstraße zwischen Brachland und dürren Feldern dahin fuhren, meinte Krishna:

»Das war doch sehenswert, oder? Bei uns hat die Polizei viel Angst. Sie vertreten die Regierung. Und die ist nicht besonders beliebt!«

»Aber warum verschanzen sie sich wie im Krieg?«

Max fand es reichlich übertrieben, sich hinter Stacheldraht und wie in einer Ritterburg zu verbarrikadieren, nur weil man nicht beliebt war.

»Sie sind im Krieg!«

Krishna klang irgendwie kalt, fand Tobias.

»Sie führen einen Krieg gegen die eigene Bevölkerung. Sie verkörpern die Vertreibung der Stammesleute wegen des Staudammprojektes. Sie vertreten die Regierung, die uns keine Freiheit zur Gründung eines eigenen Staates lässt. Sie sind Handlanger der korrupten Oberschicht, die auf Kosten der einfachen Bevölkerung lebt.«

Nun war Tobias richtig erschrocken. Politisch stand Rama Krishna Rao jedenfalls nicht gerade in der Mitte. Eher ganz links außen. Oder rechts? Tobias wusste nicht, ob es diese Sichtweise in Indien überhaupt gab. Jedenfalls schien ihr Fremdenführer mit der Polizei und jenen, die diese repräsentierte, Probleme zu haben. Tobias war sich sicher, dass man das, was Krishna eben gesagt hatte, auch noch ganz anders sehen konnte. Doch Krishna war noch nicht fertig.

»Kukunuru ist ein Außenposten von Ashwaropeta.

Hier sind fünfzehn Polizisten stationiert. Die meisten sind nur drei Monate ausgebildet worden. Es ist eine Schande, dass man derart schlecht qualifiziertes Personal an die Front schickt. Aber die Chefs wissen schon, was sie tun. Sie retten vor allem sich selbst.«

Es wurde immer krasser, fand Tobias. Jetzt sprach Krishna nicht nur von Krieg, sondern auch von der Front. Das konnte er nicht einfach hinnehmen.

»Was meinst du mit Front? Wer kämpft denn hier gegen wen?«

»Na, die Polizei gegen die Bevölkerung. Ich sagte es ja schon.«

»Aber du willst doch nicht sagen, dass die Leute hier mit Gewehren herumlaufen oder mit Raketen auf ihre Polizeistation schießen?«

»Die Leute nicht«, meinte Krishna leise. »Die trauen sich nicht. Nur einige Wenige werden aktiv.«

Er bog nach links in eine Seitenstraße. Sie fuhren inzwischen durch Wald. Er reichte auf beiden Seiten bis dicht an die Straße heran. Krishna schien nichts mehr sagen zu wollen und Tobias traute sich nicht, weitere politische Diskussionen zu führen. Sein nicht besonders gutes Englisch könnte bei derart speziellen Gesprächen manches Missverständnis hervorbringen.

Der Wald war nicht sehr dicht. Die großen Bäume hatte man offensichtlich bereits herausgeschlagen. Viele Baumstümpfe waren zu sehen. Einmal, als sie anhielten, weil Max in die Büsche wollte, sahen sie einen riesigen Termitenhügel. Krishna meinte, dort würden sich gerne Schlangen einnisten. Sie achteten jetzt noch genauer darauf, wo sie hintraten. Zwar sah der Wald am Tag harmlos aus, doch wer wusste schon, welch gefährliche Viecher es hier zwischen Büschen, Bäumen und Schlingpflanzen gab.

Sie fuhren einen Bogen und kamen durch weitere Dörfer.

Ganz weit im Osten sahen sie immer wieder jene Gebirgskette mit dem auffälligen spitzen Berg, der ihnen schon gestern am Fluss aufgefallen war. Tobias fragte Krishna nach diesem Berg.

»Es ist der Sriramagiri, ein heiliger Berg, den viele Pilger besuchen, weil es dort einen Rama-Tempel gibt. Diese Berge liegen direkt am Fluss, aber auf der anderen Seite«, erklärte Krishna. Die Frage, ob sie dorthin kämen, verneinte er. Soviel Zeit hätten sie nicht. Max sah Tobias an und sagte:

»Da muss ich an unseren Sinnsucher im Flieger denken. Ob der jetzt wohl auf seinem heiligen Berg sitzt und meditiert?«

»Ich gönn' es ihm!«

Plötzlich bremste Krishna und hielt den Jeep an.

Rechts lag eine Siedlung mit gemauerten Häusern. Sie war neu errichtet worden, aber nicht bewohnt. Ein älterer, auffällig dürrer Mann schien sie zu bewachen. Er saß vor einer Hütte neben dem Wasserturm der Anlage und stocherte in einer Feuerstelle herum. Um seine Stirn hatte er sich ein Handtuch geschlungen und um die knochigen Schultern eine dünne Decke mit verblichenem Karomuster. Jetzt, Anfang Januar, wurde es zumindest nachts empfindlich kühl. Wahrscheinlich fror der Alte immer noch. Neugierig schaute er zu ihnen herüber, als der Jeep oberhalb der Siedlung stoppte.

Ein großes blaues Schild informierte über Größe und Grundriss der offensichtlich noch nicht fertigen Anlage. 116 Familien sollten hier einmal ein neues zu Hause bekommen. Hinten standen zwei größere Häuser, in der die Schule untergebracht werden sollte, vorne an der Straße ein Verwaltungsgebäude, daneben der Wasserturm. Die Straßen und Grundstücke waren vermessen, jedoch noch nicht ausgebaut. Nur ein gutes Dutzend der Wohnhäuser standen bereits. Krishna informierte seine Gäste.

»Hier seht ihr ein Beispiel behördlicher Ignoranz!«

Tobias ahnte, dass Krishna wieder eine harsche Kritik an der Regierung folgen lassen würde. Er behielt Recht.

»Diese Siedlung ist als Musterhausanlage für die Polavaram-Opfer gebaut worden. Man karrt Delegierte aus den Stammesdörfern hierher, zeigt ihnen die schönen, weiß getünchten Häuser, erzählt, dass es sogar Toiletten geben wird und malt ihnen den Himmel auf Erden. Dann drängt man sie zu unterschreiben, dass man sein Dorf verlässt, wenn es das Staudammprojekt erfordert. Wer nicht unterschreibt, sagt man, wird enteignet. Dies ist kein Problem, da alles Land in dieser Gegend ohnehin dem Staat gehört. Wer aber unterschreibt, bekommt angeblich ein schönes Haus mit Grundstück. Und wer zuerst kommt, malt zuerst... und so weiter!«

Krishna bat sie, auszusteigen. Sie könnten sich die Anlage genauer ansehen, niemand würde etwas dagegen haben. Er würde gerne im Wagen warten. Also stiegen sie aus und gingen ein Stück die geplante Dorfstraße hinunter. Einige junge Männer, die mit Fahrrädern vorbeifuhren, blieben stehen und beobachteten erstaunt, wie zwei Weiße das Gelände erkundeten. Der Wachmann sah ihnen nach, unternahm jedoch nichts.

Max machte einige Fotos. Als sie zurückkamen, setzten sich die Jugendlichen auf ihre Räder und fuhren kopfschüttelnd davon. Wahrscheinlich war es für sie unverständlich, dass Weiße in der Mittagshitze herumliefen und ein paar Rohbauten fotografierten.

Der Alte sah ihnen nach.

Sie saßen wieder im Jeep. Tobias fand die Anlage gar nicht schlecht. Jedenfalls waren die Häuser auf den ersten Blick durchaus gut gebaut. Dazu eine Hofstelle, die Infrastruktur, eine Schule... vielleicht war diese Entschädigung gar nicht so übel. Krishna schien seine Gedanken zu erraten.

»Auf den ersten Blick klingt das toll und sieht nett aus. Aber die Sache hat nicht nur einen, sondern hundert Haken. Zum einen gibt es nur zwei oder drei solcher

Vorzeigesiedlungen. Und die liegen schon seit Jahren halb fertig da. Wohin die über zweihundert anderen Dörfer gebaut werden sollen, weiß kein Mensch. Angeblich wollen sie am Highway im Süden riesige Townships anlegen. Das Leben dort würde die Stammeskultur völlig vernichten und die Leute würden verelenden. Doch selbst jene, die hier wohnen könnten, wären nicht in der Lage, ihre Familien zu ernähren. Alle Nebeneinkünfte fielen weg. Kein Holz mehr aus dem Wald, kein Honig, keine Waldfrüchte, keine Jagd, kein Weideland für das Vieh, keine Großbauern, die ihnen Arbeit geben. Nichts. Nur ein nettes Häuschen und ein noch netteres für den Bürgermeister!«

Er zeigte auf das große Gebäude an der Straße.

Tobias ahnte, dass die Sache komplexer war, als er geahnt hatte. Wenn so viele Dörfer verlegt werden sollten, mussten nicht nur Häuser, sondern auch Einkommensmöglichkeiten geschaffen werden. Land war nötig, Lebensraum. Allemal, wenn diese Stammesangehörigen ihren Lebensstil mit dem Vieh und der Verbundenheit zum Wald beibehalten wollten.

Ob Krishna auch die nächsten beiden Stopps für sie organisiert hatte, war zu bezweifeln. Sie passten jedoch hervorragend in sein Tagesthema: Der Staudamm und seine Opfer. Sie waren erneut durch mehrere Dörfer gekommen. Zweimal passierten sie einen kleinen Tempel, mehrfach entdeckten sie an Kreuzungen ein Denkmal mit Hammer und Sichel darauf, einmal lag links eine winzige Moschee mit Minarett und mehrfach fielen ihnen Hütten mit roten, dicken Weihnachtssternen und Fähnchendekoration auf.

Dann ging es nicht mehr weiter.

Die Straße war beidseitig aufgerissen worden. Vor der Baustelle mussten sie halten. Es werde vorne gesprengt, sagte der Arbeiter, der den Verkehr regelte. Sie warteten. Dann hörten sie die Detonation. Eine Staubwolke erhob sich dort, wo eigentlich die Straße verlaufen müsste. Sie durften weiterfahren.

Ein Weg führte an der Baustelle vorbei. In der Nähe der Sprengung standen einige Fahrzeuge, mit Baumaterial beladen. Tobias schien es, als ob er auf einem der offenen Transporter ähnliche Kisten gesehen hätte, wie gestern Nacht in Krishnas Haus. Aber wahrscheinlich hatte er sich getäuscht. Mit einem Bauarbeiter schien Krishna nichts gemein zu haben.

Die Straße war durch einen tiefen Graben unterbrochen. Daneben lagen riesige Röhren.

»Mann, so dicke Rohre habe ich ja noch nie gesehen!« meinte Max. »Die sind ja mindesten zwei Meter fünfzig im Durchmesser.«

»Die sind für eine Pipeline nach Sathupally. Sie wollen Wasser aus der Godavari und dem späteren Stausee über Land pumpen. Die Leitung soll fast hundert Kilometer lang werden. Das ist auch eines der Lockangebote der Regierung. Sie behaupten, auch diese Gegend bekäme Wasser durch das Projekt. Letztlich werden jedoch wieder die Reichen profitieren. Und die haben schon jetzt genug Geld, sich tiefe Brunnen bohren zu lassen und entsprechende Pumpen zu kaufen.«

Für Krishna schien jedes Projekt vor allem deshalb fragwürdig zu sein, weil es die Regierung betrieb. Tobias verkniff sich eine Bemerkung in die Richtung. Er wollte Krishna nicht verärgern. Aber ihm erschien ihr Gastgeber immer unangenehmer, denn er sah im Zusammenhang mit dem Staudammprojekt nichts differenziert, sondern malte alles nur schwarzweiß.

Zum zweiten Mal halten mussten sie kurz vor dem nächsten Dorf. Hier gerieten sie in eine Demonstration. Hunderte Menschen, die offensichtlich auf den Ladeflächen von LKWs angereist waren, demonstrierten, indem sie die Straße blockierten. Die meisten saßen auf dem Boden. Fast alle trugen gelbe Baseballkappen, auf denen

ARS stand. Ein dicker Redner stand auf einer Betonmauer und brüllte in ein Megaphon. Seine Stimme gellte über die Menge, seine Worte schossen aus dem Mund wie Kugeln aus einer Schnellfeuerwaffe. Er redete sich richtig in Rage. Die Demonstranten schienen das gut zu finden. Manche hoben die Fäuste und brüllten etwas. Auch Frauen waren unter ihnen. Einige von ihnen fassten sich an den Händen und schienen zu singen. Krishna lehnte sich im Jeep zurück.

»Es wird wohl noch dauern. Die ARS ist eine Organisation, die extra gegründet wurde, um gegen den Staudamm zu protestieren. Sie bilden Komitees in den Dörfern, machen Demos wie diese, versuchen den Stammesleuten Dokumente für das Land zu besorgen und machen viele wichtige, laute und deutliche Worte. Trotzdem richten sie nichts aus.«

Tobias ging die negative Haltung ihres Begleiters langsam auf die Nerven. So sehr ihnen Krishna in Dubai von der Schönheit seiner Heimat vorgeschwärmt hatte, so sehr nörgelte er jetzt an allem herum. Weder die Regierung, noch die Opposition konnte es ihm offenbar Recht machen. Auch Max schien keine Lust zu haben, mit Krishna über politische Fragen zu sprechen. Er fragte ihn, wohin sie denn heute noch fuhren und wo sie übernachten würden.

Krishna antwortete so, dass Max strahlte und auch Tobias froh war, für heute Abend eine eher unpolitische Aussicht zu haben.

»Ich bringe euch in ein Stammesdorf, das euch gefallen wird. Es liegt einsam und ohne Straßenverbindung im Wald. Wir müssen den Jeep verlassen und den Patwagu-Kanal überqueren, um in das Dorf zu gelangen. Es heißt Kammarigudem. Wenn es hier denn mal weitergeht, sind wir in einer halben Stunde dort.«

»So langsam kriege ich Hunger.“

Tobias stimmte Max zu. Seit der Doshai am Morgen hatten sie nichts mehr gegessen. Zum Glück hatten sie ihr Mineralwasser dabei und so war der Magen nicht ganz leer. Doch Krishna schien eher der intellektuelle Typ zu sein, jene Sorte, die gerne diskutiert, sich politisch ereifert, aber so profane Dinge wie Essen eher als unbedeutend und notfalls verzichtbar ansah. Also das Gegenstück zu Max.

Nach etwa einer halben Stunde ging es weiter. Sie hatten keine Lust gehabt, Krishna um eine Übersetzung der Agitation des Redners zu bitten. Wenn der Ton auch in Indien die Musik machte, musste der Inhalt der Rede in etwa dem entsprechen, was Krishna auch vertrat. Dagegen, dagegen, dagegen! Schwarz, weiß. Kampf, Front, Krieg.

Gut, dachte Tobias, dass der stämmige Redner nur seine Stimme einsetzte und die Leute hier, jedenfalls soweit man sehen konnte, unbewaffnet waren. Seltsam, dass keine Polizei da war. Die demonstrierten hier, aber niemand hörte zu. Merkwürdig.

Seine Neugier wurde nun doch zu groß. Er fragte Krishna, wieso denn die Leute ausgerechnet hier, mitten in der Provinz, demonstrierten.

»Stimmt schon«, antwortete dieser, »Politiker und Polizei sind nicht da. Aber hier laufen eine Menge Pressefritzen herum. Und dieser Ort, er heißt Kothuru, ist ein Symbol für das Projekt, da hier der Zwischentank der Pipeline gebaut wird. Trotzdem hast du natürlich Recht. Auch wenn dieser Protest in der Zeitung steht, ändert es doch letztlich nichts!«

Sie fuhren noch einige Kilometer. Dann bog Krishna nach rechts in einen Feldweg ein. Kurz darauf ging es nicht mehr weiter. Ihr Gastgeber parkte den Jeep hinter einigen stachligen Büschen.

»Den Rest gehen wir zu Fuß!«

Der Inder nahm seine kleine Sporttasche vom hinteren Sitz. Tobias und Max wuchteten ihre Rucksäcke aus dem Jeep und schulterten sie. Dann marschierten sie hinter Krishna her.

Zuerst gingen sie auf einem schmalen Pfad, dann auf

den jetzt trockenen Dämmen von Reisfeldern. Sie trafen auf einen weiteren Weg. Der führte zum Fluss. Schon von weitem sahen sie, dass dort hinten Wasser sein musste. Grüne Bäume und Büsche säumten den Patwagu. Hier sah man nun genau, dass es nicht ein Kanal, sondern ein natürlicher Flusslauf war. Es lagen Felsen im Wasser. Auch dieser Fluss war nicht tief. Er schien jedoch frisches Wasser zu führen, denn Frauen holten es in großen silbernen und bronzenen Töpfen aus dem Flussbett. Sie luden sich die gefüllten und mit Sicherheit sehr schweren Gefäße auf den Kopf und trugen das kostbare Nass die Böschung hinauf in ihr Dorf. Vom Fluss aus war dieses allerdings nicht zu sehen.

Krishna führte sie zwischen tief hängenden Ästen hindurch nach links. Ein schmaler Damm war über den Fluss gebaut. Er war begehbar. Das Wasser floss durch kleine Lücken im Mauerwerk. Die Hütten des Dorfes sahen sie erst, als sie den Abhang auf der anderen Seite des Flusses hinauf gestiegen waren. Sie schmiegten sich zwischen Laubbäumen und Toddypalmen an einen kleinen Hügel, als wollten sie sich seines Schutzes vergewissern. Tobias sah einige Fahrräder, jedoch kein einziges Motorrad und auch keinen PKW oder irgendein anderes Motorfahrzeug. Irgendwie wirkte der Ort wie eine Insel. Auf der einen Seite war er vom Fluss, auf der anderen durch Wald und weiter hinten durch höhere Hügel begrenzt.

Krishna brachte sie zu einer Hütte am anderen Ende des Dorfes. Sie war klein und ärmlich. Trotzdem schien es einen Fernseher zu geben. Elektrizität gab es hier also doch. Einen Hof mit einem Zaun darum gab es nicht. Zwei dürre Rinder waren an Pflöcken vor der Hütte angebunden. Rechts neben der Hütte stand ein rundes Häuschen mit spitzem Dach. Zuerst dachte Tobias, es sei eine Art Hundehütte. Es war jedoch ein Vorratsspeicher für Reis oder Linsen. Vor der kümmerlichen Wohnhütte gab es ein Dach aus Blättern, aufgestellt als

Schutz vor der brennenden Sonne. Den Regen während des Monsuns würde es wahrscheinlich nicht abhalten können. Unter diesem Dach standen zwei Pritschen, einfache Holzgestelle mit einer Art Rattangeflecht bespannt.

»Nicht schlecht«, meinte Max, als er sich draufsetzte. »Hoffentlich hält die mein Gewicht aus!«

»Etwas kurz«.

Als Tobias sich hingelegt hatte, ragten seine Füße weit über das Ende der Pritsche hinaus.

»Aber diese Leute hier sind ja auch kleiner als wir.«

Ein junges Mädchen, vielleicht vierzehn Jahre alt, brachte den Männern Tee. Sie trug eine gelbe, löchrige Bluse und einen bunten Rock. An den Füßen klimperten versilberte Kettchen. Schuhe oder Sandalen trug sie nicht. Sie lächelte schüchtern, als sie ihnen die kleinen Becher hinhielt. In der Nasenwand hatte sie ein winziges Röhrchen, mit dem sie vielleicht das Loch für einen Nasensticker frei halten wollte. Wie bei den meisten Koyas war auch ihre Nase etwas breiter. So arm sie war, offensichtlich mochte es dieses Mädchen wie ihre Altersgenossen überall auf der Welt, sich schön zu machen. In ihren Ohren steckten schmale goldfarbene Clips, sie hatte ihre glatten schwarzen Haare sorgfältig gekämmt und hinten mit einigen gelben Blumen geschmückt. Die schwarzen Augen strahlten, als Max und Tobias sich beim ersten Schluck die Lippen verbrannten.

Das heiße Gebräu wirkte belebend.

»Wie wäre es«, fragte Max, »wenn wir vor dem Essen noch einen kleinen Spaziergang durch dieses verträumte Dorf machen?«

Krishna hatte nichts dagegen. Er meinte nur, er sei müde und wolle sich schon vor dem Essen hinlegen. Das Mädchen würde sie herumführen. Sie gingen hinaus. Mit Händen und Füßen machte Max dem Mädchen deutlich, wie er hieß. Auch sie sagte einen Namen.

»Pushpa?«

Max fragte noch einmal nach.
»Pushpa? Heißt du Pushpa?«
Sie nickte und zeigte wieder ihr schüchternes Lächeln.
»Pushpa, willst du mir dein Dorf zeigen?«
Sie ging voraus, so als ob sie ihn verstanden hätte. Das Dorf war größer als es zunächst schien. Die Hütten waren alle auf und um den Hügel gruppiert. Die meisten waren ähnlich arm wie jene, in der sie übernachten sollten. Es gab jedoch auch größere Hütten, beinahe Häuser zu nennen. Diese waren von einem Hof umgeben, der durch Bambuszäune begrenzt war. In eine dieser Hütten bat sie eine Frau, welche Pushpa zu sich rief, als sie vorbei kamen. Die Frau lud sie ein, sich auf einen farbigen Plastikstuhl zu setzen. Dann brachte sie ihnen Papaya in Scheiben geschnitten und bot auf einem kleinen Blechteller Kekse an. Dabei sprach sie mit ihnen, als ob die Sprachbarriere gar kein Problem wäre. Max und Tobias waren überwältigt von solcher Gastfreundschaft. Diese Leute waren bitterarm und gaben doch von dem, was sie hatten.

Pushpa drängte zum Aufbruch und machte eine Geste des Essens. Sie sollten also zum Essen kommen. Wenige Minuten und sie hatten das Dorf durchquert. Viele einfach gekleidete Männer und Frauen sahen ihnen nach. Hier waren ganz sicher nie oder überaus selten Weiße aufgetaucht. Tobias vermutete, dass es hier so gut wie keine Arbeit gab, denn die Leute schienen die Zeit totzuschlagen. Mal saß ein alter Mann vor seiner Wasserbüffelkuh und melkte sie, mal fegte eine Frau vor ihrem Haus oder eine kam mit Wäsche oder Wasser vom Fluss. Die meisten jedoch saßen einfach nur herum, unterhielten sich oder dösten vor sich hin. Vielleicht lag es ja auch an der Mittagszeit, obwohl diese inzwischen fast vorbei war. Kinder folgten ihnen, viele davon so gut wie nackt, nur mit einer Schnur um die Hüfte bekleidet. Tobias fiel noch auf, dass es nirgendwo Toilettenanbauten gab. Die Leute hier gingen also wohl in die Büsche – was ja auch kein Problem war, denn davon gab es mehr als genug.

Das Essen war reichlich, scharf und ungewohnt. Eine Frau aus einem Nachbarhaus hatte es gebracht und wahrscheinlich auch gekocht. Es gab Reis mit Gemüse und Huhn, diesmal als scharfes Curry. Inzwischen fiel den beiden Deutschen das Essen mit den Fingern schon leichter. Schwierig wurde es nur, als die Frau ihnen Joghurt auf den Plastikteller goss. Dieser war nur mit Reis vermischt per Hand zu bewältigen.

Nach dem Essen legten sie sich hin. Was sollten sie auch machen, zumal Krishna verschwunden war.

Am späten Nachmittag schien ebenfalls kein Programm vorgesehen zu sein. Also dösten sie auf ihrer Pritsche und wanderten nach der Pause und einem Tee wieder durchs Dorf. Pushpa war ihr persönlicher Begleitengel. Sie vermochte es vor allem, die Türen fremder Hütten für sie zu öffnen. Die Leute waren ausgesprochen freundlich. Sie beäugten die Fremden zwar zunächst ernst und neugierig, dann jedoch, nach einem Lächeln, strahlten sie die Deutschen offen und freundlich an. Immer wieder wurden sie in eine Hütte gebeten. Ein Mann zeigte ihnen sein Werkzeug. Er war Schreiner und bearbeitete gerade einen Türrahmen. Ein anderer Handwerker führte ihnen vor, wie er kunstvoll Töpfe drehte. Dazu hatte er eine Art Wagenrad, das waagerecht lag und per Hand angetrieben wurde. Die Mitte benutzte der Mann mit geschickten Fingern als Töpferscheibe. Sonst gab es nur landwirtschaftliche Utensilien: Holzpflüge mit Metallspitzen, Holzkarren für den Transport der Ernte, Sicheln und Hacken. Hier wurde offenbar gelebt, wie vor hunderten von Jahren.

Drei junge Männer kamen aus dem Wald. Sie trugen Pfeil und Bogen, hatten jedoch keinen sichtbaren Jagderfolg gehabt. Die Pfeile waren mit scharfen, gefährlichen Metallspitzen versehen oder hatten etwas harmloser wirkende, aber sicher ebenfalls gefährliche Bambusspitzen. Am Schaft waren mit dünnen Bambusbändchen Federn befestigt, um den Pfeil im Lot zu halten. Auch der schulterhohe Bogen samt Sehne war aus Bambus.

Max hatte früher einen Leistungskurs Bogenschießen belegt. Er bat darum, einmal schießen zu dürfen. Die Jungen waren dann sehr erstaunt, dass er mit dem Bogen so gut umgehen konnte und eine kürbisartige Frucht, die sie auf einen Baumstumpf gestellt hatten, schon beim ersten Schuss traf. Der große Deutsche hatte jedenfalls ihrer aller Anerkennung gewonnen. Als sie allerdings selbst schossen, musste Max eingestehen, dass sie ihm weit überlegen waren. Sie trafen ohne Probleme auch viel kleinere Ziele.

Ein Mann lief, als sie ihre Schießübungen machten, ins Haus. Kurz darauf kam er wieder und hatte ein Gewehr in der Hand. Offenbar war er stolz auf seinen Besitz und wollte, dass sie einen Probeschuss abgaben. Dazu kam es allerdings nicht.

Krishna stand plötzlich neben ihnen.

»Was soll das denn!« rief er auf Englisch und seine Stimme war ärgerlich. »Weg mit der Waffe!«

Letzteres wiederholte er in der Stammes- oder Landessprache. Es klang drohend. Sofort gehorchte der Mann und brachte sein Gewehr wieder ins Haus. Tobias meinte noch erkannt zu haben, dass die Waffe keineswegs alt und verrostet war, sondern zumindest gut gepflegt. Der Lauf hatte geglänzt und einige Strahlen der inzwischen untergehenden Sonne reflektiert.

Wo genau Krishna übernachten würde, wussten die zwei Freunde nicht. Wahrscheinlich war er in einer der Nachbarhütten untergekommen. Sofort nach dem Abendessen, bestehend aus Puri, Reis und Gemüse, war er jedenfalls schon wieder verschwunden. Tobias fragte Max, ob der ihn in die Büsche begleiten wolle. Sein

Freund lag jedoch bereits auf seiner Pritsche und sagte nur:

»Geh ruhig. Wir sind doch keine kleinen Mädchen!«

Also ging Tobias allein. Er hatte seine Taschenlampe dabei, wollte jedoch trotzdem nicht zu weit gehen. In dieser Wildnis konnte es gut Gefahren geben, mit denen er als Europäer nicht umgehen konnte. Also setzte er sich ganz in der Nähe ihrer Unterkunft irgendwo hinter einen Busch. Das Licht hatte er gelöscht. Der Schein der ersten Sterne und ein wenig Restlicht vom Tag mussten reichen.

Tobias saß also irgendwo abseits hinter einem Busch, die Hosen runter – und hörte, was er nicht hören sollte.

Nur wenige Schritte weiter bewegte sich jemand. Zwei Männer kamen direkt auf seinen Busch zu. Er hob den dunklen Ärmel seines Hemdes vor sein helles Gesicht. Sie mussten ihn ja nicht beim Toilettengang ertappen. Die Männer blieben stehen und sprachen miteinander. Tobias erkannte Krishnas Stimme. Eindeutig, es war ihr Gastgeber, der dort redete. Die andere Stimme war rau und tief. Tobias sah im letzten Licht einen breiten, hohen Schatten und, als dieser sich entsprechend drehte, ein Gesicht mit einem riesigen Vollbart. Eine finstere Gestalt, dieser Mann, der nur um Armeslänge von Tobias entfernt stehen geblieben war. Er trug eine gefleckte Jacke.

Wieder sprach Krishna. Ob Tobias einzelne Worte heraushörte? Er verstand das Wort ‚Road'. Richtig, Straßen hatte es hier früher nicht gegeben, also war dafür in der Landessprache Telugu auch kein Wort erforderlich gewesen. Man hatte diesen Begriff also einfach aus dem Englischen importiert. Hatte Krishna Namen genannt?

Gullavai, Kothuru, Patwagu, Kukunuru, Germans, Ashwaropeta? Und gebrauchten die beiden Männer weitere importierte Begriffe: ‚policestation', ‚this night'? Und meinte die Geste des Bärtigen so etwas wie eine Explosion? Was er sagte, hatte sich wie ‚Bummm' angehört. Und seine ausladende Armbewegung konnte eigentlich nur das meinen.

Noch geschockter als über die Geste war Tobias, weil sich die Jacke des Mannes dabei verschob und er sah, was im Gürtel steckte: Ein langes Messer und ein Revolver.

Tobias blieb still sitzen und wagte nicht, sich zu bewegen. Immer mehr Fliegen umsummten ihn. Das Gespräch der zwei Männer wurde zwar leise geführt, trotzdem konnte er alles genau hören, wenn auch leider nicht verstehen. Als die beiden sich zum Gehen wandten, sah Tobias, wie Krishna dem Bärtigen etwas gab. Es könnte Geld gewesen sein, ein dickes Bündel. Der Bärtige ließ es ohne ein Wort in seiner weiten Jacke verschwinden. Krishna griff sich an die Gesäßtasche, zog etwas daraus hervor und schrieb etwas auf. Er hatte also wieder dieses kleine Notizbuch dabei. Krishnas geheimnisvolle Festvorbereitungen schienen sogar hier, am Ende der Welt, auf Hochtouren zu laufen.

Endlich konnte Tobias aufstehen. Die Männer waren verschwunden. Er reckte sich. Was war da eben passiert? Welche finsteren Geschäfte machte ihr Gastgeber? Wer war dieser bärtige Mann? Was bedeuteten diese Namen und »heute Nacht!«? Ein beklemmendes Gefühl beschlich ihn, ähnlich dem im Tempel. Aber bedrohlicher. Was ging hier vor?

Als Tobias zur Hütte kam, lag Max auf der Pritsche und schnarchte. Tobias blieb nichts übrig, als sich auch hinzulegen. Die Tage hier schienen früh zu beginnen, jedoch ebenso früh zu enden. Es war nicht später als neun Uhr. Allerdings konnte er noch nicht einschlafen. Immer wieder dachte er über seine Beobachtungen nach. Max, offensichtlich nichts ahnend, schnarchte selig vor sich hin. Tobias grübelte. Was trieb der Inder aus Bristol hier in Kammarigudem, dem nun wirklich allerletzten Ort auf dieser Welt? Was schrieb er in sein Notizbuch und welche Geschäfte tätigte er? Handelte er mit Dynamit? Oder was sollte die Bummm-Geste des bärtigen Fremden?

Irgendwo weit hinten im Dorf hörte er Trommeln. Sang da nicht sogar jemand? Es hörte sich an wie Stimmen von Frauen. Die Melodien klangen seltsam traurig. So, als würden blauäugige Träume, liebe Menschen oder naive Illusionen verabschiedet. Tobias schlief ein.

03. Januar: Ein gefährlicher Fund

Als er aufwachte, war jene Szene von der Abendtoilette sofort wieder da. Nein, es war kein Traum gewesen. Er war Zeuge eines heimlichen Treffens zwischen Krishna und einem bewaffneten Bärtigen geworden. Aber womöglich entpuppte sich das Ganze als völlig harmlos. Jetzt, im Licht der ersten Sonnenstrahlen, wirkte es schon nicht mehr so geheimnisvoll. Allerdings, war er nicht irgendwann in der Nacht noch einmal wach geworden, weil er langes Autohupen oder Sirenen gehört hatte? Und war da nicht vorher ein fernes Dröhnen gewesen, fast wie von Donner? Etwa so, wie jene Detonation bei der Sprengung der Straße? Nein, wahrscheinlich hatte er diesen Teil geträumt. Das mit dem Kloerlebnis war wirklich passiert, alles andere hatte er sich eingebildet oder geträumt.

Tobias setzte sich auf und rieb sich die Augen. Links neben der Hütte lag ein flacher Stein. Daneben stand ein Steingefäß, gefüllt mit Wasser. Er stand auf, schleuderte sich Wasser ins Gesicht und rieb sich die Augen. Jetzt war es schon besser. Es würde sich alles aufklären.

Pushpa fegte den Lehmboden vor der Hütte. Während andere Kinder und Jugendliche jetzt, bekleidet mit sauberen Schuluniformen, auf dem Weg zum Unterricht waren, musste dieses Mädchen im Haushalt helfen. Eine Schule gab es hier nicht.

Auch Max schien langsam aufzuwachen.

»Hey, aufstehen Max!«

Tobias stieß seinen Freund an.

»Ein neuer Tag in der Wildnis hat begonnen!«

»Und wo bleibt der Tee?«

Als ob Pushpa nur auf dieses Wort gewartet hätte, stand sie plötzlich mit zwei kleinen Plastiktassen Tee vor ihnen.

»Oh, Danke! Na, das ist ja wirklich ein Service!«

Max lachte Pushpa an. Sie strahlte zurück.

Tobias überlegte, ob er seinem Freund schon jetzt von dem Erlebnis gestern erzählen sollte. Er entschloss sich, noch zu warten. Bevor er Max in Unruhe versetzte, brauchte er noch mehr Beweise dafür, dass hier etwas nicht stimmte. Wenn er doch nur wüsste, um was es eigentlich ging!

Krishna kam erst, als die Sonne den frischen, unschuldigen Morgen schon wieder aufgeheizt hatte. Hähne und Frösche hatten ihr Konzert längst eingestellt. Hunde, die sich in der Nacht erbitterte und lautstarke Gefechte um Fressen und Macht geliefert hatten, lagen jetzt träge in der abgekühlten Asche der Feuerstellen. Einige dieser Tiere wirkten arg lädiert. Ein Ohr abgebissen, ein Bein hinter sich herziehend, der Schwanz gerupft und das kurzhaarige Fell voller Narben. Der tägliche Kampf ums Überleben hatte sie alle gezeichnet. Tobias hatte den Eindruck, den Menschen in diesen Dörfern ging es nicht viel besser. Allerdings schienen sie besser damit fertig zu werden. Während die Hunde feige, falsch, aggressiv oder hinterhältig wirkten, waren die Leute hier offen, freundlich und sichtlich bemüht, dass es den Gästen bei ihnen gefiel. Die Hausbesuche gestern Abend waren für Tobias bis jetzt trotz der Sprachbarrieren zum Höhepunkt ihres Abstechers ins Stammesland geworden. Diese Koyas gefielen ihm irgendwie.

Im Gegensatz zu Rama Krishna. Der wirkte immer undurchsichtiger. Er gab sich zwar Mühe, seine Gäste offen anzuschauen und schien mit seiner Art bei Max immer noch Erfolg zu haben. Tobias jedoch war vorsichtig geworden. Ihm schien es, als habe dieser Mann hinter dem freundlichen noch ein anderes Gesicht.

Jetzt fragte Krishna sie, wie sie geschlafen hatten.

»Ich bin gestern schon früh ins Bett gegangen und habe hervorragend geschlafen!«

Es klang, als wollte ihr Gastgeber sich selbst ein Alibi geben.

Tobias glaubte ihm kein Wort. Er hatte vielmehr den Verdacht, dass Krishna nach seinem Gespräch mit dem Bärtigen noch einmal auf der anderen Seite des Flusses gewesen war. Jedenfalls war er zusammen mit seinem finsteren Gast Richtung Fluss gegangen. Natürlich äußerte Tobias seine Vorbehalte nicht. Er fragte vielmehr:

»Und, was liegt heute an?«

Krishna machte ein vielsagendes Gesicht.

»Heute besuchen wir einen Freund. Es bringt ja nichts, noch lange in der Gegend herumzufahren. Besser, ihr lernt wenige Orte kennen, die dafür jedoch umso intensiver.«

Zuerst wollte Tobias widersprechen. Krishna hatte ihnen traumhafte Landschaften, Wasserfälle, Schluchten und was sonst noch versprochen! Und nun waren sie mal gerade mit dem Jeep herumgefahren, hatten eine Polizeistation, eine Mustersiedlung und ein Koyadorf gesehen und in zwei Hütten übernachtet. Vor allem hatten sie politischen Unterricht bekommen, oder genauer: politische Agitationen über sich ergehen lassen müssen. Vielleicht war das ja Krishnas Absicht. Er wollte Ausländer für den Kampf gegen den Staudamm gewinnen. Allerdings hätte er das besser erreicht, wenn er etwas differenzierter von diesem Projekt gesprochen hätte. Der Abschied von Kammarigudem war kurz. Dass sie Pushpa nicht wiedersehen sollten, machte die beiden

Freunde traurig. Sie war ein wirklich nettes Mädchen.

Der Jeep stand tiefer im Gebüsch, als Krishna ihn bei ihrer Ankunft gestern abgestellt hatte. Also war er in der Nacht noch bewegt worden. Vielleicht hatte sich der Bärtige den Geländewagen ausgeliehen. Die drei stiegen ein. Krishna wendete und holperte über den Feldweg zur Straße.

»Mein Freund erwartet uns«, meinte er und gab Gas, sobald sie Asphalt unter den Rädern hatten. »Wir sollen bei ihm frühstücken und fahren ohne Zwischenstopp.«

Was nicht hieß, dass es eine ereignislose Fahrt wurde. Im Gegenteil. Zeitweise ging es durch Wald, meistens jedoch durch abgeholzte und kultivierte Gegenden. Viel Platz für neue Siedlungen war hier wahrlich nicht. Vielleicht könnte man in die Berge im Westen ausweichen. Dann allerdings müsste die Regierung den kostbaren Wald opfern. Wenn sie klug war, ließ sie die Finger davon. Krishna würde dazu eindeutig sagen, sie sei weder klug noch fair.

Tobias hätte nicht gedacht, dass sie so tief in die politischen Angelegenheiten dieses Landes verstrickt würden. Angesichts der Kontraste, der Lebensbedingungen dieser Adivasi und vor allem durch Krishnas krasse Positionen, war eine Begegnung mit Indien allerdings ohne eine politische Auseinandersetzung mit ihm keine wirkliche Begegnung.

Sie brausten durch mehrere Dörfer. Meistens fuhren sie auf Sandwegen. Staub hüllte sie ein. Max, der vor Tobias auf dem Beifahrersitz saß, hatte heute ein weißes Hemd mit kurzen Ärmeln angezogen. Tobias sah, wie es dunkler und dunkler wurde, der Kragen sich hellbraun einfärbte und der Staub unerbittlich in jede Falte und Ritze kroch.

»Mein schönes Hemd!« jammerte Max. »Ich hätte doch meine Outdoor-Klamotten anbehalten sollen.«

Tobias streckte sich auf dem hinteren Sitz aus und machte es sich so bequem wie möglich. Plötzlich fiel sein

Blick nach vorne auf den Boden. Unter dem Fahrersitz lugte etwas hervor. Ein brauner Zipfel von einem Buch oder Heft. Es hob sich kaum von der Fußmatte ab, war ebenfalls eingestaubt und unter der Halterung des Sitzes eingeklemmt. Tobias bückte sich, fummelte es heraus und hob es auf. Es war Krishnas Notizheft.

Sein erster Impuls war, ihren Fahrer anzustoßen und ihm das Heft zu geben.

Krishna war jedoch gerade in ein intensives Gespräch mit Max vertieft. Es ging irgendwie um die Frage, ob und wie das mit den Eheschließungen hier lief. Das Thema hatte mit Sicherheit Max eingebracht. Ihn interessierten Beziehungen mehr als Politik – obwohl es genau genommen bei politischen Fragen ja auch um nichts anderes ging. Gerade erklärte Krishna seinem Beifahrer, dass Männer und Frauen bei den Koyas gleichberechtigt seien. Bei ihnen gab es traditionell auch keine arrangierten Ehen, sondern Jungen und Mädchen konnten selbst entscheiden. Allerdings sei es mit diesen Traditionen mehr und mehr aufgeweicht. Immer mehr vermischten sich die Stammes- und die Hindukultur. Zwar war Indien gerade dabei, die alten Klassenunterschiede und Rollenzwänge zu überwinden. Aber bis das moderne Indien in den Köpfen der einfachen Leute und Bauern ankam, würde es noch Jahrzehnte dauern. Wenn überhaupt.

Auch Tobias fand die Diskussion der beiden interessant. Jetzt aber hielt er etwas Spannenderes in der Hand. Das Notizbuch.

Er schlug es vorsichtig auf und achtete darauf, dass Krishna ihn dabei nicht ertappte. Die Seiten des kleinen Heftes waren zum Teil eng beschrieben. Leider fand Tobias wenig, was er wirklich lesen konnte. Das meiste war in Telugu verfasst. Man merkte allerdings, dass hier jemand auch eine zweite Sprache beherrschte, denn immer wieder kamen englische Wörter vor. Auch einige Namen erkannte Tobias sofort.

Zum Beispiel seinen eigenen.

»Tobias Grunert«, stand dort. »28, Hamburg, Germany, married.« Krishna hatte also Buch geführt, auch über ihn. Und über Maximilian Hoyer. Auch ihre Adressen in Chennai und Mamallapuram standen in dem Buch, ebenfalls die Abfahrtzeit ihres Zuges und ihre Hotels in Hyderabad und Bhadrachalam mit Telefonnummer, Adresse und sogar ihrer Zimmernummer.

Tobias war geschockt. Was hatte dieser Mann damit vor? Also waren sie doch verfolgt worden! Er blätterte weiter in dem Heftchen. In der Mitte fand er mehrere kleine und eine große Zeichnung. Es sah aus wie eine Landkarte mit einem Fluss, einem Staudamm, Orten und Straßen. Tobias vermutete, dass es bei der Karte um den Polavaram-Staudamm gehen müsste. Als er genauer hinsah, erkannte er jedoch einen anderen Namen: Kammarigudem. Dort kamen sie gerade her. Also ging es in dem Buch um diese Gegend. War nicht auch die Rede von einem Staudamm an der Patwagu gewesen? Der musste oberhalb von Kammarigudem liegen.

Neben einer Zeichnung standen ein Datum und ein Wort, das Krishna im Zusammenhang mit einem Fest und dem Termin ihres Abstechers gebraucht hatte. »14.1. Pongal«.

Die hinteren Seiten in dem Heft waren voll mit Zahlen, die hinter einzelnen Worten standen. Vielleicht waren es Geldbeträge, die hinter Namen von Personen notiert waren. Das würde zu Krishnas Verkaufs-Aktivitäten passen. Ganz hinten...

Plötzlich drehte Krishna sich um.

»Tobias, du bist ja so still! Was hältst du davon?«

Tobias erschrak, tat jedoch, als habe Krishna ihn aus einem Nickerchen gerissen. Das Notizheft schob er langsam und unauffällig in die Gesäßtasche seiner Hose.

»Oh, ich bin wohl doch noch etwas müde. Auf diesen Pritschen schläft man eben nicht besonders gut.«

Krishna lachte.

»Klar, für euch muss das hier eine richtige Tortur sein. Kurze Nächte, das Klima, die Straßen, das Essen – ich hoffe, es lohnt sich trotzdem für euch! Ich finde es jedenfalls prima, dass ihr hier seid. Aber keine Angst, Tobias, wir gönnen uns heute eine lange Mittagspause und ihr könnt euch ausruhen.«

Er hatte nichts gemerkt. Tobias beschloss, später weiter zu lesen und sich jetzt lieber am Gespräch zu beteiligen. Das allerdings war nicht mehr möglich, denn sie hatten ihr heutiges Ziel erreicht. Sie waren inzwischen wieder auf der Asphaltstraße, die von Kukunuru nach Ashwaropeta führte. Mitten in einem großen Waldgebiet erreichten sie nun ein Dorf.

»Nandipadu, hier wohnt mein Freund.«

Sie erwähnte Krishna mit keinem Wort.

Wie angewurzelt blieb Max stehen, so plötzlich, dass Tobias ihn von hinten anrempelte. Max schien es nicht zu bemerken. Sie waren eben aus dem Jeep gestiegen und ein kleines Stück in eine Seitengasse hinein gegangen. Krishna hatte die Bambuspforte eines großen einstöckigen Hauses geöffnet. Sie hatten den Hof des Hauses betreten. Und dann hatte es Max den Atem verschlagen.

Vor ihm stand das schönste Mädchen, das er je gesehen hatte. Genauer, sie war eine junge Frau, wahrscheinlich Mitte zwanzig. Sie trug einen dunkelgrünen Punjaby, jenes schlank geschnittene knielange Kleid mit einer leichten Hose darunter. Vor allem aber sah Max ihre Augen. Sie waren schwarz wie die Nacht und hatten die Form großer Mandeln. Ihr langes schwarzes Haar hatte die Frau zu einem Zopf gebunden, so dass ihre hohe Stirn zu sehen war. Sie sah irgendwie stolz und königlich aus. Hinten am Ansatz des Zopfes trug sie weiße Blüten, in den Ohren goldene Stecker und um den Hals ein kleines goldenes Kreuz und einen weißen Schal, der ihr bis über die Hüften hinab fiel.

Tobias stieß seinen Freund an.
»Hey, nun setzt dich doch endlich!«
Man stellte ihnen Plastikstühle auf die überdachte Terrasse. Max murmelte eine Entschuldigung und setzte sich. Tobias konnte sich eine deutsche Bemerkung nicht verkneifen:
»Hey, Max, auch die schönste Frau ist an den Füßen zu Ende.«
Max kannte den Spruch, hatten sie ihn doch zusammen an einem Standkorbverleih auf der Insel Amrum gelesen. Natürlich hatte Tobias Recht. Er konnte nicht in ein fremdes Haus kommen und die Tochter des Hauses anstarren wie ein ausgehungerter Sträfling die erste Frau, die ihm nach zwanzig Jahren Haft begegnet. Aber wenn schon, selbst die Füße...
Diese Schönheit trug mit kleinen Glöckchen geschmückte Sandalen. An ihren zierlichen aber festen Knöcheln klimperten silberne Kettchen. Die Füße, die Figur und vor allem diese Augen! Max hatte wirklich selten eine Frau gesehen, die ihm so gut gefallen hatte.

Krishna stellte ihm das Mädchen vor.
»Das ist Kumari. Mit ihr könnt ihr euch direkt unterhalten.«
»Ich bin Maximilian, meine Freunde nennen mich Max!« Kumari lachte, als der stämmige Deutsche das sagte. Sie reichte ihm ihre schmale Hand und erwiderte seinen Händedruck erstaunlich kräftig.
»Ich hoffe, wir werden Freunde. Also nenne ich dich schon mal Max.«
Sofort schoss Max das Blut in den Kopf und er wurde rot. Merkwürdigerweise war ihm das aber gar nicht peinlich. Diese Frau wirkte so natürlich und unkompliziert, dass er sich in ihrer Nähe sofort wohl fühlte. Ihr Englisch sprach sie zwar mit einem starken Akzent, es war jedoch gut verständlich.
Kumari reichte auch Tobias die Hand. Dann ging sie ins Haus, jedoch nur, um wenige Minuten später mit Tee

und Keksen wieder zu kommen.

»Ihr seid herzlich willkommen! Krishna hat euch angekündigt und ich freue mich, dass ihr bei uns zu Gast seid.«

Krishna war in die linke Wohnung des Hauses gegangen. Hier schienen sich zwei Familien eine Art Doppelhaus errichtet zu haben, mit gemeinsamer Terrasse. Kumari, die viel gesprächiger war als Krishna, klärte sie auf.

»Dort links wohnen meine Großeltern, jetzt lebt leider nur noch meine Großmutter. Sie haben damals das Haus zusammen mit meinen Eltern gebaut. Die leben hier, zumindest zeitweise.«

Sie zeigte auf die andere Wohnung. Über der Tür zur linken Wohnung hing eine Kokosnuss, neben der Tür zur rechten ein Plakat mit Jesus und blutendem Herzen.

»Sind deine Eltern katholisch?«

Max fand das Bild extrem kitschig. Und katholisch und kitschig, das gehörte für ihn irgendwie zusammen. Kumari lachte.

»Nein, wieso katholisch? Sie sind Christen, wie ich. Wir lieben solch bunte Bilder!«

Dann wies sie auf die andere Tür.

»Was allerdings keineswegs selbstverständlich ist. Meine Großmutter verehrt nämlich bis heute die Stammesgötter, also Sonne und Mond. Und sie verehrt die Ahnen und feiert Bhoomi Ponduga und andere Feste. Na ja, und mein Großvater glaubte in seinen besten Jahren an gar nichts, außer an seine politischen Utopien. Er war Anführer einer Rebellengruppe und politisch für die Naxaliten aktiv.«

Wahrscheinlich war Krishna deshalb hinter dieser Tür verschwunden. Vielleicht hatten ja er und Kumaris Opa das gleiche Parteibuch. Naxaliten. Tobias wusste, dass es sich dabei um maoistisch orientierte Rebellen handelte, die in abgelegenen Regionen Indiens operierten. Vom Staat wurden sie schlicht ‚Terroristen' genannt. Doch hier an der Godavari? Na ja, warum denn nicht. Das würde die verbarrikadierten Polizeistationen, die Präsenz der Armee und die Straßensperren in Bhadrachalam erklären.

Kumari lachte, als sie weiter erzählte.

»Mein Opa war Naxaliten-Anführer, mein Vater ist Pastor!«

Max Augen schienen noch größer zu werden, als sie ohnehin schon waren, während er jede Bewegung von Kumaris Lippen in sich aufsaugte.

»Der Vater Naxalit und dessen Sohn Pastor? Das ist ja heftig!«

»Allerdings. Das war damals mit Sicherheit nicht einfach. Mein Vater ist Anfang der achtziger Jahre Christ geworden. Er ist dann losgezogen und hat überall in den Dörfern von seinem neuen Glauben erzählt. Gleichzeitig hat mein Opa tags als Kleinbauer seine Arbeit gemacht und hier gewohnt. Nachts trainierte und schulte er verschiedene Widerstandsgruppen in geheimen Dschungelcamps.«

Max sah Tobias an als wolle er fragen, ob sie das wirklich glauben sollten. Tobias zuckte mit den Schultern.

»In diesem Land scheint ja so manches möglich zu sein…«

Kumari lachte wieder und ihr Lachen war ehrlich und erotisch zugleich.

»Da hast du Recht. Ich hoffe aber, bei euch in Deutschland ist so etwas auch möglich. Es heißt doch immer, in Europa seien Demokratie, Meinungsfreiheit und Gleichberechtigung besonders fortgeschritten.«

Tobias fand es beeindruckend, dass Kumari etwas über Europa wusste. Die meisten Inder, mit denen sie über ihre Heimat gesprochen hatten, wussten nur, dass es dort kalt war und die Leute steinreich. Manche kannten noch Steffi Graf oder Boris Becker. Einige wussten, dass Deutschland in Europa lag. Kumari jedoch schien ein gutes Allgemeinwissen zu besitzen.

Als sie am Nachmittag mehr von sich erzählte, bestätigte sich der Eindruck, den nicht nur Max, sondern auch Tobias hatte. Kumari war eine kluge und gebildete Frau und sich dabei ihrer selbst sehr bewusst.

Sie saßen wieder auf der schattigen Terrasse auf schwarzem Granitfußboden mit weißen Einlegearbeiten. Eben hatten sie einen kleinen Spaziergang durchs Dorf gemacht. Schräg gegenüber hatte Kumaris Bruder Jayapaul und Leute aus der Kirchengemeinde ein großes Hüttendach errichtet und als Kirche eingerichtet. Hier waren am Sonntag angeblich Gottesdienste mit bis zu zweihundert Menschen. Jayapaul war vor allem bei Jugendlichen sehr beliebt, erzählte Kumari mit unüberhörbarem Stolz in der Stimme. Ihr Vater, der Pastor, hatte seinem Sohn die Gemeinde übergeben. Er selbst war in ein Dorf weiter südlich gegangen und leitete dort die Gemeinde und ein Kinderheim.

Kumari erzählte nun von sich selbst. Sie war hier aufgewachsen, dann jedoch in das christliche Kinderheim Kukunuru gekommen. Dort hatte sie bis zur 10. Klasse gelebt und den Abschluss mit Auszeichnung geschafft. Von dort konnte sie Dank eines Stipendiums zum Studium nach Hyderabad gehen. Und jetzt besuchte sie, wie tausende andere auch, während der Pongal-Ferien ihre Eltern und Verwandten. Allerdings war im Moment nur ihre Großmutter im Haus.

Während Kumari erzählte, beobachtete Tobias seinen Freund. Max schien inzwischen einen anderen Grad menschlicher Existenz erreicht zu haben. Er hing an den Lippen der jungen Frau, wie ein Verdurstender an einer Wasserflasche. Dann schien er plötzlich gemerkt zu haben, wie er Kumari anstarrte und suchte hilflos nach etwas anderem. Seine Blicke schweiften über die Reissäcke in der Ecke der Terrasse, den kleinen verstaubten Fernseher daneben und den Kabelkasten an der Wand. Nirgendwo verweilten seine Augen länger als wenige Sekunden. Dann sah er Tobias an, dann den Bambuszaun und die Palme darüber. Aber dann war er schon wieder bei Kumari. Es war, als habe er nirgendwo sonst seinen Durst stillen können.

Tobias überlegte, wie er seinem Freund eine Chance geben könnte. Er murmelte etwas von Toilette. Diese Familie hatte kein Toilettenhaus, sondern hier schienen alle wie eh und je in die umliegenden Felder oder Büsche zu gehen. So auch Tobias. Er ließ seinen Freund mit Kumari allein und ging hinaus. Nach wenigen Minuten kam er an das Ende des Dorfes. Hier gab es Büsche, Feldränder und Dämme von Reisfeldern. Also gab es auch Stellen, wohin man sich setzen konnte. Tobias musste wieder an gestern Abend denken. Wo mochte Krishna wohl jetzt sein? Ob er etwas mit den Naxaliten zu tun hatte? Politisch jedenfalls schien der Inder aus Bristol sehr, sehr extrem zu denken. Doch extrem denken und extrem handeln, das war zweierlei.

Er setzte sich auf einen Stein. Hinten weideten einige helle Kühe, etwas weiter versuchten schwarze Ziegen, die Blätter eines Baumes zu erreichen. Er holte das Notizheft heraus.

Was darinnen stand, war eindeutig verdächtig. Er wusste nur noch nicht, wieso. Wenn er doch bloß Telugu könnte! Sollte er Kumari fragen? Auf keinen Fall. Die war vielleicht eng mit Krishna befreundet. Nein, sie mussten warten, bis sie unter neutralen Leuten waren. Vielleicht sollten sie sich mit dem Heft der Polizei anvertrauen. Oder zu einem dieser Pastoren gehen? Aber wenn die schon mit Naxaliten in einem Haus wohnten... nein, die Beziehungen hier vor Ort waren mit Sicherheit alles andere als neutral. Wie schon so oft, überall hatten diese Leute Verwandte. Indien, ein einziger Familienclan!

Was würde passieren, wenn Krishna den Verlust seines Notizbuches bemerkte? Er würde es suchen. Würde er sie verdächtigen, es genommen zu haben? Was würde er dann tun?

Tobias nahm sich vor, so bald wie möglich mit Max über die Sache zu reden. Jetzt allerdings, wo dieser dabei war, sich bis über beide Ohren zu verlieben, war das wahrscheinlich kaum möglich.

Als er zurückkam, war Rama Krishna Rao wieder da. Er war gut gelaunt. Also hatte er sein Notizheft wahrscheinlich noch nicht vermisst. Gerade sprach Krishna mit Kumari. Damit auch Max und Tobias folgen konnten, redeten sie englisch.

»Also, ihr schlaft hier«, beschloss Krishna das Gespräch. »Morgen früh bringt euch Kumari mit einer Autorikscha nach Ashwaropeta. Dort nehmt ihr den Bus nach Rajamundhri. Ihr übernachtet und nehmt übermorgen den Flieger nach Chennai.«

Krishna hatte also alles geplant.

Genau, schoss es Tobias durch den Kopf, er war der Planer. Er organisierte, entwickelte Strategien und plante. Das würde zu seinem Notizheft passen. Und zu seinem Verhalten überhaupt. Krishna, der Stratege. Und vielleicht auch der Finanzexperte. Hatten sie nicht irgendwo vor Tagen etwas von europäischem Geld gelesen, das ausländische Agenten nach Indien geschafft hatten? Richtig. Im Hotel in Hyderabad, in derselben Zeitung, die sie auf die Godavari aufmerksam gemacht hatte und zum Anlass wurde, Krishna anzurufen. Dort hatte auch etwas von ausländischen Agenten gestanden, die Rebellen unterstützten. Ein Feuerwerk an Gedanken jagte Tobias durch den Kopf. Laut sagte er:

»Wieso sagst du: Ihr schlaft hier? Und du? Bleibst du nicht hier?« Tobias wusste bereits die Antwort, ehe Krishna sie aussprach.

»Nein, tut mir Leid. Ich weiß, ihr habt gehofft, dass ich noch weiter mit euch herumfahre. Aber ich kann nicht. Ich muss wegen des Pongal-Festes noch manches organisieren. Verwandte und Freunde rufen nach mir. Sorry!«

Er spielt gut, dachte Tobias. Er sieht wirklich traurig aus und so, als wäre er gerne noch geblieben.

»Kumari wird sich um euch kümmern.«

Und mit Blick auf Max fügte Krishna hinzu:

»Und ich bin sicher, dass sie das besser kann als ich.«

Also würde Rama Krishna Rao sie jetzt verlassen. Max schien es zu bedauern. Tobias war irgendwie froh. Entsprechend fiel die Verabschiedung aus. Max sagte:

»Danke für alles! Ohne dich hätten wir Indien nicht halb so gut kennen gelernt! Wir sind dir wirklich zu Dank verpflichtet. Und wenn du mal nach Deutschland kommst, musst du unbedingt bei uns anrufen.«

Klar, mein lieber Max, dachte Tobias. Du hast ihm ja den Anblick der schönsten Frau deines Lebens zu verdanken. Und wer weiß, vielleicht nicht nur den Anblick! Laut sagte er zu Krishna:

»Auch ich danke dir. Wir wünschen dir und deinen Verwandten jedenfalls ein schönes Pongal-Fest. Schade, dass wir dann nicht mehr in Indien sind, sondern gerade zurück im kalten Deutschland.«

»Allerdings, da verpasst ihr einen echten Knaller!«

Krishna lachte, als habe er einen guten Witz gemacht.

»Also, ich wünsche euch alles Gute!«

Kurz darauf war er verschwunden. Sie hörten an der Straße den Jeep anspringen, noch ein Hupen und die Episode, die in Dubai begonnen hatte, war offenbar beendet. Wobei völlig offen war, wieso sich Krishna so intensiv um sie bemüht hatte.

Den Rest des Tages unterhielten sie sich mit Kumari und zwei jungen Männern, die aus der Nachbarschaft herüber kamen. Die drei quetschten sie über Deutschland aus und bereitwillig erzählten Max und Tobias von ihrer Heimat. Max wäre lieber mit Kumari allein gewesen. Tobias hatte den Verdacht, dass genau dies der Grund war, dass die zwei Jungens aufgetaucht waren. Vor der Ehe läuft nichts. Na ja, fast nichts, denn die Gedanken sind frei...

Das Abendessen wurde früh serviert. Anschließend legten sie sich auf die bereit gestellten Pritschen. Diese Nacht würden sie auf der Terrasse des Doppelhauses verbringen, sozusagen zwischen Politik und Religion. Ein intensives Gespräch mit Max über das Notizheft und Tobias Gedanken war hier leider nicht möglich, denn auf dem Boden neben ihnen lagen die beiden jungen Männer. Sie waren kurzerhand geblieben.

*

Als er kurz vor Mittag den Gerichtssaal verlassen konnte, griff er sofort zum Telefon. Die Verhandlung war ausgegangen, wie er es befürchtet hatte. Sie wurde vertagt. Mit zornrotem Gesicht stapfte der Anwalt der Kleinbauern an ihm vorbei.

»Da ist doch wieder mal Geld im Spiel«, murmelte er vor sich hin, »oder Beziehungen!«

Wahrscheinlich hatte er Recht.

Es klingelte am anderen Ende nur ein einziges Mal. Babu war sofort dran. Und dann überschlugen sich die Ereignisse.

»Chef, wir haben sie!« rief sein Sekretär in den Hörer, kaum dass Chidambaram seinen Namen genannt hatte.

»Wie, Ihr habt sie? Die Informationen aus Delhi oder Hyderabad?«

»Nein, die Deutschen!«

Chidambaram musste im Moment wohl einen ziemlich leidenden Gesichtsausdruck machen, denn zwei Männer im Anwaltstalar blickten mitleidig zu ihm herüber. So, als überlegten sie, ob sie ihm ihre Hilfe anbieten sollten.

»Wie, die Deutschen? Habt ihr sie im Revier?«

»Noch nicht«, sagte Babu. »Aber wir haben ihre Spur. Wenn Sie heute nur einige Stunden später gefrühstückt hätten, wären Sie ihnen in Ihrem Hotel begegnet. Dort aßen sie etwas und dann sind sie in den neun Uhr Bus nach Rajamundhri gestiegen.«

Dem Inspektor wurde flau. Die Deutschen in Ashwaropeta. Direkt vor seinem Hauptquartier. Und in ‚seinem' Hotel. Und er war nicht da. Er lehnte sich an das glatte, dunkle Holzgeländer des Treppenhauses. Das war´s dann wohl mit seiner Karriere! Die Deutschen waren auf und davon.

»Ruf sofort die Polizei in Rajamundhri an!« Fast brüllte er es ins Telefon. »Mach alles mobil. Sie dürfen den Bus nicht verlassen. Wir müssen sie kriegen.«

Er schaute zur großen Uhr, die über der Eingangshalle schwebte wie ein Fallbeil über die zu spät Gekommenen. Es war jetzt kurz nach zwölf. Der Bus musste Rajamundhri in diesen Minuten erreichen. Es war also zu spät.

Babu ließ sich von der Panik in der Stimme seines Vorgesetzten nicht irritieren. Sachlich gab er seinen Bericht.

»Die zwei trugen Rucksäcke. Einer ist ziemlich groß und stämmig, der andere schlank. Sie sahen recht verstaubt aus, so als hätten sie viele Kilometer auf unseren schönen Sandwegen hinter sich. Sie kamen mit zwei Autorikschas. In einer fuhren sie selbst, in der anderen ihr Gepäck.«

Jetzt stockte Babu. So, als wolle er etwas sagen, traute sich aber nicht.

Der Inspektor hätte ihn ohnehin unterbrochen.

»Ruf mich gleich noch einmal an!« befahl er. »Jetzt mobilisiere erst einmal die Polizei in Rajamundhri. Sie müssen die Beiden unbedingt aufhalten! Wenn der Bus schon durch ist, sollen sie den Flughafen, den Bahnhof, die Taxiunternehmer und die Hotels überprüfen.«

Babu aber legte nicht auf.

»Nicht nötig«, sagte er. »Ich habe sofort nach der Information ein Einsatzkommando losgeschickt. Sie sind dem Bus nachgefahren. Der hatte nur dreißig oder vierzig Minuten Vorsprung. Spätestens in Kovvur haben sie ihn! Sie rufen mich umgehend an, wenn es soweit ist.«

Chidambaram holte erleichtert Luft. Dieser Babu war wirklich ein Goldstück! Er war ein besserer Polizist als viele, die Uniform trugen. Vielleicht war die Sache doch noch zu retten!

»Du bist ein echter Gewinn!«

Der Inspektor wusste, dass nicht Druck, sondern Lob und Anerkennung für Untergebene die besten Ergebnisse brachte. Deshalb fiel es ihm jetzt nicht schwer, seine Freude an seinen Adjutanten weiterzugeben. Dieser Babu war es wahrlich wert!

»Auch dann sollten wir jetzt nicht lange telefonieren! Ich will sofort von der Festnahme unterrichtet werden. Also, mach es kurz mit deinem Bericht. Eben wolltest du doch noch etwas sagen, etwas Unangenehmes.«

Es stimmte. Babu wollte etwas Unangenehmes sagen. Er wollte den Namen jener Person nennen, die die gesuchten Weißen zur Bushaltestelle gebracht hatte. Auch jetzt druckste er noch kurz herum, nannte dann aber doch den Namen.

»Wer hat sie ins Hotel und dann zum Bus begleitet?«

Chidambaram traute seinen Ohren nicht. Oder hatte er falsch verstanden? Kumaris gab es viele. Dass es ausgerechnet ‚seine' Kumari sein sollte, war doch eher unwahrscheinlich... Oder auch nicht. Kumari war von Jugend auf politisch interessiert gewesen. Sie hatte Temperament, Mut und manchmal auch reichlich ungewöhnliche Ideen bei der Durchsetzung ihrer Ziele.

»Kumari.«

Babus Antwort war eindeutig. Nur ‚Kumari', ohne Zusatz. Also sprach Babu von ‚seiner' Kumari.

»Was wisst ihr inzwischen noch?«

Jetzt ganz der Profi, unterdrückte Chidambaram Gedanken und Gefühle, die sich mit Macht aufdrängten. Er musste einen klaren Kopf behalten.

»Erzähl schon! Spann mich nicht auf die Folter!«

»Kumari saß in der Rikscha mit den Rucksäcken. Sie frühstückte mit den Deutschen, brachte sie dann etwas überstürzt zum Bus, verabschiedete sich mit Handschlag, bezahlte eine der Rikschas, fuhr mit der anderen zum Markt, kaufte frisches Gemüse und Trockenfisch und verlies Ashwaropeta dann in Richtung ihres Heimatortes.«

»Und nun? Wo ist sie jetzt?«

»Ich nehme an, zu Hause. Ich wollte erst abwarten, was Sie für richtig halten. Immerhin ist es mit Kumari ein wenig delikat.«

Chidambaram ärgerte sich nun über seinen Sekretär. Was hieß schon ‚delikat'? Babu wusste zwar manches, aber nicht alles. Er hatte das Auf und Ab mitbekommen und seinen Chef, damals allerdings noch nicht in dieser Position, nicht nur als starken und selbstbewussten Polizisten, sondern auch als verletzlichen und hilflosen Mann kennen gelernt. Trotzdem hatte er nicht das Recht, über delikat oder nicht delikat zu urteilen! Chidambaram wurde also formal.

»Babu, du gibst die Leitung jetzt frei. Sobald das Einsatzkommando die beiden Deutschen festgesetzt hat, rufst du mich an. Sicherheitshalber versuche, den Leiter des Kommandos an die Strippe zu kriegen. Er soll umgehend Bericht erstatten. Also, bis bald!«

Er legte auf. Noch immer stand er an der Brüstung im Treppenhaus der Eingangshalle. Das Holz schien zu schwitzen und war feucht. Von seinem Schweiß. Er rührte sich nicht. Was sollte er tun? Die Sitzung absagen? Seinen Kollegen mit dem Essen versetzen? Beides würde wahrscheinlich ziemlich böse Folgen haben. Er war einer der Verantwortlichen für die Sicherheit der Großveranstaltung. Und er stand bereits wegen diverser Gefälligkeiten gegenüber seinem Kollegen tief in dessen Schuld. Also konnte er nicht zurück, jedenfalls nicht sofort.

Wie lange dauerte es, bis er Rajamundhri erreichen konnte? Mindestens fünf oder sechs Stunden. Also würde es heute wohl nichts mehr mit einer Vernehmung werden. Wenn sie die Beiden überhaupt erwischten.

Wenn aber nicht... kaum auszudenken!

Aber wie passte Kumari ins Bild? Diese Information irritierte ihn am Meisten. Er wusste, dass sie Kontakte zu Deutschen hatte, über ihre Gemeinde und deren Sozialprojekte. Auch kam sie aus einer geradezu klassischen Naxaliten-Familie. Alle Familienmitglieder waren politisch ziemlich links orientiert, vor allem der Vater. Aber Mord? Das war selbst für einen schlechten Scherz zu abwegig. Er würde sie aufsuchen oder in sein Büro zitieren müssen. Wieder wurde ihm flau im Magen. Wie lange hatten sie sich nicht gesehen? Drei oder vier Jahre? Sie lebte inzwischen in Hyderabad und kam selten in ihr Dorf und noch seltener in die Stadt. Ob sie aussah wie damals? Wahrscheinlich noch hinreißender.

Der Inspektor gab sich einen Ruck und löste sich zeitgleich von seinen Gedanken auch vom Geländer, auf das er sich gestützt hatte. Die Halle war nun wenig belebt. In der Mittagspause saßen Richter, Anwälte und Zeugen irgendwo in einem Restaurant. Leider hatte er sich mit seinem Kollegen zu einem frühen Abendessen verabredet. Zum Mittag wäre besser gewesen. Aber es ließ sich nicht ändern. Er musste die Sitzung und danach noch das Essen durchziehen. Erst dann konnte er Khammam verlassen. Wenn die Festnahme klappte, würde er morgen in aller Frühe nach Rajamundhri fahren, die Deutschen erstmals vernehmen und sie dann zurück nach Ashwaropeta überführen.

Die Befragung Kumaris konnte warten.

Als er an einer der zahlreichen Imbisstuben in der Nähe des Gerichtes stand und ein Menü mit Reis und Gemüse aß, glitt seine Hand immer wieder zum Handy in seiner Hosentasche. Jeden Moment konnte Babu melden, dass die Operation erfolgreich beendet sei. Oder auch nicht.

04. Januar: Hinter Gittern

Sie erwachten vom Schrei der Hähne. Es war noch dunkel. Nur am östlichen Horizont sah man einen matten Lichtstreifen. Kumari brachte Tee.

»Guten Morgen! Ich hoffe, ihr habt gut geschlafen! Wir essen in Ashwaropeta!«

Offenbar war das Zubereiten von Frühstück nicht besonders beliebt und man ging lieber in ein ‚Hotel'.

»Dort bleibt noch Zeit genug, bis euer Bus geht.«

Max war sofort aufgestanden, als Kumari aus der Tür der rechten Wohnung gekommen war. Er legte seine Decken zusammen und stopfte sein Waschzeug in den Rucksack. Dann setzte er sich und schlürfte den heißen Tee. Dabei schaute er Kumari an, als wolle er sich vergewissern, dass er gestern nicht geträumt hatte.

Sie trug heute Jeans und darüber das Oberteil eines Punjaby. Also ganz die moderne Jugend Indiens. West und Ost, Moderne und Tradition vereint in einer Person. Und sie sah umwerfend aus. Tobias vermutete, dass Max jetzt auch Wünsche und Gedanken in Richtung Vereinigung der Unterschiede hatte. Doch es war sonnenklar: Sie würden bald losfahren und Kumari dann nicht wieder sehen.

Max sagte fast gar nichts, während er seinen Tee trank und Kumari ansah. Man merkte, dass er begonnen hatte, sich mit dem Gedanken der Trennung zu befassen. Oder suchte er nach einer Chance, noch zu bleiben? Letzteres war der Fall.

»Müssen wir denn unbedingt heute los?«

Max klang nicht nur traurig sondern auch trotzig.

»Wir haben doch noch Zeit. Statt mit Krishna könnten wir auch mit Kumari herumreisen. Sie spricht Englisch, sie kennt sich aus – was spricht also dagegen, dass wir noch bleiben?«

An Tobias Stelle antwortete Kumari selbst.

»Max, es ist wirklich schön, dass du noch bleiben willst. Ich hätte auch gerne noch unsere Gespräche von gestern weiter geführt. Aber es geht nicht. Rama Krishna Rao hat eindeutig angewiesen, wie wir vorgehen sollen. Und er hat das Sagen.«

»Aber wir haben noch mehrere Tage Zeit. Wir könnten uns ein Taxi mieten und herumfahren.«

»Keine Chance. Wir würden einen für dich unvorstellbaren Krieg unter Verwandten anzetteln, wenn ich euch hier behalte.«

Tobias fragte sich, was es erst für ein Problem gäbe, wenn Max und Kumari wirklich miteinander anbändeln würden. Wahrscheinlich hatten sie wirklich keine Ahnung, welche Rolle Familie und Verwandtschaft hier spielten. Außerdem war es ihm nur Recht, wenn sie möglichst schnell hier verschwänden. Er hatte Angst, dass Krishna das Fehlen seines Notizheftes bemerken würde und der Verdacht auf die Deutschen fiel. Wenn es in dem Heft wirklich um kriminelle Aktionen ging, dann war der Besitz dieses Heftchens äußerst delikat, wenn nicht gar gefährlich.

Auf dem Weg nach Ashwaropeta überlegte Tobias, ob sie gleich dort zur Polizei gehen sollten. Sie saßen in einer Autorikscha. Für das Gepäck hatte Kumari eine zweite angeheuert und zum Bedauern von Max fuhr sie nun dort mit. Zuerst hatte Max noch herumgenölt und sich beschwert, dass ihr Abstecher an die Godavari schon zu Ende sei. Dann wurde er immer schweigsamer. Tobias fürchtete, dass er es in den nächsten Tagen mit Max nicht leicht haben würde. Liebeskummer konnte bekanntlich krank machen.

Den Gedanken, in Ashwaropeta zur Polizei zu gehen, verwarf er. Nicht nur Krishna, auch Kumari hatte nicht besonders positiv von den ständig unterbezahlten und oft vom Wohlwollen der regionalen Politiker abhängigen Beamten gesprochen. Vielleicht war es gar gefährlich, hier zur Polizei zu gehen. Wenn die nun alle verwandt waren... und Krishna schien viele Kontakte zu haben.

Also würden sie schnell in den Bus steigen und dann in der Großstadt Rajamundhri Anzeige erstatten. Vielleicht mussten sie zunächst auch noch mehr über den Inhalt des Heftes wissen.

In Ashwaropeta war Markttag. Schon einige Kilometer vorher überholten sie Kleinbauern der Region, die dort etwas verkaufen wollten. Fahrräder mit mehreren Bananenstauden auf dem Gepäckträger, eine Lastenrikscha mit überdimensionaler Topfladung, diverse Hühnertransporte, zwei Meter hohe Holzstapel auf Fahrradträgern... wen immer sie überholten, im Packen und Auftürmen von riesigen Ladungen schienen sie alle Experten zu sein. Auf kleinstem Raum das Meiste erreichen. Vielleicht war dies eine Kunst, die man nur in dicht besiedelten Ländern erlernen konnte. Oder hier, wo man weite, anstrengende Wege gehen musste und sich jeden davon vorher gut überlegte.

Von weitem sah man Sendemasten. Dann kamen sie an einer Tankstelle vorbei. Links war jetzt der Marktplatz. Wieder waren sie umgeben von dichtem Verkehr und dem typischen Gewusel einer Kleinstadt in der indischen Provinz. Sie fuhren bis zu einem großen Kreisverkehr. Der war teilweise gesperrt, so dass sie die Verkehrsinsel auf der falschen Seite umfahren mussten. Tobias meinte, rechts ein mit Stacheldraht gesichertes Gebäude zu erkennen. Vielleicht die Polizeistation. Am Kreisverkehr trafen sie auf eine große Straße und bogen nach links. Die Verkehrsinsel war mit bunten Fahnen geschmückt und an den Zäunen ihrer Abgrenzung hingen Plakate mit Bildern von Politikern. Tobias erkannte den Chiefminister von Andhra Pradesh, den höchsten Politiker des Landes. Wie hieß er noch? Irgendetwas mit Reddi. Er stand in weißer Kleidung da und in Siegerpose. Vielleicht wollte er jene einschüchtern, die immer noch meinten, das Polavaram-Projekt sei zu stoppen. Jedenfalls war er eine imposante Gestalt, zumal wenn eine Ikone Indiens neben ihm abgebildet war, Indira Gandhi. Ob man ihm später auch ein solch riesiges Monument bauen würde, wie sie es in Chennai gesehen hatten?

Gleich rechts hinter der beflaggten Werbekampagne der regierenden Congresspartei hielten sie an. Kumari bestellte in dem ‚Hotel' für alle ein Frühstück. Doshai Masalla, Puri, Tee – inzwischen genossen die Freunde es. Vor allem die Rechnung hinterher gefiel ihnen.

»Hey, Tobi! Nur 68 Rupien! Das ist für drei Personen nur ein einziger Euro! Dafür kriegst du bei uns nicht mal einen Tee«.

»Für die meisten Leute hier wäre das ein Tageslohn.«

Tobias bremste die Euphorie seines Freundes wieder einmal aus. Max knurrte etwas vor sich hin. Er war jetzt sichtlich nicht in der besten Stimmung. In Kürze müssten sie sich von Kumari trennen.

Was schneller geschah als sie ahnten. Viele Lastwagen fuhren vorbei. Dann kam ein Bus. Es war ihrer. Kumari trieb sie zur Eile.

»Max, Tobias, da ist schon euer Bus! Kommt, wir müssen jetzt schnell sein.«

Die beiden Rikschas, die neben dem Restaurant vor einer Art Skulpturen-Werkstatt parkten, waren sofort startbereit. Sie bekamen ihren Bus noch, wenn auch nur knapp. Entsprechend kurz war der Abschied. Als sie die Rucksäcke in den Bus gewuchtet hatten und noch einmal zur Tür hinaus schauten, reichte Kumari ihnen die Hand.

»Ich wünsche euch alles Gute! Wenn ihr einmal wieder nach Indien kommt, meldet euch. Dann werden wir hoffentlich mehr Zeit haben.«

»Grüße bitte deinen Vater und deinen Bruder. Und wenn du Krishna noch einmal siehst, grüße auch ihn von uns.«

Max ergänzte:

»Du kannst ihm ruhig sagen, dass wir es nicht gut fanden, dass wir schon heute abreisen sollten. Wir wären gerne noch ein paar Tage geblieben.«

Dann drückte auch er, allerdings einige auffällige Sekunden länger als Tobias, Kumaris Hand. Sie sahen sich an und Tobias hielt es durchaus für möglich, dass auch die junge Frau sehr traurig über diesen Abschied war. Der Bus fuhr los. Noch ein Winken durch das geöffnete Fenster. Und sie waren wieder auf sich selbst gestellt.

Der Bus war ein Mittelding zwischen dem ‚Super Deluxe' und dem Dorfbus nach Kunavaram. Sie saßen etwa in der Mitte. Ihre Rucksäcke hatten sie auf die Bank vor sich gestellt. Das Ticket bis Rajamundhri hatte Kumari für sie besorgt. Sie hatte ihnen auch die Adresse eines Mannes gegeben, der nahe dieser Großstadt lebte und bei dem sie übernachten konnten.

»Wie hieß der Typ noch, an den wir uns am Ziel wenden sollen?«

Tobias las vor, was Kumari aufgeschrieben hatte:

»Jacob, auch Pastor. Und dann steht da noch eine Telefonnummer.«

Sie waren froh, wieder eine Kontaktperson zu haben, zumal sie ja noch Flugtickets für morgen besorgen mussten. Kumari hatte gesagt, die Fahrt dauerte knapp drei Stunden. Das war erträglich.

Zu Beginn war Max noch schweigsam. Dann jedoch kommentierte er, was sie draußen sahen.

Links lag eine Fabrik.

»So wie es riecht, müsste es eine Zuckerfabrik sein.«

Kurz darauf passierten sie eine Tempelanlage, die auf einem Berg lag. Die Straße war stark befahren. Auf beiden Seiten lagen Felder. Reis, bereits abgeerntet; Zuckerrohr; Tabak; Bananen; Gemüse; Mangobäume; Nussplantagen und viele Pflanzen, die den Deutschen unbekannt waren oder die sie im Vorbeifahren nicht erkennen konnten, wurden dort angebaut.

Tobias beschloss, seinen Freund nun in die Sache mit dem Notizbuch einzubeziehen. Es wurde Zeit, dass sie besprachen, was zu tun war. Er holte das Heft aus seiner Tasche und blätterte darin herum.

»Hey, was hast du denn da? So eines hatte Krishna doch auch.«

Max hatte sofort erfasst, was sein Freund in der Hand hielt.

»Stimmt. Es ist ein Andenken an unseren Abstecher in Krishnas Welt. Allerdings könnte uns die Sache noch weiter beschäftigen.«

Tobias erzählte Max, was er erlebt hatte. Von den Kisten in Kukunuru, den merkwürdigen Geldübergaben, den heimlichen Ausfahrten Krishnas, dessen Treffen mit dem Bärtigen und dem Fund des Notizheftes.

»Und wieso hast du nichts gesagt?«

Max war sichtbar sauer.

»Klar hat Krishna mich auch genervt mit seiner Politikbesessenheit. Aber ich freue mich über Pushpa und die Hüttenbesuche mit ihr, ich diskutiere mit Krishna über arrangierte Ehen und ich schwebe auf Wolken wegen Kumari – und du spinnst gleichzeitig Verschwörungs- und Terrortheorien. Das darf doch nicht wahr sein!«

Tobias versuchte, ihm zu erklären, warum er bisher nichts gesagt hatte. Dann blätterten sie gemeinsam in dem Heft.

Sie trugen zusammen, was sie wussten: Irgendetwas lief an Vorbereitungen. Geld und Material wechselten die Besitzer. In dem Heft waren die Summen und wahrscheinlich auch Namen eingetragen. Die Kisten ähnelten jenen von der Baustelle, die dort offenbar Sprengstoff enthalten hatten. Dieser bewaffnete Bärtige bekam einen Auftrag. In jener Nacht war der Jeep bewegt worden. Der Bärtige oder auch Krishna konnten ihn benutzt haben. Tobias hatte in der Nacht so etwas wie eine Detonation gehört. In Kammarigudem gab es Waffen, deren Existenz

Krishna gerne geheim gehalten hätte. Und irgendeine Rolle war auch ihnen zugedacht. Das war´s.

»Es reicht noch nicht«, meinte Max. »So ergibt das Ganze noch keinen Sinn. Was entnehmen wir dem Heft noch?«

»Namen stehen drin, deiner, meiner und Ortsnamen. Und ein Datum, der 14. Januar. Dann gibt es noch die Zeichnung von einem Staudamm.«

Max regte es vor allem auf, dass Krishna auch seinen Namen mit Angaben zur Person aufgeschrieben hatte. Ansonsten konnte er sich keinen Reim auf das alles machen.

»Am ehesten geht es um ein Attentat auf diesen Staudamm. Wie heißt der noch mal? Patwagu-Damm. Das wird es sein. Krishna plant etwas. Du hast also Recht, er ist der Planer. Wahrscheinlich ist dieser Mann mit Bart eher der Praktiker.«

»Und Naxalit.«

Max gab Tobias Recht. Wahrscheinlich hatten sie es mit einer Naxalitenbande zu tun. Oder auch nicht.

Vor allem die Zeichnungen kamen ihnen verdächtig vor. Die Schleusentore des Dammes sowie deren Befestigungen waren an mehreren Stellen markiert. Daneben standen Zahlen: 4 + 2. Ob es sich um Angaben für Sprengsätze handelte? Auch der Wasserstand des Sees war vermerkt, wenn Tobias die kleinen Querschnittszeichnungen richtig deutete. Dann waren das Turbinenhaus und eine Leitung eingezeichnet, die vielleicht an einer markierten Stelle unterbrochen werden sollte. Es könnte sich um eine Telefonleitung handeln. Gut lesbar waren die Namen: Patwagu und Rallapudi. Somit war es klar, welcher Staudamm gemeint war.

Über eine Stunde kauten sie das Thema durch. Dann sinnierten sie vor sich hin. Max stand auf und vertrat sich die Beine. Er hielt sich an den Stangen in der Mitte fest, reckte sich und schaute durchs breite Heckfenster.

»Hey, Tobi, schau mal. Ist das dort hinten nicht der graue Jeep von Krishna?«

Tobias versuchte sofort, durch das Fenster zu schauen. Dort saßen drei Männer, die aussahen, als wollten sie zu einer Hochzeit. Sie trugen dunkle Anzüge, dazu glänzende schwarze Halbschuhe. Der mittlere der drei war ziemlich klein und deshalb konnte Tobias über ihn hinweg die Straße hinter dem Bus einsehen. Tatsächlich, dort fuhr ein Jeep. Nein, sogar zwei oder drei der Geländewagen folgten dem Bus. Einer davon war grau, die anderen eher weiß.

»Aber ob das Krishna ist? Auf jeden Fall sollten wir das im Blick behalten.«

Sie setzten sich wieder, nahmen sich jedoch vor, immer wieder nachzuschauen, ob der Jeep ihnen noch folgte.

Sie fuhren über einen riesigen Kanal, der sich im Bau befand. Rechts wurden Lastwagen von Baggern mit Erde beladen. Links sah man, weiter hinten, wie Menschen sich an der steilen Kanalwand zu schaffen machten.

»Ob das der Kanal vom Polavaram-Projekt ist? Hat Krishna nicht erzählt, sie wollten ihn sogar schiffbar machen und auf 150 Meter Breite ausbauen?«

Max nickte.

»Vielleicht passiert das alles sowieso nur wegen dieses Staudamms. Immer wieder stoßen wir darauf. Dieser Damm scheint ein Riesenprojekt zu sein und wenn wirklich eine viertel Millionen Menschen vertrieben werden und eine halbe Millionen betroffen sind, ist das unglaublich brisant.«

Viele LKWs kamen ihnen entgegen. Sie alle waren mit Steinen beladen. Die Gegend veränderte sich. Statt der Felder links und rechts, gab es Abraumhalden, Lastwagendepots und riesige Löcher im Boden. In dieser Gegend wurde Granit abgebaut. Feiner Staub lag in der Luft. Vom Grabstein über Fliesen, Waschtische und kleine Ganeshas konnte man mit diesen Steinen wahrscheinlich fast alles machen. Allerdings war die Landschaft verletzt worden, tief verletzt. Man trug die Erde im Tagebau ab, um das schwarzgraue Gold aus dem Boden zu holen. Diese trostlose Gegend sah aus, als hätte man auf einen Körper eingestochen und große Stücke herausgeschnitten. Mitten in dem Bergbaugebiet ragte eine riesige katholische Kirche mit drei Türmen gen Himmel. Sie stand da, als würde sie drei Finger zum Schwur erheben und allen zu versprechen, niemals zu weichen, sondern lieber zu sterben. Was vielleicht nicht lange dauerte, denn die Steilwände der Wunden und die schwarzen Schlackeberge schoben sich bedrohlich nahe an das Gebäude heran.

Wieder sahen sie nach den Jeeps. Der Graue war noch da, jedoch nach wie vor so weit hinter ihnen, dass sie die Insassen nicht erkennen konnten.

»Wenn es Krishna ist, wird er dann versuchen, uns das Notizheft abzunehmen?«

Tobias war sich sicher, dass Krishna alles versuchen würde, um an das Heft zu kommen. Wenn es wirklich um einen Anschlag ging, war dieser aufgeflogen, wenn seine deutschen Gäste das Heft gefunden hatten und damit zur Polizei gingen. Also musste er noch vor Rajamundhri versuchen, in den Besitz seiner Notizen kommen – oder zumindest klären, ob sie im Besitz der Beiden waren.

»Wir sollten uns überlegen, wie wir uns Krishna vom Leib halten, falls er es ist, der dort hinten fährt.«

Das war nicht leicht. Vor allem wenn dieser Bärtige mitkam, konnte es gefährlich werden, denn er war wahrscheinlich bewaffnet. Krishna würde vermutlich eher mit Reden versuchen, sie aus dem Bus zu locken.

»Ich habe eine Idee«, sagte Max. »Wir legen uns Leibwächter zu!«

Jetzt war Tobias gespannt. Wie sollte das gehen, in einem fahrenden Bus.

Max lachte. Fantasie hatte er, das wusste Tobias.

»Wir brauchen Leute, die uns kennen und sich für uns einsetzen, wenn uns jemand hier rausholen will. Stimmts?« Es stimmte.

»Also schlage ich vor, wir gehen auf eine Hochzeit – oder versuchen zumindest, eingeladen zu werden.«

Dabei zeigte er auf die Drei in der letzten Reihe.

»Ich wette, die wollen Hochzeit feiern. Warum sollten sie da nicht zwei Touristen ermöglichen, so etwas einmal life zu erleben?«

»Und wie willst du sie bewegen, uns einzuladen?«

Tobias fand die Idee gut, allerdings reichlich abgefahren. Doch Max stand auf und meinte, er würde das schon machen.

Max ging nach hinten. Tobias sah, wie er angeregt mit den drei Männern sprach. Zumindest zwei von ihnen schienen englisch zu sprechen. Gelegentlich sahen sie zu ihm herüber. Nach etwa zehn Minuten kam der kleinste der drei zu ihm nach vorn.

»Auch du bist herzlich eingeladen!« sagte er und Tobias traute seinen Ohren kaum. »Wir freuen uns sehr, wenn ihr uns in eurem Buch erwähnt.«

Dann legte er seine Handflächen aneinander, nannte einen unaussprechbaren Namen und sagte:

»Ich bin der Bruder der Braut.«

So also hatte Max die drei herumbekommen. Er hatte ihnen ewiges Leben und weltweiten Ruhm als Romanfiguren versprochen. Als Max wieder neben ihm saß, nickte Tobias ihm anerkennend zu.

»Das hast du ja echt gut hingekriegt. Aber das Buch schreibst du, nicht ich!«

Max grinste.

»Ich habe ihnen erzählt, du seiest ein in Europa sehr berühmter Autor und eigens nach Indien gereist, um Stoff für einen neuen Roman zu sammeln.«

»Und was sollen die machen, wenn Krishna an der nächsten Haltestelle hereinstürmt und uns aus dem Bus zieht?«

»Ich bin sicher, sie werden protestieren. Ich habe nämlich auch erzählt, dass wir uns einen Feind gemacht haben.«

»Wie das?«

»Du hast dich in eine Inderin verliebt und deren Bruder ist hinter uns her. Er behauptet, du hast seiner Schwester Hoffnungen auf eine Ehe gemacht und will nun für den entgangenen Vorteil für seine Familie entschädigt werden.«

Tobias fand fast keine Worte mehr.

»Was habe ich?«

»Du hast der Familie deiner Braut Hoffnungen auf den Reichtum Europas gemacht und diese nicht erfüllt!«

»Was ist denn das für ein Quatsch?! Das haben dir die drei doch nicht abgekauft.«

»Sie haben nicht einen einzigen Zweifel geäußert. Im Gegenteil, sie haben sich über das Verhalten des Bruders aufgeregt und meinten, er rücke Indien in ein schlechtes Licht. So geldgierig seien sie hier gar nicht, wenn es ums Heiraten ging. Also sollte dieser Bruder nur kommen. Sie würden ihm schon die Meinung sagen und wir zwei müssten keine Angst vor ihm haben.«

Tobias wusste nichts mehr zu sagen. Stattdessen schaute er noch einmal hinaus. Der graue Jeep war nicht mehr zu sehen. Dafür fuhren mehrere dunkle Tata-Geländewagen hinter ihnen. Er schaute auf die Uhr. Wenn Kumaris Zeitansage stimmte, mussten sie bald an der Brücke sein. Die Landschaft draußen hatte sich verändert. Sie fuhren nun durch flaches, extrem fruchtbares Land. Hier gab es viele saftig grüne Reisfelder, die bereits für eine zweite Ernte angepflanzt waren. Immer wieder glänzten kleine Tümpel und Gräben in der Sonne. Wenn es irgendwo sichtbar wurde, dann hier: Wo Wasser war, konnte reiche Ernte eingefahren werden. Stammesland war dies allerdings längst mich mehr.

Zwei der dunklen Tatas überholten den Bus. Tobias wunderte sich noch darüber, dass die beiden anderen ihnen nicht nachfuhren, sondern hinter dem Bus blieben. Dabei war vorne alles frei. Zwei Minuten später wusste er, warum.

Der Bus bremste scharf. Die Geländewagen hatten ihn offenbar ausgebremst. Der Fahrer hupte, hielt dann jedoch zwangsweise an. Tobias schaute nach vorn. Männer in Uniformen sprangen aus den Tatas. Sie hatten kurzläufige Schnellfeuerwaffen im Anschlag. Der Bärtige oder auch Krishna waren es nicht. Diese Männer gehörten eindeutig zu einer Einsatztruppe der Polizei. Auch aus den beiden Fahrzeugen hinter dem Bus kamen Uniformierte, die Waffen im Anschlag. Vier stürmten den Bus. Sie richteten die Waffen sofort auf Max und Tobias, kaum hatten sie diese entdeckt.

»Hands up! Hände hoch!«

Einer von ihnen schrie sie an und wedelte mit dem Lauf seiner Waffe herum. Dann befahl er noch etwas, was die beiden Deutschen nicht verstanden. Sie hoben die Hände. Die Männer packten sie und ließen Handschellen um die Handgelenke einschnappen. Einer von ihnen tastete sie ab, als suche er nach Waffen.

»Hey, wir sind Deutsche!«

Max protestierte. Seine neuen Freunde von der letzten Bank drängten sich nach vorne. Einer der Polizisten schob sie zurück. Sie schienen zu protestieren, boten sich offenbar auch als Übersetzer an. Doch hier hatten sie es nicht mit dem wütenden Bruder einer einheimischen Frau zu tun, sondern mit professionellen Einsatzkräften. In weniger als fünf Minuten war der Spuk zu Ende.

Sie saßen in Handschellen auf der Rückbank eines Polizeifahrzeugs. Ihre Rucksäcke lagen in einem anderen Jeep. Mit hohem Tempo ging es davon. Die drei Männer würden auf der Hochzeit viel zu erzählen haben, hatten jedoch nicht mehr die Aussicht, in einem Roman mitzuspielen. Das letzte, was Tobias von ihnen sah, war der Kleine, der immerzu »Sorry, sorry!«, rief, wohl um seine

Hilflosigkeit angesichts der geballten Staatsmacht zu dokumentieren.

Der Ort, den sie nun erreichten, konnte Kovvur sein. Dort sollte jener Pastor Jacob wohnen, dessen Telefonnummer Kumari ihnen gegeben hatte. Sie bogen nach rechts ab. Kurz darauf hielten sie vor einem großen Tor. Es war aus Metall, hatte zwei oben abgerundete Flügel und sah sehr stabil aus. Rechts davor stand ein Haus. Ein Beamter mit zwei Streifen am Ärmel kam heraus und sprach mit dem Beifahrer ihres Jeeps. Der zeigte nach hinten, auf seine Gefangenen.

Das Tor wurde von innen geöffnet. Sie fuhren hinein. Die anderen Geländewagen blieben draußen. Sie waren im Hof eines Gefängnisses.

»Ach du Scheiße!« sagte Max. »Was haben die denn mit uns vor?«

Als sie aus dem Fahrzeug stiegen, schreckte ein Beamter von seinem Nickerchen in der Mittagshitze auf. Er saß an einem Tisch mit Papieren darauf. Schnell setzte er seine Mütze auf den Kopf und nahm Haltung an. Ein sichtlich hochrangiger Mann mit drei Streifen an der Schulter kam aus dem Gebäude. Auch er sprach kein Englisch.

»Warum sind wir hier? Wir sind deutsche Touristen! Was haben Sie mit uns vor?«

Auf alle Fragen der beiden antwortete der Mann nur mit einem Kopfschütteln. Immerhin gab er dem Schreibtischschläfer einen Wink, die Handschellen abzunehmen.

Der Hof war auf einer Seite von einer hohen Mauer und an drei Seiten von Gebäuden umgeben. In einer Ecke stand eine graue Mauer mit Waschbecken daran, ein Waschraum unter freiem Himmel. Einige Steinbänke, zwei kümmerliche Büsche und jener Tisch mit Wächter, das war eigentlich schon alles an Ausstattung. Vier Zellen mit senkrechten Gitterstäben waren in den Gebäuden zu sehen. Hinter zweien davon lungerten Gefangene. In einer spielten fünf oder sechs junge Männer Karom, in der anderen lehnten vier etwas ältere auf dem Fußboden sitzend an der Wand, unterhielten sich oder dösten vor sich hin. Als die weißen Neuankömmlinge im Hof standen und der Tata wieder hinaus fuhr, kamen die meisten Inhaftierten neugierig an die Gitterstäbe. Dieses Gefängnis hatte Ähnlichkeit mit jenen, die Tobias und Max in alten Western gesehen hatten.

Eine Zelle diente offensichtlich als Abstellraum. Alte Kartons lagen dort und mehrere pralle Reissäcke, die wahrscheinlich in der Küche keinen Platz mehr gefunden hatten. Die vierte Zelle war frei. Als ob sie hier gebucht hätten.

Der Sheriff mit den drei Streifen schloss die Gittertür auf. Zwei Polizisten führten die Gefangenen hinein, durchsuchten sie noch einmal oberflächlich und sperrten dann ab. Das dünne Notizheft in Tobias Gesäßtasche war bisher nicht aufgefallen. Max protestierte und deutete auf ihre Rucksäcke, die gerade durch das Eingangstor in Richtung des gegenüber liegenden Gebäudes getragen wurden. Wenn sie wenigstens ihre Sachen behalten durften!

Es wurde noch einmal aufgeschlossen und man brachte die Rucksäcke herein. Doch Max und Tobias hatten sich zu früh gefreut. Ein Polizist legte eine Bastmatte auf den Boden. Dann deutete der Sheriff auf die Rucksäcke und zeigte an, dass sie diese auspacken sollten. Stück für Stück legten die beiden ihre Sachen auf die Matte.

Danach mussten sie zurücktreten. Der Chef rief den Mann vom Schreibtisch draußen. Der kam mit einem Buch. Der Sheriff begann mit der Kleidung. Stück für Stück ließ er in das Buch notieren und packte es dann eigenhändig wieder ein. So verschwand alles wieder in den Rucksäcken. Als der Polizist das Waschzeug einpacken wollte, hielt Max ihn zurück. Fast wäre das als tätiger Angriff ausgelegt worden, denn sofort stürzten die zwei Beamten von draußen in die Zelle. Der Sheriff schien jedoch zu verstehen. Er grinste und gab Max beide Kulturtaschen. So hatten sie wenigstens Seife, Zahnputzsachen und die wichtigsten Medikamente, die sie ebenfalls darin deponiert hatten. Sogar für jeden ein Handtuch ließ der Sheriff draußen und als besonders großzügige Geste reichte er ihnen mit einem verstehenden Grinsen im Gesicht die restliche Rolle Toilettenpapier.

In der Seitentasche der Rucksäcke hatten sie ihre Papiere und die Digitalkamera. Der Sheriff blätterte die Pässe durch und steckte sie dann in seine Brusttasche. Die Flugtickets, den Impfpass, die anderen Papiere und die Kamera deponierte er wieder im Rucksack.

Das war´s.

Als die Männer mitsamt dem Gepäck abgezogen waren und das Gitter wieder geschlossen war, standen Tobias und Max völlig hilflos an der Gittertür, hielten sich an den Stäben fest und schauten ungläubig nach draußen.

»Was passiert hier?« fragte Tobias. »Wieso haben die uns aus dem Bus geholt? Warum behandeln sie uns wie Kriminelle?«

Auch Max wusste keine Antwort.

»Ich hoffe, wir bekommen unsere Sachen wieder. Hoffentlich reißen sie sich die nicht einfach unter den Nagel! Hast du gesehen, wie begehrlich der Blick des Schläfrigen vom Hof auf meine Digitalkamera gerichtet war?«

»Mir graut vor allem vor der Nacht in dieser Zelle.«

Sie drehten sich um und betrachteten ihr neues Quartier. Die Zelle war etwa vier Meter breit und ähnlich tief. Hinten gab es eine hüfthohe Mauer. Dahinter war eine Toilette, ein im Boden eingelassenes Keramikloch. Immerhin, das war besser als ein vor Dreck strotzendes Klo im ‚Western style', wie sie es hier gerne nannten! Auf dem Boden lag noch die Bastmatte. Sonst war die Zelle absolut leer, mal abgesehen von einigen Haken an der Wand. Max meinte dazu nur:

»Sehr komfortabel!«

Sie besprachen ihre Lage. Spätestens wenn ein Dolmetscher käme, würde sich das Ganze aufklären. Sie hatten nichts verbrochen. Sie waren nur Touristen auf einem Abstecher. Touristen, nicht Terroristen! Also musste eine Verwechselung oder ein Irrtum vorliegen.

Falls Rama Krishna Rao sie tatsächlich in dem grauen Jeep verfolgt hatte, würde er jetzt wahrscheinlich aufgegeben haben. Die Polizei hatte ihm die Deutschen vor der Nase weggeschnappt. Auf den Staudamm-Anschlag musste er nun wohl verzichten.

Bei diesem Gedanken fühlte sich Tobias ein wenig erleichtert. Dann hätten sie doch noch professionelle Leibwächter gefunden, die Polizei. Der Mann mit den drei Streifen sah nicht gemein oder abgebrüht aus, sondern hatte, bei allem Ernst der Lage, etwas Freundliches an sich. Morgen würde ein Dolmetscher kommen, sie würden ihnen das Notizheft geben und dann würde sich alles aufklären.

Auch Max sah das so.

»Okay«, meinte er, »verbringen wir also eine Nacht in einem indischen Knast. Da haben wir später etwas zu erzählen. Ich hoffe, du hast Recht und morgen klärt sich alles auf.«

Zum Glück wurden ihnen noch zwei Pritschen mit Decken und Kopfkissen hereingebracht. Der Mann mit den drei Streifen war wirklich nicht übel. Er schien diesem tristen Ort sogar einen Hauch von Gastfreundschaft einzuhauchen.

05. Januar: Laufen wie geschmiert

Sie kamen in der Nacht, noch vor Morgengrauen. Keine Explosion, kein Schuss, kein Bulldozer und doch standen sie plötzlich in ihrer Zelle.

Tobias hatte sich bisher nur hin und her gewälzt. Die Gedanken rauschten durch seinen Kopf wie Strom durch eine Hochspannung. Was steckte hinter dieser Sache? Wie konnten sie der Polizei erklären, was sie in diese Lage gebracht hatte? Hoffentlich fände sich bald ein Übersetzer. Wenn sie ihre Pässe und ihre Tickets nun einbehielten...? Er malte sich diverse Horrorszenarien von indischem Gefängniskomfort und stundenlangen Verhören aus. Ob die Folter hier wirklich abgeschafft war? Dann wieder tröstete er sich selbst. Sie waren wahrscheinlich nur zum Verhör hier, als Zeugen sozusagen. Doch warum dann dieses Aufgebot an schwer bewaffneten Polizisten? Warum Handschellen? Und Zeugen, wofür eigentlich?

Max lag auf der zweiten Pritsche auf dem Rücken und schnarchte. Durch die Zellentür schien das Licht von einer einzelnen Glühbirne im Innenhof herein und malte die Gitterstäbe als schwarze Streifen an die gegenüberliegende Wand. Auch weil es hell war, konnte Tobias nicht richtig einschlafen. Er konnte sogar erkennen, dass die ehemals helle Hose seines Freundes inzwischen deutlich nachgedunkelt war und diverse Flecken aufwies. Das Leben auf dem Lande war eben etwas erdverbundener. Immer wieder ertönte aus der Ferne das langgezogene Signalhorn eines Zuges. Warum nur konnten die nicht kürzere und weniger Warnsignale geben? Tobias dachte an seine Frau. Gut, dass sie vorher nicht gewusst hatten, was sie erleben würden. Dann hätte sie ihn sicher nicht ziehen lassen. Nicht erst ein Bombenattentat in Bombay, auch ein Notizheft mit Anschlagplänen, hätte sie mit Sicherheit als Argument verwendet, ihm sein Weihnachtsgeschenk Indienreise auszureden.

Sie hatten einen Schlüssel. Der hieß Geld. Nicht nur das Schloss der stählernen Tür, auch der Constabler mit dem riesigen Schlüsselbund war sicher gut geschmiert worden.

Zwei Fremde standen hinter ihm, maskiert mit einer Art Skimaske. Tobias hatte solche Wollmützen bereits bei einigen Dorfbewohnern gesehen. Sie trugen sie zum Schutz gegen die winterliche Kälte. Einer der Männer trug eine Waffe, ein kleines Schnellfeuergewehr. Von Waffen verstand Tobias nichts, konnte sich aber vorstellen, dass so eine Uzi oder Kalaschnikow aussah. Der Maskierte stieß Max damit in die Seite und sagte etwas auf Telugu. Tobias hatte sich bereits aufgesetzt, als die Tür geöffnet wurde.

Max grummelte etwas vor sich hin wie:

»Lass mich in Ruhe, Tobi. Ich bin todmüde!«

Dann drehte er sich zur Wand. Der Bewaffnete stieß ihn wieder an, diesmal härter. Er sagte etwas auf Telugu.

Max drehte sich langsam um. Er hatte die Augen ein wenig geöffnet und blinzelte den Vermummten an, als wolle er sagen: »Wer wagt es, Maximilian Grunert beim Schlafen zu stören?« Als er in den Lauf der Schnellfeuerwaffe schaute, die ihm der Mann vor die Nase hielt, setzte er sich jedoch schnell auf.

»Was ist denn hier los?!« stammelte er auf deutsch und schaute sich irritiert um.

»Ich weiß es auch nicht! Wahrscheinlich wollen die uns befreien.«

»Befreien? Ich will schlafen, morgen mit der Polizei reden und dann noch was von Indien sehen! Das sieht mir eher wie eine Entführung aus.«

Der Mann mit der Waffe flüsterte mit scharfer Stimme und stieß gleichzeitig den Lauf seiner Waffe in die Hüfte des stämmigen Deutschen.

»Randi, Randi!«

Dass dies »komm« bedeutet, hatten die zwei schon in Kukunuru verstanden.

Sie standen auf, wenn auch zögernd.

»Randi!«

Die Männer verstanden offenbar keinen Spaß und hatten es eilig. Der Anführer fuchtelte mit seiner Waffe herum. Der Wächter war nicht mehr zu sehen. Tobias und Max nahmen ihre Kleidung vom Haken, schlüpften in die Sandalen und gingen vor den Entführern aus der Zelle.

»We need our luggage! Wir brauchen unser Gepäck!«

Tobias wollte auf seinen Rucksack nicht verzichten.

Auch Max protestierte lautstark. Was sollten sie ohne ihre Sachen machen? Sie hatten nur eine Garnitur Kleidung und ihr Waschzeug in der Zelle. Immerhin, das hatten sie noch, inklusive den Rest Klopapier. Die Männer schienen kein Englisch zu verstehen. Und Spaß auch nicht.

Sie drängten zur Eile und schoben ihre Geiseln vor sich her. Ihre Kleidung konnten sie anziehen. Den Rest stopften sie in eine Plastiktüte.

Am Eingang stand noch ein Vermummter und in einem unbeleuchteten Jeep wartete ein vierter Mann. Er war offenbar der Fahrer. Der Mann am Eingang trug ein Gewehr, dem man kaum zutraute, dass es noch zu gebrauchen war. Aber weder Tobias noch Max wollten es darauf ankommen lassen. Also taten sie, was die Männer befahlen.

In der Dunkelheit konnten die beiden Gefangenen nicht erkennen, ob der Jeep grau oder grün war. Im Moment war das auch völlig egal. Benommen von dem Vorfall ließen sie sich ohne Widerstand auf die Rückbank schieben.

Sofort brausten sie los, zwei Männer hinten, zwei vorne. Dazwischen die Gefangenen.

»Ach du Scheiße!« entfuhr es Max.

Sofort bekam er einen Stoß in den Rücken und schwieg.

Ohne Licht brauste der Geländewagen über die ausgestorbenen Straßen des kleinen Örtchens. Bald erreichten sie den Fluss. Es war fast Vollmond und man konnte die Umrisse der Bäume, des Deiches und eines kleinen Tempels erkennen. Etwas weiter flussaufwärts schien der Mond so hell, dass Tobias auf einem Eingangstor einen Schriftzug entzifferte: »Christian Fellowship«. Immer wieder etwas Christliches – das war schon auffällig im Heimatland der Hindus. Tobias traute sich nicht, Max darauf hinzuweisen. Der hatte wahrscheinlich andere Sorgen. Mehrfach hatte er »Scheiße« oder »So´n Mist!« vor sich hin gemurmelt. Tobias hatte vor allem vor dem Mann mit der Automatikwaffe Angst, der ihnen im Nacken saß.

Sie kamen an einem Schild vorbei, auf dem Tobias ‚Bank of Baroda' las. Von einer Bank mit diesem Namen hatte er nie etwas gehört. Sie bogen in ein Dorf ein, weg vom Fluss. Über eine der für diese kleinen Dörfer typischen Betonpisten zwischen Hütten und kleineren Steinhäusern holperten sie bis zu einem größeren Haus.

Man hatte offenbar auf sie gewartet. Ein breites Tor wurde geöffnet und der Jeep fuhr auf einen kleinen Hof. Das Tor wurde geschlossen.

»Go out!«

Ein paar englische Worte kannten die Entführer also doch.

In einem fast kahlen Raum gab man ihnen Tee.

»Not speaking!« sagte der Anführer.

Dann nahm er seine Wollmütze ab.

Max hatte den Mann noch nie gesehen. Tobias schon. Es war jener Bärtige, mit dem Krishna in Kammarigudem gesprochen hatte. Jetzt konnte Tobias ihn genauer erkennen. Er hatte ein zwar intelligentes oder besser gesagt schlaues, aber ein recht ausdrucksloses Gesicht. Unter einem dichten Haarschopf und dunklen Augenbraunen schauten sie schwarze Augen an, denen man keine Gefühlsregung entnehmen konnte. Jetzt, ohne

Maske, sahen diese Augen noch bedrohlicher aus. Der Mann trug einen dichten Vollbart und unter seiner Jacke eine Art Kampfanzug. Seine Lippen bekam er selbst beim Teetrinken kaum auseinander, so verbissen schaute er drein. In seinem Gürtel steckten ein auffällig langes Messer und eine Pistole.

Auch die anderen nahmen ihre Masken ab, um Tee zu trinken. Tobias wusste nicht genau, ob er sich darüber freuen sollte oder es ab jetzt bedrohlicher wurde. Immerhin konnten sie die Männer nun identifizieren. Einer war hager und hatte eine Hakennase. Er wirkte ein bisschen wie ein Geier auf Beutezug, als er die sitzenden Geiseln von oben her ansah. Der Fahrer war ein junger Mann mit einem fröhlichen Grinsen. Er hätte auch einer der Taxifahrer aus der Stadt sein können. Der vierte Mann schien kein Interesse daran zu haben, sich ins Gesicht sehen zu lassen. Er nahm seinen Tee und zog sich die Maske erst im Hinausgehen vom Gesicht.

Nach zehn Minuten erhob sich der Anführer. Die beiden anderen taten es ihm nach. Wieder wedelte der Boss mit der Waffe. Sie gingen hinaus. Die Dämmerung setzte bereits ein. Tobias wusste nicht, ob das, was sie in der Ferne hörten, Polizeisirenen waren oder einer der Züge, die durch Kovvur fuhren und deren lange Pfeiftöne ihn schon während der wenigen Stunden im Gefängnis genervt hatten.

Sie gingen zu Fuß über die Straße. Der Deich zum Fluss war hier nicht sehr hoch. Eine Betontreppe mit runden Pfosten an der Seite führte hinunter zum Fluss. Die Godavari hatte jetzt zwar relativ wenig Wasser, war hier jedoch unglaublich breit, viel breiter als in Bhadrachalam oder Kunavaram, wo sie den Fluss überquert hatten. Wann war das noch mal gewesen? Vor nur vier Tagen? Unglaublich. Sie hatten jedes Zeitgefühl verloren.

Die Männer befahlen Ihnen, sich in ein am Ufer liegendes Boot zu setzen. In diesem wartete bereits ein kleiner Mann, der sich eine Strickmütze über den ganzen Kopf gezogen hatte. Er hatte offensichtlich viel zu verbergen. Flussabwärts sahen sie die Umrisse einer riesigen Brücke. Das musste die Überquerung der Godavari nach Rajamundhri sein. Auf der Karte hatten sie gesehen, dass der Fluss, bevor er sich in ein Delta teilte, aufgestaut war. Kurz vor dem Delta waren zwei lange Brücken eingezeichnet.

Das Boot, ähnlich gebaut wie jenes, mit dem sie vor einigen Tagen die Godavari überquert hatten, legte ab. Es hatte jedoch entgegen der Personenfähre bei Kunavaram einen starken Außenbordmotor. Der sprang sofort an und ziemlich schnell fuhren sie flussaufwärts in Richtung gegenüber liegendes Ufer. Der Mann mit der Strickmütze lenkte das Boot geschickt zwischen den Untiefen hindurch. Weiter oben teilte eine Sandbank den Strom. Hier unten jedoch reichte das Wasser von einem Ufer zum anderen, wenn es auch zeitweise sehr flach war. Irgendwo in dieser Gegend mussten die Krokodile leben, die sie im Crocodile-Park bestaunt hatten. Von mindestens ebenso gefährlichen Zweibeinern hatte dort nichts gestanden. Auf der anderen Seite des Flusses mussten sie eine ganze Weile durch losen Sand stapfen.

»You can talk!«

Sollte der Chef wirklich freundlich werden, nachdem sie am anderen Ufer ausgestiegen waren? Das Boot mit dem Maskierten fuhr zurück. Es gehörte offenbar dem Mann, in dessen Haus sie Tee getrunken hatten. Max fragte ihn auf Englisch, was sie wollten. Lösegeld? Oder sei es etwas Politisches? Oder ein Versehen? Der Bärtige schüttelte nur den Kopf.

»No English!« sagte er, ergänzte dann trotzdem auf Englisch und in einem Ton, der keine Widerrede zuließ: »Keine Fragen!«

Max sah seinen Freund an, als wolle er von dem die Antwort haben.

»Keine Ahnung!« sagte Tobias. »Jedenfalls sitzen wir

ganz schön in der Scheiße!«

»Sage ich doch die ganze Zeit! Aber mich hört ja keiner!«

Immerhin hatte Max seinen Sarkasmus wiedergefunden. Tobias erzählte ihm, dass der Bärtige jene Gestalt war, die er damals mit Krishna hat sprechen sehen.

»Und, was nun?« fragte er dann auf Deutsch.

»Keine Ahnung. Im Moment müssen wir tun, was diese Typen sagen. Immer wieder dieser Krishna! Ich halte es bald nicht mehr aus.«

»Ich glaube, sie bringen uns irgendwie nach Norden. Dort hinten sind wahrscheinlich die Flussbrücken, die Schiene und Straße nach Rajamundhri führen. Wenn man den Fluss von hier weiter gen Norden fahren würde, käme man irgendwann nach Polavaram, wo der Staudamm geplant ist und dann auch nach Kunavaram, wo wir den Fluss bereits überquert haben.«

»Das sind aber mindestens hundert Kilometer!« meinte Max.

»Bis Polavaram schätze ich nicht mehr als zwanzig oder dreißig.«

»Und wenn schon. Was nun? Was meinst denn du, wer diese Typen sind?«

Da war sich auch Tobias nicht schlüssig.

»Also, Polizei ist es schon mal nicht.«

Max lachte, auch wenn ihm wahrscheinlich nicht danach zumute war.

»Da wäre ich auch drauf gekommen!«

»Also hat Krishna sie geschickt.«

»Oder es sind irgendwelche Gangster, die sich unschuldiger Europäer bemächtigen, um Lösegeld zu erpressen. Vielleicht haben sie uns bei Krishna gesehen und arbeiten jetzt auf eigene Faust. Oder es sind Terroristen, die ihre Kumpels im Gefängnis freipressen wollen oder ihre nächste Waffenlieferung nicht finanzieren können.«

Sie mussten eine Senke überqueren und sich auf den Weg konzentrieren, der jetzt im Schatten lag. Vor ihnen erhob sich eine etwa acht Meter hohe Steilküste.

»Jedenfalls bleibt uns nichts anderes übrig, als zu tun, was sie sagen«, meinte Tobias. »Sie haben zu viele stichhaltige Argumente, uns zum Schweigen zu bringen.«

»Also warten wir ab, was passiert.«

Auch Max wollte jetzt offensichtlich nicht weiter sprechen. Sie waren ohnehin an der Steilküste angekommen. Zwei der Männer gingen vor, zwei hinter ihnen. An Flucht war nicht zu denken. Alle sechs kletterten hinauf.

Die Planung der ganzen Aktion schien hervorragend zu sein. Oben angekommen ging es über einen Streifen Brachland. Auf einem dahinter liegenden Feldweg stand ein weiterer Jeep. Ein nicht maskierter Fahrer, ein junger Mann mit Bürstenhaarschnitt, lehnte am Kotflügel. Der Boss sagte etwas zu ihm. Der Fahrer antwortete, öffnete den Ankommenden die Türen und setzte sich hinters Steuer. Neugierig schaute er während der ersten Kilometer in den Rückspiegel. So, als habe er selten oder nie lebendige Weiße gesehen. Oder staunte er nur über das inzwischen reichlich abgerissene Äußerliche der zwei Gefangenen?

Nach etwa einer Stunde Fahrt hatte die Sonne jeden Rest von Dämmerung und Dunkelheit aufgesogen. Jetzt fuhren sie auf einer kleinen Nebenstraße immer weiter gen Norden. Sie überquerten einen Kanal, dann noch einen im Bau. Ob das der nördliche Polavaram-Kanal war? Die Straße wurde immer belebter. Vor allem ältere Bauern, die oft nur mit einem hellem Lendeschurz bekleidet waren, blockierten sie mit ihren Viehherden. Der Morgenauftrieb hatte begonnen. Schafe, Ziegen, Wasserbüffel, Zeburinder – alles was laufen konnte und Gras oder Blätter fraß, wurde ins Brachland und auf abgeerntete Felder getrieben. Für Fahrzeuge, ob Lastwagen, Trecker oder Jeep, war diese Tageszeit eine große Herausforderung.

»Wenn die uns überhaupt suchen«, sagte Tobias, »dann kommen sie genauso langsam voran wie wir!«

»Meinst du echt, dass die uns suchen? Dann könnten sie doch Hubschrauber einsetzen oder Straßensperren errichten.«

»Weißt du, wo die nächsten Hubschrauber stehen? Und ob sie es schaffen, jeden Weg abzusperren?«

Tobias stand der Zweifel ins Gesicht geschrieben.

Sie fuhren durch ein langes Tal, das sich immer mehr verengte. Hatten sie eben noch einzelne Berge umfahren, die wie Ungetüme aus grauer Vorzeit im Flachland lagen, wurde es jetzt immer gebirgiger. Auf beiden Seiten der Straße wuchsen riesige Bäume mit langen Schoten, die wie schwarze Bohnen aussahen. Max erklärte, dass das Tamarisken seien. Dann fuhren sie gar unter Luftwurzeln hindurch.

»Sieh mal!« rief Tobias. »Ich glaube, das sind Banjubäume. Die kommen doch im Dschungelbuch vor!«

Max schreckte auf. Er war wieder eingenickt. Die Nacht war kurz gewesen.

»Wie ein Märchen kommt mir das leider nicht vor!« murmelte er. »Eher wie ein Krimi!«

»Aber Du musst doch zugeben, die Landschaft ist traumhaft!«

»Ja, albtraumhaft.«

Nun sah auch Max aus dem Fenster. Es ging immer weiter hinauf. Das Tal wurde enger und wirkte jetzt beinahe lieblich. Bambusfarne reckten ihre schlanken Hälse gen Himmel, Büsche blühten in voller Pracht, große Urwaldriesen streckten majestätisch ihre Kronen über die kleineren Bäume, neben der Straße plätscherte ein Bach, der gelegentlich kleine Seen bildete. Je weiter sie in die Berge hinein fuhren, desto weniger Leute begegneten ihnen.

Den letzten Ort passierten sie am Vormittag gegen zehn. An einem grässlichen Steingebäude prangte ein großes Schild: ‚Hotel Madras'. Dort hielten sie an. Jetzt war auch die Farbe des Jeeps zu erkennen. Er war völlig neutral gestrichen, in mausgrau. Es war, wie Tobias und Max bereits an der Innenausstattung gemerkt hatten, nicht Krishnas Jeep. Das Nummernschild war bis auf das A.P. für Andhra Pradesh nicht zu erkennen.

Die Männer achteten darauf, dass ihre Waffen unter den Jacken nicht zu sehen waren. Sie setzten sich ganz nach hinten. Der Bärtige war hier offenbar bekannt. Vom Wirt wurde er begrüßt wie ein Bekannter, allerdings eher respektvoll als freundlich.

»Masala Doshai«, konnte Tobias verstehen. Der Bärtige hatte auch für seine unfreiwilligen Gäste die Bestellung aufgegeben und damit durchaus ihren Geschmack getroffen.

Beim Anblick dieses Restaurants jedoch verging ihnen der Appetit. Sogar Max bekam Probleme.

»Hotel? Meinen die etwa die Holzpritschen dort hinten? Und Madras? Welch eine Beleidigung für einen Städter! Sieh mal, dort hinten hat dieser schmierige Wirt noch einige schwarze Gäste, sozusagen eine geschlossene Gesellschaft.«

Als Tobias dem Finger des Freundes folgte, sah auch er drei oder vier dunkle Ratten, die offenbar einen weggeworfenen Teller leer räumten und sich dabei wie bei der Schlacht am kalten Büffet verhielten, die Reinhard Mey einst so schön besungen hatte.

»Da bekommt das Restaurant bei Mamallapuram im Vergleich ja mindestens drei Sterne!«

Sie aßen trotzdem und wie meistens schmeckte die Doshai hervorragend. Als sie an einem speckigen Wasserhahn ohne Waschbecken ihre fettigen Hände gewaschen hatten und hinausgingen, fiel Tobias auf, dass die Männer ihr Essen nicht bezahlten. Der Wirt machte den Eindruck, als sei ihm das egal, wenn er diese Gäste nur schnell loswurde.

Wenige Kilometer weiter prangte ein riesiges Schild mit einem gelben Tigerkopf am Straßenrand. Ob hier ein Reservat für die auch in Indien vom Aussterben bedrohte

Großkatze begann? Die Landschaft war danach. Sie folgten einem schmalen Gebirgsbach, jetzt in westlicher Richtung. In Serpentinen ging es auf schmaler, doch recht guter Straße, immer weiter nach oben. Sie passierten einen Kontrollposten mit einer Schranke als Schlagbaum. Er war unbesetzt. Ein riesiger Termitenhügel ragte am Wegrand auf, zerklüftet und verlassen – es sei denn, Schlangen hatten ihn zum Unterschlupf erwählt. An einer Brücke stand einer der typischen Straßentempel, etwas weiter eine Marienstatue. Auf der Kuppe eines Höhenzuges lungerten kleine braune Affen am Straßenrand. Ein aus groben Stämmen gezimmertes Wachhaus, umgeben von einem Gatter, kauerte unter riesigen Nadelbäumen. Hier war offenbar eine Attraktion für Touristen errichtet worden. Die schlanken Kiefern mussten für Inder etwas ganz Besonderes sein. Bisher hatten Tobias und Max noch keine Nadelbäume gesehen. Hier stand ein ganzer Wald, aufgeforstet vom Forrest-Department, wie ein Schild erklärte. Doch ihre Begleiter waren keine Touristen – eher Terroristen. Also fuhren die Männer weiter, ohne die Schönheiten dieser südlichen Bergwelt zu würdigen.

Es ging über eine schmale Brücke. Der Blick auf die Schlucht und den dort unten über Stromschnellen rauschenden Fluss war faszinierend. Der Fluss umrundete einen flachen Hügel. Unten lag eine Art Camp oder ein Resort mit Holzhütten im Wald.

Der Jeep fuhr weiter, nun etwas vorsichtiger und langsamer. Irgendwo lagen Kieshaufen zur Reparatur der Straße bereit. Die hatte es hier auch bitter nötig. In einer Kurve stand ein Kreuz, das früher einmal beleuchtet gewesen sein musste. Jetzt sah es trostlos aus. Ein einsamer Wanderer kam ihnen entgegen. In der Hand trug er eine Hacke mit sehr kurzem Stiel. Möglichkeiten zur Landwirtschaft sahen sie jedoch keine. Immer wieder weitete sich der Blick über die Berglandschaft. Wolken und Nebel hingen über den Gipfeln und wurden manchmal durch starke Windböen zerfetzt. Mehrmals fuhren sie in diese hinein und wurden von feuchten Schleiern umhüllt. Der durch die offenen Fenster wehende Fahrtwind war merklich abgekühlt. Nun mussten sie das Zentrum dieser Gebirgsregion erreicht haben. Weder die Männer noch Tobias und Max sprachen miteinander. Die Geiseln schauten aus dem Fenster und fragten sich, wohin man sie brachte. Wenn sie auch aus der Stadt gerne aufs Land gewollt hatten – so einsam musste es nun auch nicht sein.

In einem Tal, inmitten dieser wilden Bergwelt, bogen sie gleich hinter einer baufälligen Brücke in einen schmalen Weg ein. Vier oder fünf ärmliche Hütten standen hier. Drei abgemagerte, nur mit Hüfttuch bekleidete alte Männer saßen vor einer der Hütten und unterhielten sich. Als der Bärtige die Anweisung zum Abbiegen gegeben hatte, meinte Tobias, das Wort ‚Tigercamp' verstanden zu haben. Vielleicht gab es hier ja wirklich Tiger und dies hier war ein Wildhütercamp oder so etwas.

Der Weg schlängelte sich an einem Abhang hinauf, immer parallel zu einem wild dahin fließenden Bach. Zweimal bildete dieser einen Wasserfall und Tobias musste an Krishnas Beschreibung seiner Heimat denken, mit der er sie in diese Gegend gelockt hatte. Dass sie die großartigen Wasserfälle und die tiefen Dschungel mit blühenden Bäumen und Früchten aller Art, allerdings in der Hand von Geiselnehmern erleben würden, hätte er sich nicht träumen lassen.

Dann, es musste gegen Mittag sein, waren sie da. Wo, das wussten Tobias und Max nicht. Es gab hier weder ein Ortsschild noch irgendein anderes Willkommen. Es gab nur eine kleine Lichtung zwischen dichten Bäumen. Am Rand standen drei provisorische Hütten, ähnlich jenen, die sie in Deutschland als Kinder im Wald gebaut hatten. Nur waren es keine Kinder, die vor und neben den Hütten saßen und, genau wie die jungen Häftlinge gestern Abend im Knast, Karom spielten. Die Deutschen kannten das in Indien weit verbreitete Brettspiel bereits, weil sie es im Restaurant in Mamallapuram gesehen hatten und Tobias es sich hatte erklären lassen. Die Männer, die hier nun die runden Holzplättchen mit dem Finger über die Platte schnipsten, waren verwegen aussehende Gestalten, wild wie diese Landschaft. Sie trugen Tarnkleidung, allerdings keine erkennbaren Uniformen, sondern bestenfalls Teile davon. Die meisten waren unrasiert, einige hatten Mützen oder Tücher auf dem Kopf. Und die meisten waren bewaffnet.

»Ach du Scheiße!« sagte Max wieder, als ihnen der Geier mit der Hakennase die Tür öffnete und ihnen einen Wink zum Aussteigen gab.

Der Bärtige wies auf einen Baumstamm, der vor einer der Hütten lag.

»Sit and wait«, sagte er.

Sein englisches Vokabular hatte sich verdoppelt.

Sie setzten sich.

Die Männer sahen kurz zu ihnen herüber, schienen von den Weißen aber wenig beeindruckt. Nur ein junger Mann kam auf sie zu. Tobias fiel auf, dass er keinen oder noch keinen Bart trug. Ihre Entführer setzten sich zu den Spielenden und schienen kurz zu erzählen, wie alles geklappt hatte. Der Bärtige führte auch hier das Kommando.

Der junge Mann stand nun direkt vor ihnen und sah sie aus großen, ungläubigen Augen an. Dann streckte er seine Hand aus, ganz vorsichtig. Max wich zurück, zog seinen Arm weg, den der Mann offenbar ergreifen wollte. Auch der Junge schien sich erschrocken zu haben. Aber er machte einen zweiten Versuch.

»Lass ihn doch!« mischte sich Tobias ein, der die kleine Szene erstaunt mit angesehen hatte. »Ich glaube nicht, dass er dir etwas tun will.«

Und richtig, der Junge wollte Max nichts tun, nur seinen Arm berühren. Als Max den nun nicht wegzog, strich der Mann mehrmals über die Haut, ganz sacht.

Und staunte.

Dann rieb er etwas fester. Sein Staunen blieb.

Einer der Männer aus der Runde rief etwas. Es hörte sich höhnisch und beleidigend an. Der bartlose Junge zog seine Hand schnell weg und ging zurück zu den älteren Männern. Irgendwie sah er schuldbewusst aus. Trotzdem konnte er sich nicht beherrschen und sah immer wieder mit diesem staunenden Blick zu ihnen herüber.

»Ist der schwul?«

Max wusste die Sache nicht recht einzuordnen. Immerhin hatten sie hier in Indien schon viele junge Männer Händchen haltend durch die Straßen laufen sehen. Die waren sicher nicht alle homosexuell veranlagt, sondern hatten durch die gesellschaftlich verordnete Trennung der Geschlechter eher ein Defizit an körperlicher Nähe und Geborgenheit. Trotzdem, man konnte ja nie wissen!

»Ich glaube eher nicht!« meinte Tobias. »Ich vermute, er hat noch nie einen Weißen gesehen. So wie der staunt!«

»Und dann wundert er sich, dass die helle Farbe nicht abgeht, oder was?«

»Genau!«

Wo waren sie hier bloß gelandet?!

Jemand schien die Zeit angehalten zu haben. Gelangweilte und auf etwas wartende Männer, gelegentlich Vogelschreie aus dem Dschungel, selten eine ferne Hupe – nichts geschah. Auch als die Dämmerung hereinbrach, änderte sich wenig. Die Männer rauchten, entfachten ein kleines Feuer und spielten weiter Karom. Einige reinigten ihre Waffen. Irgendwann legten sie sich einfach auf den Boden und schliefen. Männer des Dschungels. Männer ohne Heimat.

Der Bärtige und sein Kumpel mit der Hakennase kamen zu ihnen. Der Geier trug unter einem Arm sein Gewehr und unter dem anderen Decken und Matten, die er in eine der Hütten warf. Der Bärtige wies sie an, sich hinzulegen und zu schlafen. Also krochen sie in die Hütte. Der Geier setzte sich so vor den Eingang, dass er die ganze Hütte im Blick hatte.

»Na, dann gute Nacht«, meinte Max. »An eine Flucht ist also nicht zu denken. Ich hoffe und bete, dass Morgen ein glücklicherer Tag ist.«

Tobias sagte nichts mehr. Was nützte das auch? Sie beide hatten Angst. Sie machten sich Vorwürfe, dass sie sich auf Krishnas Einladung eingelassen hatten. Hätten wir doch... Im Moment machten solche Gedanken und womöglich gegenseitige Vorwürfe ihre Lage nur schwerer.

Durch die Zweige des losen Daches sahen sie Sterne glitzern. Es waren dieselben Sterne, die auch in Deutschland schienen. Auch der Mond, der später aufging, war derselbe, den auch seine Frau heute Nacht sehen konnte. Wenn auch ihre Nacht erst später beginnen würde... Tobias schlief ein und hoffte, von seiner Frau zu träumen.

*

Er fluchte, als er wieder einmal durch ein Schlagloch knallte. Über ihm jaulte die Sirene. Der Schlag ließ den Innenspiegel, der nur noch an zwei Schrauben hing, scheppern. Der Mann neben ihm klammerte sich am seitlichen Griff fest und bemühte sich vergeblich, gleichgültig zu wirken. Er trug gefleckte Tarnkleidung und war bewaffnet. Es war der Leiter des Einsatzkommandos. Chidambaram hupte mehrmals. Diese Sonntagsfahrer! Fuhren nicht einmal zur Seite, wenn sie von Blaulicht und Sirene bedrängt wurden. Wo hatten die nur ihren Führerschein her? Wahrscheinlich auf dem Schwarzmarkt gekauft.

Rechts und links lagen die Steinbrüche. Die Arbeit begann gerade. Unzählige Lastwagen reihten sich vor den Förderbändern und warteten auf ihre Beladung. Der Inspektor war wütend. Er hatte es nicht nur eilig, er schäumte innerlich und setzte seine Gefühle direkt in seinen Fahrstil um.

»Pfeife!« schimpfte er, als er fast einen Motorradfahrer streifte. »Fahr zur Seite!«

Was heute früh passiert war, hatte er nun gar nicht erwartet.

Sein großer Tag war gestern gewesen. Sie hatten die Deutschen erwischt. Babu und das Einsatzkommando hatten supergute Arbeit geleistet. Noch vor Rajamundhri, genau passend für das Gefängnis in Kovvur, hatten sie den Bus gestoppt, die Ausländer festgesetzt und dann eingesperrt. Als Babu anrief, hatte er gerade mit Regierungsvertretern und Experten vom Geheimdienst der Landesregierung in der Sitzung gesessen. Er hatte sich entschuldigt und den Raum für dieses dringende Gespräch verlassen. Welch ein Triumph, sie hatten die Deutschen! Und mit etwas Glück die Mörder.

Ganz gelassen hatte er danach die Sitzung hinter sich gebracht und war mit seinem Kollegen ins beste und teuerste Hotel Khammams zum Essen gegangen. Er hatte etwas zu Feiern und konnte sich nicht verkneifen, seinem Konkurrenten davon zu erzählen. Glückwunsch! Der war sichtlich neidisch auf den Erfolg. Natürlich brachte er gleich diverse ‚wenn' und ‚aber'. Wenn sie es aber nicht waren und so... Chidambaram hoffte, dass sie es waren. Dann würde er die Sache noch vor Pongal abgeschlossen haben, konnte seinen Job mit dem Personenschutz und der Veranstaltungssicherung durchziehen und danach zu seinen Eltern nach Vizag fahren.

An einer der Kanalbaustellen steckte ein Kleinbus im Schlamm fest. Sie versuchten, ihn mit einem Lastwagen herauszuziehen und blockierten die Straße. Wieder ein unfreiwilliger Halt. Chidambaram wusste, dass es eigentlich nicht auf eine Minute ankam. Trotzdem sprang er aus dem Jeep und schnauzte den Lastwagenfahrer an. Die Uniform schien besser zu wirken, als Blaulicht und Sirene zusammen. Der Mann fuhr sein Ungetüm von Laster zur Seite und zog den Kleinbus von der Fahrbahn. Vorsichtig fuhr der Inspektor durch die schlammige Pfütze. Dass nun auch er sich festfuhr, fehlte gerade noch. Aber es klappte. In kurzer Zeit würden sie am Ziel sein.

Als die schlechte Nachricht kam, hatte er gerade losfahren wollen, um seinen triumphalen Fang persönlich in Kovvur abzuholen. Babu hatte ihn noch gerade eben über seinen privaten Hausanschluss erreicht. Es sei etwas passiert. Und dann hatte er von einem Überfall auf das Gefängnis berichtet. Nein, Gewalt hatten sie nicht angewandt – es sei denn, Schmiergeld als Druckmittel fiele in diese Rubrik.

Der Inspektor war eher geschockt gewesen als aufgebracht. So etwas hatte er in seiner Laufbahn noch nicht erlebt. Da hatten sie inzwischen unzählige Infos über die des Mordes und Terroranschlages verdächtigen Deutschen, würden bald wahrscheinlich lückenlose Lebensläufe vorliegen haben und damit vielleicht auch Hinweise auf Hintermänner – und nun waren ihre Gefangenen verschwunden! Ärgerlich war zu milde ausgedrückt. ‚Peinlich' traf die Sache zumindest, was seinen Kollegen aus Khammam anging.

Er bog in den Hof des Gefängnisses ein. Der Einsatzleiter hatte ihm unterwegs alle Details von der Festnahme und der Übergabe an das Gefängnispersonal berichtet. Er hatte ihn mitgenommen, um keine Zeit zu verlieren und gegenüber den Beamten in Kovvur Unterstützung zu bekommen. Wer wusste, was die sich für Ausreden einfielen ließen.

Der Subinspektor des Gefängnisses hatte bereits eine Untersuchung eingeleitet. Der Ausbruch musste in der Nacht so gegen eins oder zwei erfolgt sein. Sie mussten jemanden beim Personal haben. Einer der Constabler, der gestern Nacht Dienst hatte, war zu Hause nicht erreichbar. Vielleicht hatte er die Türen geöffnet.

Chidambaram notierte sich Namen und Adresse. Dieser Mann musste gefunden und eingehend befragt werden. Andere Zeugen gab es nicht.

Er ließ sich die Rucksäcke bringen. Es gab sogar eine Liste der Gegenstände, die sich darin befanden. Nichts Verdächtiges. Interessant waren die Digitalkamera und die Papiere der Beiden. Oberflächlich schaute sich Chidambaram die Fotos auf der Speicherkarte direkt in der Kamera an. Die Weißen selbst waren nur wenige Male zu sehen. Einmal mit einer jungen Blondine in einer Autorikscha in der Stadt, einmal in Badehose am Strand, zwei Fotos zeigten sie zusammen mit einem jungen Mann im Zugabteil. Wahrscheinlich lückenlos belegt waren die bisherigen Stationen dieser mysteriösen Touristen. Tempel, Märkte, Stadtszenen, Landschaften... sofort erkannte der Inspektor das Charminar in Hyderabad und den Tempel in Bhadrachalam. Und wo sie die Krokodile fotografiert hatten, würde er auch bald herausbekommen. Ob er es hier doch lediglich mit harmlosen Touristen zu tun hatte?

Dagegen sprachen die letzten Fotos. Einige zeigten das Polizeirevier von Kukunuru, andere die Siedlung bei Gullavai. Also waren sie dagewesen! Sogar der Alte, noch putzmunter in Winterkleidung am Lagerfeuer, war deutlich zu erkennen. Einmal sah man auch den Jeep. Es war ein graues Allerweltsfahrzeug ohne jeden Schriftzug, der die Identifikation ermöglichte. Das Nummernschild konnte man nicht erkennen, dafür aber die Gestalt des Fahrers. Die Gestalt, mehr leider nicht. Er war Inder und schien einen Oberlippenbart zu tragen. Das war´s. Es war nur zu hoffen, dass die Experten mehr aus dem Foto machen konnten.

Chidambaram würde die Bilder genau untersuchen lassen. Drei waren allerdings dabei, wo er alles auf den ersten Blick erkannt hatte. Es war ein Foto von Kumari, eines von Kumari mit diesem dicken Deutschen und eines mit ihr und beiden Weißen zusammen. Die Fotos mussten kurz vor der Trennung am Busbahnhof aufgenommen worden sein, mit der Skulpturenwerkstatt neben dem Hotel im Hintergrund.

Der Inspektor, oder genauer, der Mann und Mensch Chidambaram, spürte, wie es in ihm zu nagen begann. Er kannte dieses Gefühl sehr genau, auch wenn er es seit Jahren nicht gespürt hatte. Eifersucht. Wieso hatten diese Deutschen ein Foto von Kumari? Warum war sie auf einem Bild allein mit dem Dicken abgebildet? Eine Gruppenaufnahme, okay. Aber allein und als Paar? Das war zumindest fragwürdig.

Er schloss die Kamera und wandte sich den Papieren zu.

»Habt ihr nur die Pässe? Kein Tagebuch, keine Kladde oder sonst irgendwelche Schriftstücke? Briefe, Quittungen oder so etwas?«

»Nichts außerdem«, antwortete der Gefängnisdirektor. »Ich selbst habe die Rucksäcke penibel durchsucht und diese Liste angefertigt. Ein kleiner Reiseführer ist noch da. Und einige Hotelquittungen und Fahrkarten von Chennai nach Hyderabad. Aber sonst nichts, was uns Hinweise liefern könnte.«

Was Hinweise liefern könnte, würde ich entscheiden, nicht du, dachte Chidambaram. Laut antwortete er:

»Habt ihr sonst noch etwas gefunden? Oder habt ihr Gespräche mitgehört?«

Nichts. Die beiden haben sich in einer fremden Sprache unterhalten, vermutlich Deutsch. Mehrfach wollten sie mit den Beamten reden, dies war jedoch unmöglich, da bei uns niemand Englisch sprach. Chidambaram war auch in dieser Sache mehrfach aktiv geworden. Die meisten Polizisten waren zu schlecht ausgebildet. Nur neun Monate Schulung – damit konnte man keinen qualifizierten Polizeidienst leisten. Wenn man noch drei Monate dranhing, konnte man als Mitarbeiter der Gefängnisbehörden arbeiten. Englisch kam in keinem der Ausbildungsgänge vor.

Der Inspektor besichtigte das Gefängnis und befragte die Gefangenen. Letztere hatten entweder nichts bemerkt oder sagten nichts. Irgendwann gegen zwei wollte jemand das Haupttor gehört haben. Es knarre auffällig. Er habe auch einige Personen über den Hof gehen sehen. Sonst nichts. Was also die Beschreibung der Entführer anging: Fehlanzeige. Chidambaram konnte es kaum glauben. Warum nur schlafen die Insassen von Gefängnissen immer so tief und fest, fragte er sich. Es musste entweder am kargen Essen liegen oder an der Kunst des Vergessens, die jeder Kriminelle bis zur Perfektion erlernte.

06. Januar: Der Frauen Schönheit

Tobias träumte nicht von seiner Frau, sondern von Kumari. Er wollte sie heiraten. Dann aber fiel ihm ein, dass er ja bereits glücklich verheiratet war. Außerdem wollte er seinem Freund Max die Traumfrau nicht wegnehmen. Er sagte Kumari das.

Plötzlich sprach er nicht mit ihr, sondern mit ihrem Bruder. Der fuchtelte mit einem Gewehr vor ihm herum. Wenn Tobias seine Schwester nicht heiraten würde, würde er ihn erschießen. Der Bruder sah aus wie jener kleine Inder mit dem unaussprechlichen Namen, den Max im Bus als Leibwächter engagieren wollte.

»Tobi, nun wach doch endlich auf!«

Diesmal stieß Max ihn an. Am Eingang der Hütte liebkoste der Geierwächter den Schaft seines Gewehres. Neben ihm stand der Junge ohne Bart. Er hielt das Frühstück in den Händen: Vier hart gekochte Eier, sechs Puri-Fladen mit etwas Kartoffelgemüse, serviert auf Bananenblatt. Immerhin, sie bekamen zu Essen. Im Gefängnis hatten sie zwar nach ausgefallener Mittagsmahlzeit am frühen Abend noch Reis und scharfes Gemüse erhalten, nach ihrer Entführung jedoch nur jene Doshai im noblen ‚Hotel Madras'. Entsprechend hungrig verschlangen sie die fettigen Puri und die Eier.

Der Mann mit der Geiernase schien trotz seiner Nachtwache ausgeruht zu sein. Jetzt zeigte er grinsend auf seine Waffe und meinte:

»SLR, Self Loading Rifle, very good, bagundhi!«

Aha, also war das nicht ein altes, klappriges Luftgewehr, sondern eine Automatikwaffe und der Typ war stolz darauf, sie zu besitzen. Max bat ihn, ihm die Waffe einmal zu geben, damit er sie sich genau ansehen konnte. Fast hätte der Mann diese Anfrage erfüllt, wäre nicht in diesem Moment der Bärtige auf sie zugekommen. Schnell zog der Mann sein Gewehr wieder an sich und wies auf die Waffe seines Chefs, der sie lässig über die Schulter gehängt hatte.

»AK47« nickte die Geiernase in Richtung des bärtigen Rebellenführers. Tobias hatte die Bezeichnung irgendwann einmal gehört. Ihm fiel jedoch nicht sofort ein, wo es war. Irgendetwas hatte AK47 mit den Russen zu tun. Das war es! Sie hatten tatsächlich eine Kalaschnikow vor sich, das weltweit berühmte Sturmgewehr aus der ehemaligen Sowjetunion.

»Kalaschnikow?«

Die Geiernase nickte begeistert. Der Bärtige blickte Tobias etwas irritiert an, wahrscheinlich erstaunt, dass der Deutsche die Waffe erkannt hatte.

Der Morgen im Dschungel war schön, jedenfalls was die Natur anging. Nebel stieg auf, immer mehr durchwoben von Sonnenstrahlen. Die meisten Bäume verloren zur Zeit ihre Blätter, einige hatten jedoch bereits frisches Grün angesetzt. Zwischen hohen Bäumen hingen Lianen herab, Schmarotzerpflanzen, von denen einige wunderschön blühten. Mehrere Bäume waren kahl, trugen jedoch wunderschöne, leuchtend rote Blüten. Max wusste, woher auch immer, dass dieser Baum im Volksmund ‚flame of the forest' hieß, ‚Flamme des Waldes'. Vögel flogen über sie hinweg oder hüpften in den Zweigen der

Bäume umher. Sie hatten einfarbig rote, grüne und blaue, aber auch Federkleider in allen möglichen Farben. Irgendwo schrie ein Tier. Ob es mit einem der hier vermutlich lebenden Tiger ums Überleben kämpfte? Vielleicht.

Nannten sich die Rebellen in Sri Lanka nicht ‚Tamil Tigers'? Vielleicht waren diese hier auch so etwas. Und sie, Max und Tobias, die Beute.

»Wir sollten uns nicht verrückt machen lassen!« sagte Tobias. »Im Moment können wir nichts als abwarten.«

Einen Dämpfer bekam die Schönheit der Natur, als Max, mit Zustimmung der Geiernase, hinter einen Busch ging, um sein Geschäft zu machen. Plötzlich rief er, merkwürdigerweise fast flüsternd:

»Tobias, komm sofort! Eine Schlange!«

Tobias und auch der Wächter spürten die Angst in seiner Stimme. Sofort sprangen sie auf und gingen die wenigen Schritte in Richtung Max. Der stand regungslos hinter einem Busch, hielt sich die Hose fest, die er zwar hochgezogen hatte, jedoch ohne den Gürtel zu schließen und starrte auf einen Felsblock etwa zwei Meter vor sich. Tobias folgte dem Blick seines Freundes.

Auf dem Fels lag eine Schlange. Sie war etwas über einen Meter lang und fast so schwarz wie der Stein, auf dem sie lag. Den Kopf hielt sie in die Höhe – so als ob sie ihrerseits vor ihrem Gegenüber erstarrte. Tobias wusste nicht, was zu tun war. Ihr Wächter schon. Er nahm einen Lehmbrocken und warf ihn nach dem Tier. Die Schlange zischte und verschwand im Unterholz.

»Buuuh, das war knapp!«

Max wirkte erleichtert, als er seinen Gürtel schloss.

»Ich sage ja: Kobra übernehmen Sie!«

Ein bisschen Schadenfreude klang mit, als Tobias das sagte.

»Du hast gut Reden! Ich stehe auf, da bewegt sich etwas auf dem Felsen. Und dann haben wir uns gegenseitig angeguckt. Na ja, es war ja wohl keine Kobra!«

»Das nicht«, meinte Tobias. »Ich glaube eher, es war eine Vipern-Art. Die sind manchmal noch gefährlicher als Kobras. Ich habe gelesen, dass man nach einem Kobrabiss noch vier Stunden Zeit hat, ein Gegengift zu nehmen, nach dem mancher Vipern nur noch zwei.«

»Na, das ist ja tröstlich! Ich werde jedenfalls in Zukunft noch mehr aufpassen!«

*

Der Fall lag in seinem Zuständigkeitsbereich. Also konnte er den Staatsanwalt in Rajamundhri überreden, dass die Untersuchungen auch weiterhin von Ashwaropeta aus geleitet wurden. Nur die Ermittlungen wegen der Bestechung von Beamten der Haftanstalt oder, wie Babu es ironisch nannte, der illegalen ‚Entlassung' aus dem Gefängnis, überlies er der Polizei von Rajamundhri. Außerdem benötigte er deren Unterstützung für die sofortige Fahndung nach den Flüchtenden. Sie hatten Zugriff auf die örtlichen Einsatzkräfte und konnten vor allem den Polizeihubschrauber mobilisieren, der etwa eine Stunde nördlich der Stadt auf dem kleinen Flughafen stationiert war. Sofort nach seinem Gefängnisbesuch war Chidambaram deshalb über die lange Brücke in die Stadt gefahren und hatte den Chefinspektor aufgesucht. Sie hatten in dessen klimatisiertem Büro gesessen, mit Blick auf den Fluss. Zuerst hatten sie den Staatsanwalt angerufen. Der war mit allem einverstanden, was zu schnellen Ergebnissen führte.

Chidambaram musste, als er dann mit seinem Kollegen die nächsten Schritte durchging, immer wieder sein Büro in Ashwaropeta und dieses hier vergleichen. Schon mit dem Gebäude fing es an. Dieses hier war eines Polizeireviers würdig. Die Sicherheitsvorkehrungen waren dezent aber wirksam schon beim Bau installiert worden. Kein Stacheldraht, keine Schießscharten oder zugemauerte Türen. Dafür Detektoren, Videoüberwachung und

Sicherheitsschleusen. Weiter ging es mit dem Flur. Hier hingen Fotos von Vorgängern des jetzigen Chefs. Chidambaram nahm sich vor, auch seinen Flur etwas liebevoller dekorieren zu lassen, von seinem Büro nicht zu reden. Er konnte es natürlich streichen lassen und Bilder aufhängen, vielleicht zeitgenössische Kunst. Aber diesen Ausblick hier, der war unersetzbar! Der weite Fluss zog majestätisch an ihnen vorüber. Einige Schiffe und Boote glitzerten, wenn die hoch stehende Sonne auf Glasflächen oder Metall an Bord traf. Und vor allem: Es war angenehm kühl. Die Klimaanlage war kaum zu hören. So ein Büro, dachte er, ob er jemals in einem solchen Büro arbeiten würde? Na, ja, immerhin hatte er Dr. Ambedkar vor seinem Fenster und einen unersetzlichen Babu.

Sie hatten sofort eine Fahndung eingeleitet. Straßensperren an der Brücke und auf allen Ausfallrouten. Nichts. Gegen neun Uhr hatten sie den Hubschrauber in der Luft. Wenn die Flüchtenden flussaufwärts gefahren waren, womöglich mit einem Boot, dann müsste er sie eigentlich finden. Nichts. Nur einige voll besetzte Touristenboote, diverse Fischerfamilien und ein Flößer mit riesigen Holzvorräten wurden aus der Luft identifiziert. Oder waren sie nach Norden geflohen? Dafür sprach, dass es in den unwegsamen Bergen dort ideale Verstecke gab. Manche der Camps waren der Polizei sogar bekannt. Allerdings traute sich selten ein Kommando in die Berge. Es war zu gefährlich, kannten die Naxaliten doch jeden Baum und jeden Dschungelpfad. Sie waren dort deutlich überlegen und hatten die Unterstützung vieler Tribals. Mancher Polizist hatte das bereits mit dem Leben bezahlen müssen. Wenn sie in die Berge müssten, dann nur mit Unterstützung der Armee.

Chidambaram runzelte die Stirn. Was tun?

»Ist es möglich, zivile Ermittler in den Norden zu schicken?« fragte er den Chefinspektor. »Sie könnten unauffällig nach Weißen fragen. Ob Freunde von ihnen durchgekommen seien, oder ob jemand Weiße in einem Fahrzeug hat vorbeifahren sehen. Irgendein unverfängliches Interesse müsste uns doch einfallen.«

»Gute Idee, ich weiß auch schon, wer.«

Sein Kollege griff zum Telefon. Nur wenige Minuten später standen zwei junge Männer vor ihnen, Zivilisten. Beide trugen Jeans mit Schlag und T-Shirt. Chidambaram fragte zuerst sich und dann sie, wo sie ihre Waffen hatten. Sie grinsten und einer zog das rechte Bein der Jeans etwas hoch. Am Knöchel trug er ein Halfter mit einer Polizeipistole.

Der Inspektor gab den Beiden Anweisungen und seine Handynummer.

»Informiert mich, sobald ihr eine Spur habt! Aber haltet euch von den Entführern und den Deutschen fern! Jeder Kontakt ist zu riskant!«

Dass sie sich oben in den Bergen nicht als Polizisten zu erkennen geben durften, war ihnen ohnehin klar. Also konnten sie ihren Einsatz beginnen.

Nun, am nächsten Tag, saß er schon seit den frühen Morgenstunden in seinem Büro und ging die Unterlagen durch. Langsam füllte sich der Ordner zu dem ungewöhnlichen Fall. Der Vormittag hatte vor allem Faxe, E-Mails und unzählige Telefonate beinhaltet. Ermittlungsarbeit. Delhi hatte sich gemeldet, als Babu ihnen die Namen der beiden Deutschen gefaxt hatte. Ihr Visum war in Hamburg ausgestellt worden, einer Stadt im Norden Deutschlands. Chidambaram fand das heraus, als er auf einer alten Europakarte zuerst Deutschland und dann Hamburg suchte. Es war lange her, dass er die Schulbank gedrückt und etwas mit diesem Teil der Erde zu tun hatte. Es waren Touristenvisa, gültig für sechs Monate.

Babu hatte wirklich gute Arbeit geleistet.

Die Verdächtigen waren am 26. Dezember über Dubai

eingereist. In Chennai wohnten sie zunächst im Gästehaus des YWCA. Kontakt hatten sie dort keinen – bis auf den zu einer jungen Schwedin, die ebenfalls dort wohnte. Allerdings sollte ihnen dort jemand eine Nachricht hinterlegt haben. Bereits nach zwei Nächten in Mamallapuram und einem touristischen Programm (daher die Krokodile!) sind die beiden mit dem Charminar Express nach Hyderabad gefahren. Dem Inspektor kam das seltsam vor. Warum blieben die beiden nicht ein paar Tage länger am Strand? Warum besichtigten sie nicht die heilige Tempelstadt Kanchipuram, oder Pondicherry? Warum zog es sie so schnell nach Andhra Pradesh? War das touristische Programm womöglich nur vorgeschoben und die Deutschen sozusagen Alibitouristen? Er rief Babu.

»Gute Arbeit, Babu!«

Der strahlte.

»Nun bitte ich dich, noch einmal bei Interpol nachzufragen. Haben die was über die Deutschen? Wenn irgend möglich, brauche ich auch direkten Kontakt zur deutschen Polizei. Die sollen sich am besten über ihre Schützlinge informieren und die Informationen dann per Fax schicken. Vielleicht wäre es auch gut, wenn du das deutsche Konsulat in Chennai informierst. Die rufen sonst sowieso an, weil sie von ihren Behörden eingeschaltet werden. Also, ich brauche alles, was du über die beiden herausbekommst.«

Babu hatte sich alles notiert. Aber der Inspektor war noch nicht fertig.

»Soweit die Profile der Verdächtigen. Wichtiger noch sind allerdings ihre Kontakte hier in Indien. Von wem war die Nachricht im Gästehaus der YWCA? Und wie lautete sie? Wer war der junge Hindu, der sie in Bhadrachalam begleitet hat? Frag dort noch einmal nach und auch in Hyderabad. Wie sind sie nach Kukunuru gekommen? Per Bus, mit einem PKW – oder wie sonst? Wen haben sie getroffen? Wo genau waren sie in den ersten drei Tagen dieses Jahres. Ich will einen präzisen

Zeitplan von dem, was sie vor ihrer Busfahrt gemacht haben.«

Sein Sekretär verließ das Büro. Er würde wahrscheinlich bis Mittag beschäftigt sein.

Chidambaram musste an Kumari denken. Sein Frühstück heute hatte er in jenem ‚Hotel' schräg gegenüber eingenommen. Er hatte den Kellner nach den Weißen gefragt. Der hatte bestätigt, dass sie vorgestern dort gefrühstückt hatten. Und dass Kumari bei ihnen war. Was bloß hatte ausgerechnet sie mit dieser Sache zu tun? Noch gestern Abend, als er aus Rajamundhri zurück war, hatte er sie vorladen wollen, dann jedoch darauf verzichtet. Erst einmal waren das Täterprofil und die Verfolgung wichtig. Er wusste, dass er sich damit etwas vormachte. Wahrscheinlich hatte er Angst vor einer Begegnung.

Erst jetzt siegte seine Professionalität über seine persönliche Betroffenheit. Er griff zum Hörer. Die Nummer wusste er noch auswendig. Er wählte. Das Telefon in Nandipadu stand rechts neben der Eingangstür der rechten Wohnung auf dem Schränkchen mit den Familienfotos. Er hatte das Haus vor Augen. Und war aufgeregt.

Ihr Bruder meldete sich.

»Chidambaram, ich hoffe, du erschrickst nicht!«

Zuerst war es still am anderen Ende der Leitung, dann schroff und abweisend:

»Was willst du?«

»Ich möchte gerne Kumari sprechen. Es ist dienstlich.«

»Privat gäbe es ja wohl auch nichts mehr zu sagen.«

Ihr Bruder klang verärgert.

»Und dienstlich geht nicht. Sie ist nicht da.«

»Weißt du, wo ich sie erreichen kann?«

»Nein. Sie ist mit dem kleinen Babu unterwegs. Keine Ahnung, wo sie ist und wann sie zurückkommt.«

»Kannst du sie bitten, mich anzurufen, wenn sie wieder da ist?«

»Wenn es sein muss. Okay.«

Ohne Gruß legte sein Gegenüber auf. Der Inspektor ärgerte sich. Nun war die Sache schon so viele Jahre her, war zwischen Kumari und ihm längst geklärt – und doch trugen deren Angehörigen es ihm noch nach. Kumari war also irgendwo unterwegs. Ihm gefiel das ganz und gar nicht. Die Deutschen aus dem Gefängnis befreit und Kumari verschwunden. Hoffentlich gab es da keinen Zusammenhang!

Er wollte sich ablenken, nicht weiter an sie denken. Also rief er noch einmal nach seinem Adjutanten.

»Haben die beiden Zivilfahnder wieder angerufen?«

»Nein. Ihr letzter Anruf kam gestern Abend. Das Protokoll haben Sie bereits gelesen.«

Stimmt. Und es hatte ihm Hoffnung gemacht. Die beiden Fahnder waren gestern umgehend gen Norden gefahren, in die Berge. Sie hatten sich als Mitarbeiter einer Naturschutzgruppe ausgegeben. Angeblich wollten sie in den Bergen vom Aussterben bedrohte Pflanzen registrieren und warteten auf zwei weiße Experten, die zu diesem Zweck extra nach Indien gekommen waren. Und sie hatten Glück. In einem Imbiss kurz vor dem Naturschutzgebiet, dem ‚Hotel Madras', waren zwei Weiße gesehen worden. Niemand hatte allerdings mit ihnen gesprochen. Vier Einheimische waren bei ihnen. Der Zeuge meinte, es seien zwielichtige Gestalten gewesen. Der Wirt des Hotels habe nur mit den Schultern gezuckt. Ihm sein nichts aufgefallen. Aber es war ihm anzumerken, dass er Angst hatte. Die Ermittler hatten ihn in Ruhe gelassen, um zu verhindern, dass er ihr Interesse an die Entführer weitergab. Sie sagten, dass sie weiter in die Berge fahren wollten.

Das war gestern Abend. Jede Minute rechnete Chidambaram mit einem Anruf der Ermittler oder seines Kollegen aus Rajamundhri. Noch in der Nacht hatte sich ein Spezialkommando auf den Weg gemacht. Es war den beiden Zivilfahndern gefolgt, in sicherem Abstand und mit neutralen Fahrzeugen. Vierundzwanzig Mann. Das war zwar nicht die Armee, aber doch eine starke Truppe.

Der Anruf kam erst kurz vor zwölf.

»Wir haben sie!«

Chidambaram sprang auf. Endlich!

»Wo sind sie? Habt ihr sie – oder wisst ihr, wo sie sind?«

»Wir wissen, wo sie sind. Sie verstecken sich in einem Camp im Westen. In der Nähe ihres Versteckes betreiben einige Tribal-Familien eine Station zum Schutz der Tiger. Wir nennen den Ort ‚Tigercamp'. Sie sind wahrscheinlich schon seit gestern Mittag dort. Wir warten jetzt auf die Einsatzkräfte und gehen dann rein…«

Der Mann klang euphorisch. Hoffentlich mit Recht. ‚Zum Schutz der Tiger' ging Chidambaram noch durch den Kopf, als er aufgelegt hatte. Womöglich hatten diese Tiger zwei Beine. Wer weiß, was dort oben in der Wildnis jetzt alles geschah. Hoffentlich würde niemand zu Schaden kommen. Der mit der Knöchelwaffe schien ziemlich draufgängerisch und von sich selbst überzeugt zu sein. Eine Eigenschaft, die im Krieg mit Terroristen tödlich enden konnte.

Wenn er doch nur Kumari erreichen würde!

*

Einige Stunden später, die Sonne stand bereits so hoch, dass ihre Strahlen den Boden der Lichtung erreichten, kam Bewegung ins Camp.

Ein junger Mann tauchte plötzlich aus dem Dschungel auf. Er sprach mit den Rebellen. Diese diskutierten daraufhin heftig und schauten dabei immer wieder zu Max und Tobias hinüber. Offenbar waren sie sich nicht einig, was zu tun war. Am Ende schien der Bärtige ein Machtwort zu sprechen. Er steckte sein langes Messer ein, mit dem er gerade eine Papaya aufgeschnitten hatte, rückte seine AK47 zurecht und gab den anderen einen Wink, ihm zu folgen. Im Aufbrechen schienen diese Männer geübt zu sein. Innerhalb von Minuten hatten sie alle Habseligkeiten in Tüchern und Rucksäcken verstaut. Der Bartlose schnallte sich das Karom-Brett von fast einem Quadratmeter Größe, umwickelt mit einer Art Bettlaken, auf den Rücken. Noch ein kurzer Blick in die provisorischen Hütten, die Feuerstelle eingeebnet und der Abfall nach verräterischen Hinweisen durchsucht – und schon nahmen sie die beiden Geiseln in die Mitte und marschierten los.

Sie brauchten etwa zwei Stunden bis zur Straße. Den Jeep hatten ihre Entführer wahrscheinlich in einer der Hütten am Bach versteckt. Nun stand er abfahrbereit am Straßenrand. Der Bärtige, die Geiernase, der Bartlose und noch zwei Naxaliten stiegen ein und nahmen die Gefangenen in ihre Mitte. Die anderen aus dem Camp marschierten zu Fuß davon und verschwanden nach einem kurzen Stück auf der Landstraße wieder im Wald. Diese Menschen schienen im Wald zu leben und von Camp zu Camp zu ziehen, immer auf der Flucht.

Wieder ging es über Serpentinen durch dichten Wald. An einer tiefen Schlucht über dem Fluss war die Straße durch einen Erdrutsch zerstört und wurde repariert. Allerdings waren heute keine Arbeiter zu sehen. Teilweise war die Fahrbahn unterspült. Während der Regenzeit mussten hier Unmengen Wasser gen Tal gedonnert sein und Erde und Geröll mit sich gerissen haben. Es ging weiter hinab. Die Serpentinen waren eng und der schmächtige Fahrer konnte oft nur im zweiten Gang vorankommen. Steine lagen auf der Straße, vom Sturm abgeknickte Bäume mussten umfahren werden. Manchmal wirkte die Straße wie ein Hohlweg und schnitt eine Kerbe zwischen rote Lehmwände oder schwarzen Fels. Mehrmals überquerten sie Bäche und Flüsse. Die Brücken waren defekt. Einmal befahlen die Männer, den

Jeep zu verlassen. Ganz langsam dirigierte der Bärtige das Fahrzeug über eine Brücke. Auf beiden Seiten waren nur wenige Zentimeter Platz, um sie zu passieren.

An den Stromschnellen unterhalb der Brücke angelten einige Jugendliche. Sie trugen kurze, dunkle Shorts und standen bis zu den Knien im Wasser. Immer weiter hinab schlängelte sich der Jeep durch die wieder wunderschöne Landschaft. Manchmal lagen Bambusstangen neben der Straße. Braune, fast schwarze Männer, oft nur mit Lendenschurz bekleidet, hockten neben ihnen oder kamen mit Bambusbündeln aus dem Dschungel. Wahrscheinlich hatte die Forstbehörde sie engagiert, um Naturbambus zu schlagen. Das Meiste ging vermutlich in die Papierfabrik nach Bhadrachalam.

Das Gebirge wurde flacher. Zwischen jüngeren Bäumen standen einige alte, große Laubbäume. Hier war der Wald vor Jahren abgeholzt worden. Sie passierten schwarze, große Felsenformationen, dann wieder gerodete Flächen mit jungem Buschwerk. Es folgten Aufforstungen. Die Teakbäume waren höchsten fünf Jahre alt. Und plötzlich fuhren sie durch flaches Land. Eine weite Ebene tat sich auf, am Horizont erneut von bewaldeten Bergen begrenzt. An der nun besser befahrbaren Landstraße standen riesige Tamarinden, die Schatten spendeten. Ein kleines Dorf mit nur wenigen Hütten lag vor ihnen. Und wieder gab es einen Kontrollposten mit Schlagbaum. Diesmal war er mit zwei bewaffneten Uniformierten besetzt. Tobias stieß Max an, als sie darauf zufuhren und wies auf die Polizisten – oder waren es Forstbeamte?

»Na, gleich wird es brenzlig!«

Ehe Max antworten konnte, waren sie bereits am Posten vorbei. Die Männer mit den Gewehren hatten die Uniformierten einfach nicht beachtet.

»Von wegen brenzlig«, meine Max. »Entweder die sind einfach nur cool oder die haben hier alles im Griff und kennen die Kontrolleure.«

»Ich habe langsam kaum noch Hoffnung, dass die Polizei uns hier findet.« Tobias klang resigniert, zumal er sich durch die Fahrt mit offenem Fenster einen leichten Schnupfen zugezogen hatte. Er sprach mit leiser und heiserer Stimme.

»Mir scheint, das ganze Gebiet ist voll in der Hand dieser Guerillas oder was diese Naxaliten sonst sind.«

»Die Frage ist nur, was sie mit uns vorhaben!«

»Ich habe noch nie gehört, dass Touristen in Indien verschleppt wurden. Im Jemen, ja, in Afghanistan oder irgendwo im Irak – aber in Indien?! Irgendwas ist hier oberfaul!«

Dann, nach einer kurzen Denkpause, ergänzte Tobias:

»Ich fand, der Aufbruch aus dem Camp erfolgte reichlich plötzlich.«

»Der Typ, der aus dem Wald kam, hat dem Bärtigen eine Nachricht gebracht. Daraufhin sind wir aufgebrochen. Vielleicht mussten wir fliehen, weil sie uns auf dem Fersen sind.« Max hatte wahrscheinlich Recht.

Sie kamen in ein größeres Dorf. ‚Chintur' stand am Ortsschild. Eine breite Straße zweigte gen Norden ab. Sie fuhren geradeaus weiter, nun in hohem Tempo. Die Entführer hatten wahrscheinlich keine Lust auf Kontakt mit der Bevölkerung. Sie fuhren über eine Brücke und überquerten einen breiten Fluss, der gen Süden floss.

»Du, das ist die Sabari!« rief Tobias erstaunt. »Wenn mich mein Ortssinn nicht ganz täuscht, müssten wir jetzt weit oberhalb der Stelle sein, wo die Sabari in die Godavari mündet!«

»Das könnte sein«, murmelte Max.

Er drehte sich um und fragte den Bärtigen:

»Sabari? Sabari?«

Der nickte.

»Dann sind wir wieder im Stammesgebiet der Koyas.«

Tobias schien wenig erstaunt.

»Ich fürchte fast, wir werden unseren Freund Krishna wiedersehen.«

»Freund? Wer solche Freunde hat, braucht keine Feinde!« Diesen Spruch schien Max sehr zu mögen.

Tatsächlich bogen sie nach wenigen Minuten nach links ab und fuhren auf einer sehr engen und von Schlaglöchern übersäten Straße gen Süden.

»Ich hatte also Recht!« meinte Tobias. »Nun fahren wir wieder in Richtung Kunavaram. Ein großer Kreis schließt sich!«

Rechts erhoben sich wieder Gebirgszüge, zum Teil sehr hoch. Sie waren entweder aufgeforstet oder aber nach dem Raubbau des Holzes der Natur überlassen worden. Links lag ein weites, wunderschönes Flusstal vor ihnen. Als sie die Sabari überquert hatten, konnten sie von der Brücke aus erkennen, dass direkt am Fluss fruchtbare, grüne Felder angelegt waren und dort Reis, Tabak, Chili und Zuckerrohr wuchsen. Jetzt, von der Straße aus, sahen sie nicht bis zum Fluss. Ihr Blick wurde durch Büsche und Bäume behindert.

»Dann ist dies das Tal, das durch den Stausee vernichtet wird!« meinte Max. »Welch ein Jammer! Es ist wunderschön!«

»Ich würde sagen, es ist ein Jammer, weil so viele Existenzen vernichtet werden. Es geht hier doch nicht einfach nur um die Schönheit einer Landschaft. Wir haben diverse Dörfer gesehen. Flussauf und flussabwärts liegen weitere. Die sollen alle deportiert werden? Kaum vorstellbar!« Tobias hatte das Gefühl, ein bisschen belehrend mit Max zu reden und ergänzte deshalb:

»Aber du hast recht. Nicht nur das Gebirge, auch dieser Fluss und seine Umgebung sind genauso schön, wie Krishna es uns schon in Dubai erzählt hat.«

»Nun nimm bloß nicht noch diesen Krishna Rama in Schutz!«

Sie fuhren durch Wald. Manchmal gab es ein Bushaltehäuschen aus Beton, mit Plakaten beklebt. »Aral, Germanys No.1« stand auf einem der Häuschen. Das blau-weiße Reklamegemälde bedeckte die ganze Wand.

»Na toll«, meinte Max, »die Multis waren schon vor uns hier!«

Einer der klapprigen Überlandbusse kam ihnen entgegen und der Jeep wich respektvoll aus.

»Gegen diese Ungetüme kommen auch Gewehre nicht an!« kommentierte Max den Vorgang.

Eine halbe Stunde später bogen sie in einen schmalen Feldweg ein. Er führte nach Westen, steil hinauf in die Berge auf der vom Fluss abgewandten Seite. Nach etwa zwei Kilometern mussten sie aussteigen. Vor ihnen parkte unter zwei riesigen Bäumen mit dichter Krone ein Tata Jeep. Er war grau. Der Fahrer stellte seinen daneben. Beide Fahrzeuge waren unter den Blättern aus der Luft heraus nicht zu sehen.

»Go!«

Der Bärtige dirigierte wieder mit der Kalaschnikow.

Sie stapften den Pfad entlang, der zwischen Büschen, Baumstümpfen und einigen großen Bäumen, die den Kahlschlag überlebt hatten hindurch führte. Später begann wieder dichter Wald. Gelegentlich schauten schwarze Felsen aus dem Boden.

Inzwischen musste den beiden Deutschen niemand erklären, dass sie auf Schlangen und andere Untiere achten sollten. Sie hatten drüben im Gebirge ihre Lektion gelernt. Sie waren sich sicher, dass es hier Unmengen an Kobras, Vipern, Skorpionen oder sonst was gab. Zum Glück gingen zwei Kidnapper voraus. Sollten doch die gebissen werden!

Nach etwa zwei Stunden erreichten sie ein Dorf, irgendwo zwischen zwei Bergkuppen gelegen. Die Hütten standen weit auseinander. Vor zweien waren hellbraune Rinder angebunden. Palmary reckten ihre schlanken Stämme gen Himmel, viele von ihnen mit Gefäßen der Toddysammler unter der Krone. Einige schwarze Ziegen knabberten an den Blättern eines Busches. Das Dorf machte einen idyllischen Eindruck, wenn auch nun, in der Mittagshitze, einen ausgestorbenen.

Die Gruppe ging auf eine der Hütten zu. Eine Frau kam heraus. Sie hatte einen alten, zerschlissenen Sari an. Man sah, dass sie arm war. Der Bärtige fragte sie etwas. Sie wies auf eine andere Hütte. Die Ankömmlinge gingen hinüber.

Als sie die Bambuspforte der Hofbegrenzung zur Seite schoben und zwischen kniehohen gelben Tagetes auf das mit Palmblättern und einer Kletterpflanze bedeckte Schattendach vor der Hütte zugingen, trat ein Mann heraus. Als er sich, gebückt durch die niedrige Tür kommend, aufrichtete, erkannten sie ihn.

Rama Krishna Rao, der Naxalit.

Diesmal trug er nicht seine westliche Kleidung, sondern eine einfarbige dunkelbraune Jacke und eine Hose mit braun geflecktem Tarnmuster. Jener Mann, der jedes Maß politische Verantwortung verloren hatte und einen Terroranschlag auf einen Staudamm plante, stand nun vor ihnen. Jener Mann, der allein sie in diese Lage gebracht hatte – einmal abgesehen von ihrer eigenen Naivität und Blauäugigkeit.

Sie standen sich gegenüber.

Max und Tobias suchten nach Worten. Was sollten sie sagen? Einen hysterischen Anfall bekommen? Ihrer Wut freien Raum geben? Oder besser ihre Verachtung zeigen? Was sie auf jeden Fall wollten: Wissen, worum es geht, warum sie hier waren und wie es weitergehen sollte. Wie auf Kommando stellten sie deshalb fast gleichzeitig ihre Frage:

»Warum?«

Tobias kam nur dieses eine Wort über die Lippen.

»Wozu das Alles?« fragte Max.

»Sorry. Ich hatte mir das Ganze auch anders vorgestellt.«

Dann reichte Krishna ihnen schweigend eine von zwei Zeitungen, die er in der Hand hielt. Es war der Deccan

Chronicle vom 4.1. Auf der Titelseite sah man die Polizeistation von Kukunuru und das Passbild eines Polizisten mit Uniformmütze. Die beiden Deutschen setzten sich auf eine Bank, die unter dem Schattendach stand. Sie lasen den Artikel. Die Überschrift war nicht zu übersehen: »Mord und Terror an der Godavari.«

»Khammam. In der Nacht zum 3. Januar wurde in Kukunuru (Khammam Dt.) der Chiefinspektor der dortigen Polizeistation ermordet. Mr. Satyam Rao starb im Alter von 48 Jahren und hinterließ drei Kinder. Fast zeitgleich zerstörte eine Explosion ein großes Gebäude einer Siedlung, die bei Gullavai (Yelerupadu-Mandal) für die Umsiedlung der vom Polavaram Projekt betroffenen Tribals von der Regierung erstellt wurde. Man fand den 67 Jährigen Wachmann der Siedlung erstochen neben seiner Hütte.

Zwei Weiße, deren Nationalität die Polizei noch nicht bekannt gibt oder kennt, sind jedes Mal in der Nähe gesehen worden und werden zunächst als Zeugen gesucht. Es könnte sich um jene ausländische Agenten handeln, nach denen bereits mit Hochdruck gefahndet wird. Wer sachdienliche Hinweise geben kann, möge sich bei Chefinspektor Chidambaram von Ashwaropeta melden, der die Ermittlungen leitet.«

Ein Artikel auf Seite 3 brachte weitere Einzelheiten zum Überfall auf die Polizeistation. Danach waren mindestens zehn mit Wollmützen maskierte Männer mit Schnellfeuerwaffen aufgetaucht. Sie hatten den Inspektor kaltblütig erschossen und sich dann mit den anderen Beamten eine Schießerei geliefert. Danach sind sie in einem grauen Jeep geflohen und untergetaucht. Wie dagegen das Gebäude bei Gullavai gesprengt wurde, wusste man bisher nicht. Anwohner im nächsten Dorf hatten lediglich einen lauten Knall gehört und dann das Feuer gesehen. Das abgedruckte Foto zeigte jenes Haus neben dem Wasserturm, das die Verwaltung des Dorfes beherbergen sollte. Zu sehen waren allerdings nur noch verkohlte Trümmer. Der tote Wachmann war erst am nächsten Morgen gefunden worden, da er hinter seiner Hütte unter einer Bambusmatte deponiert worden war. Der Mann war mit einem gezielten Stich schwer verletzt worden und wahrscheinlich erst nach längerem Todeskampf gestorben.

»Dann hast du also diesen Überfall durchgeführt?«

Max brachte es auf den Punkt. Sie hatten es hier mit Mördern und Terroristen zu tun. Ein Polizist, Familienvater, Ehemann und Sohn, war kaltblütig erschossen worden. Den alten Wachmann hatte man abgestochen wie ein Schaf. Beide hatten keine Chance gehabt. Wozu? Der Schaden an der Siedlung war zwar erheblich, dennoch wohl eher symbolisch.

Krishna antwortete. Und wieder spürte man ihm ab, dass er eher ein gebildeter Städter, denn ein Mann dieser Wildnis war.

»Nicht durchgeführt. Das waren andere. Ich mache die Logistik und die Pläne.«

»Natürlich«, meinte Max ironisch, »der feine Herr aus Bristol macht sich die Hände nicht selbst schmutzig. Für so etwas haben die Engländer ihre Eingeborenen.«

Krishna ging nicht auf die Bemerkung ein, verzog jedoch verärgert die Mundwinkel. Er reichte ihnen schweigend die zweite Zeitung. Sie war von heute.

Diesmal ging es um einen Artikel auf der zweiten oder dritten Seite. Zu sehen war das Tor der Haftanstalt von Kovvur. Die Überschrift lautete: »Europäer aus Untersuchungshaft entflohen.«

Der Inhalt beunruhigte die zwei nicht minder als der des ersten Artikels. Wurden sie dort noch als Zeugen gesucht, schien man sie jetzt für Täter zu halten. Es hieß dort:

»... zwei Deutsche, deren Identität die Behörden auf Bitte des deutschen Konsulats nicht preisgegeben haben, sind dringend der Mittäterschaft an den Morden an einem Polizeiinspektor und einem Wachmann verdächtigt und ebenfalls an der Beteiligung am Sprengstoffattentat von Gullavai. Sie werden im ganzen Land gesucht. Wie genau sie in der Nacht zum 5.1. aus dem regionalen Gefängnis von Kovvur entkommen konnten, ist bis jetzt unklar. Die Polizei ermittelt gegen zwei Angestellte der Haftanstalt, die der Bestechung angeklagt wurden.

Vermutlich stehen die Deutschen in Verbindung mit einer aktiven Zelle der Naxaliten. Wie genau diese Beziehung aussieht, ist bis jetzt nicht bekannt. Wir haben Informationen, dass es sich möglicherweise um jene ausländische Terroristen handelt, die seit Wochen gesucht werden. Die Naxaliten hatten gestern die Verantwortung für den Überfall auf die Polizeistation in Kukunuru und die Sprengung des Gebäudes übernommen. Es sei eine Aktion zur Befreiung Telanganas, ließen sie mitteilen. Sollte das Indira-Sagar-Projekt (bekannt als Polavaram-Staudamm) weiter vorangetrieben werden, würden weitere Aktionen folgen. Wer sachdienliche Hinweise über den Aufenthalt der Deutschen machen kann, melde sich bei einer beliebigen Polizeidienststelle.«

Es folgte eine oberflächliche Beschreibung der Gesuchten: Weiße, ziemlich groß, einer schlank, der andere stämmig.

Betroffen starrte Tobias auf die Zeitung.

»Scheiße!« sagte Max auf Deutsch. »Wir sitzen ganz schön in der Scheiße!«

»Ihr habt keine Wahl«, sagte Krishna. »Ihr solltet mir umgehend das Notizbuch geben.«

Darum also ging es. Das Notizbuch konnte der Gruppe um Krishna gefährlich werden. Es enthielt also tatsächlich genaue Angaben zum geplanten Attentat auf den Patwagu-Staudamm. In Tobias regte sich Widerstand. Sie konnten doch nicht alles so hinnehmen. Irgendetwas mussten sie doch tun!

»Welches Notizbuch?«

Krishna schien zu allem entschlossen sein. Er gab dem Bärtigen, der an einem der Pfosten des Schattendaches lehnte und sie misstrauisch beobachtete, einen Wink. Der machte einen Schritt auf Tobias zu und schlug ihm mit der flachen Hand ins Gesicht. Der Schlag war nicht stark, trotzdem flog Tobias Kopf zu Seite und er drohte zu stürzen. Max wäre beinahe auf den Bärtigen losgegangen, besann sich jedoch gerade noch. Der Schläger hielt ihm die Maschinenpistole vor den Bauch.

»Ihr solltet tun, was ich sage«, meinte Krishna und nun klang seine Stimme kalt und entschlossen. »Das Nächste mal wird er mit der Faust zuschlagen und dann mit dem Kolben seines Gewehres. Also, wo ist das Notizbuch? In euren Rucksäcken ist es nicht mehr.«

Tobias gab auf. Krishna wusste sogar, dass die Rucksäcke im Gefängnis durchsucht worden waren. Er holte das kleine Heft aus der Gesäßtasche und reichte es dem Terroristen.

»Bringt sie zu Ramadevu«, befahl dieser.

Zu den Deutschen gewandt sagte er:

»Ihr bleibt bei uns, bis wir unser Projekt abgeschlossen haben. Danach seid ihr frei!«

Der Geiertyp brachte sie zur nächsten Hütte und gab ihnen zu verstehen, dass sie im Bereich des von Bambusmatten umgebenen Hofes bleiben sollten. Bevor sie das Türelement das Zaunes, ebenfalls ein Bambusgeflecht, geschlossen hatten, sahen sie noch, wie Krishna und der Bärtige drüben zu streiten schienen. Der Bärtige zeigte immer wieder zu ihnen hinüber und brüllte Krishna an. Der antwortete ruhig und bestimmt und schien den Chef seiner Aktivisten damit zu besänftigen, jedenfalls vorerst.

Tobias und Max setzten sich auf die Pritsche vor der Hütte. Eine Frau kam und brachte Tee. Dazu servierte sie aufgeschnittene Papaya. Freundlich lächelte sie die beiden an. Welch ein Genuss, sowohl die Früchte als auch das Lächeln.

»Tja, und nun?«

Max bemühte sich, einfach nur sachlich zu klingen.

»Tut es noch weh?«

»Nein, es brennt nur noch etwas. Ein Schlag mit dem Gewehrkolben wäre unangenehmer gewesen.«

»Fast wäre ich auf den Typen losgegangen.«

»Gut, dass du es nicht gemacht hast. Vielleicht wäre dann dessen Knarre ebenfalls losgegangen. Oder er hätte dich abgestochen wie den Wachmann.«

»Und nun? Was machen wir nun, Tobi?«

»Was schon?« antwortete Tobias auf die offene Frage. »Wir können nicht das Geringste machen. Wir sind Geiseln.«

»Ich vermute, da draußen ist jetzt schwer was los wegen uns. Bei der Polizei, im Konsulat, beim Auswärtigen Amt in Berlin, bei unseren Freunden...«

»... und bei meiner Frau« ergänzte Tobias.

Er machte sich Sorgen, dass sie sich große Sorgen machte. Immerhin waren sie verschwunden, irgendwo in Indien verloren gegangen.

»Das geht bestimmt auch durch die deutsche Presse. ‚Deutsche des Terrors verdächtigt!' Ich sehe die Schlagzeilen der Bildzeitung direkt vor mir.«

»Immerhin rücken sie unsere Namen nicht raus. Sie haben unsere Sachen und Pässe. Also ist unsere Identität geklärt.«

»Ob sie uns suchen? Ob womöglich auch die deutsche Botschaft etwas unternimmt?«

»Keine Ahnung. Die GSG9 werden sie nicht schicken. Immerhin sind wir in ihren Augen nicht entführte Geiseln, sondern Mittäter. Die Presse hält uns sogar für ausländische Agenten, die bereits länger in Indien sein sollen. Hatten wir davon nicht schon in Hyderabad etwas in der Zeitung gelesen?«

»Schöne Scheiße«, sagte Max wieder und nahm sich einen frischen Papayastreifen.

Einige Minuten war es still. Irgendwo plärrte ein Radio. Die heiße Mittagszeit musste bald vorbei sein und dann würde wohl wieder Leben ins Dorf kommen.

»Immerhin ist diese Ramadevu ziemlich nett«, kommentierte Max den Tee, die Papaya und die etwa vierzig Jahre alte Frau. Jetzt stellte Letztere den Beiden sogar noch einen kleinen silbernen Teller mit runden, trockenen Keksen hin. Sie nickten der Frau freundlich zu und sahen sich um. Die Hütte war wie alle Stammeshäuser in dieser Gegend gebaut: Ein Balkengerüst, gedeckt mit Blättern der Palmary, die Wände mit Bambusgeflechten, die mit einer Mischung aus Lehm und Kuhmist verputzt waren, einer kleinen Tür und einem erhöhten Fundament, das ebenfalls mit Lehm und Dung glatt gestrichen war. Vor die Hütte waren frische Ornamente auf den Boden gemalt. An der Wand hing ein Jesusbild, ein lockiger Jüngling mit blutigem Herzen. Auf den braunen Kuhmistputz war ein weißes Kreuz gemalt.

»Das haut mich aber nun doch um!«

Diesmal war es Max, der als erster auf das religiöse Symbol reagierte. »In dieses Buschdorf führt keine Straße, aber Christen gibt es hier!«

»Und die arbeiten auch noch mit Terroristen zusammen!« sagte Tobias.

»Vielleicht sehen sie das anders.« Max machte ein nachdenkliches Gesicht. »Was für den einen Terroristen sind, sind für den anderen Freiheitskämpfer, Rebellen oder Widerstandsgruppen.«

»Und die ermorden Polizisten und verschleppen unschuldige Touristen?«

»Vielleicht meinen sie, sie seien im Krieg.«

»Du hast die Ohrfeige eben ja nicht bekommen«, sagte Tobias, »sonst würdest du diese Typen nicht auch noch verteidigen. Auch die RAF wähnte sich im Krieg und doch waren es Mörder und Terroristen. Und Pastorentöchter waren auch dabei!«

Max ging nicht weiter auf seinen Freund ein, auch wenn er sehr wohl merkte, auf wen der anspielte. Er wechselte das Thema.

»Was meinte Krishna denn eigentlich mit ‚Telangana'?"

»Keine Ahnung«, sagte Tobias, überlegte aber intensiv. »Irgendwo habe ich das Wort schon mal gehört oder gelesen. Mir fällt aber nicht ein, wo. Du kannst Krishna ja mal fragen.«

»Erstmal hoffe ich, den nicht so schnell wieder zu sehen. Du hast ja deutlicher als ich erlebt, wie kaltblütig er plötzlich werden konnte, als es um das Notizbuch ging. Jetzt erst begreife ich so halbwegs die Zusammenhänge!«

»Wirklich? Ich glaube, wir begreifen nur einen winzigen Teil des Ganzen. Sie wollten das Notizbuch und so verhindern, dass wir die Attentatspläne weiterleiten. Das ist ihnen ja nun auch gelungen. Sie haben das Notizbuch und uns als Geiseln. Und wir hatten bisher noch keine Gelegenheit, etwas auszuplaudern.«

»Und wieso sollte das nur ein Teil des Ganzen sein? Das reicht doch schon!«

»Und warum ist Krishna uns seit Dubai auf dem Fersen? Warum ist er in Chennai aufgetaucht? Warum hat er uns so massiv bearbeitet, nach Bhadrachalam und Kukunuru zu kommen? Das hatte doch von Anfang an einen Grund!«

Tobias hatte schon immer gut analysieren können. Während Max der Lebenskünstler war und das Leben mit viel Gefühl und Fantasie anging, zog Tobias die Vernunft, die Fakten und die Logik vor.

»Du meinst, es war nicht das Bemühen, uns mit der Landschaft und den Leuten seiner Heimat bekannt zu machen?«

»Das jetzt noch zu denken, wäre naiv«, sagte Tobias. »Krishna hat uns ganz eindeutig benutzt, von Anfang an. Er brauchte uns, um die Behörden in die Irre zu führen. Wahrscheinlich wollte er von Anfang an den Verdacht auf uns lenken, auf die Fremden. Ich vermute sogar, er selbst gehört zu jenen ausländischen Terroristen, die nach Indien eingereist sind. Immerhin kommt er aus Bristol und hat möglicherweise auch einen englischen

Pass. Und wir kamen ihm gerade recht. Uns konnte er benutzen, um von sich selbst abzulenken. Vielleicht war er es sogar, der die Polizei angerufen und auf uns aufmerksam gemacht hat. Er hat gewartet, bis wir im Bus waren, sozusagen außer Reichweite und dann hat er angerufen oder das jemand machen lassen. Nur das mit dem Notizheft hat er nicht eingeplant, weil er weder wusste, dass es ihm aus der Tasche gerutscht war, noch dass es dann in meine Tasche geriet. Und von meinem Klogang mit dem belauschten Gespräch zwischen ihm und diesem anderen Typen weiß er bis heute nichts.«

»Du könntest Recht haben«, sagte Max. »Das würde auch erklären, wieso er uns die Polizeistation in Kukunuru und die Siedlung gezeigt hat. Er selbst ist dort nicht in Erscheinung getreten, sondern saß unsichtbar im Jeep. Wir dagegen sind vor der Nase der Wachen und dieser Jungen auf den Mopeds herumspaziert. Und ich Idiot mache auch noch Fotos. Die kann die Polizei jetzt als Beweismittel gut gebrauchen. Krishna hat uns so richtig vorgeführt, im wahrsten Sinne des Wortes!«

Beide schwiegen. Innerlich schwankten ihre Gefühle zwischen Zorn auf Krishna, Ärger über sich selbst und Angst vor dem, was kam.

Langsam wich die Hitze. Die Dämmerung kündigte sich an. Auf den Pritschen, die Ramadevu für sie aufgestellt hatte, waren sie vor Müdigkeit sogar etwas eingeschlafen. Wahrscheinlich sollten sie hier auch übernachten, denn Kissen und Decken lagen bereit. Draußen hörte man Stimmen. Es näherte sich eine Gruppe Menschen. Das Türelement des Bambuszaunes wurde beiseite geschoben. Und plötzlich stand Max wie durch Zauberei auf beiden Beinen vor seiner Bettstelle. Dass er sich so schnell bewegte, hatte Tobias selten gesehen. Zuletzt hatte nicht einmal eine russische Schnellfeuerwaffe in indischen Händen das bewirken können.

Aber Kumari.

Sie stand plötzlich vor ihnen wie die Botschafterin aus einer anderen Welt.

»Hallo, ihr Fremden«, sagte sie und man sah ihr an, dass sie sich über das Wiedersehen freute. Vor allem Max sah sie mit ihren schwarzen Mandelaugen freundlich an. Er stand vor ihr wie ein kleiner Junge: In einer Hose, die aussah, als habe er gerade im Dreck gespielt und einem roten Kopf, als sei er soeben dabei erwischt worden. Kumari war jetzt mit einem dunkelgrünen Punjaby bekleidet, verziert mit gestickten Sternen. Zu diesem für unverheiratete Mädchen traditionellen Kleidungsstück gehörte eine helle Hose und ein Schal in der Farbe des knielangen Oberteils. Ihr Haar trug sie als Pferdeschwanz, gehalten von einer gelben Spange mit einer riesigen roten Blüte darüber. Ihre Füße steckten in einfachen Sandalen. Die silbernen Fußkettchen über ihren schlanken Knöcheln reflektierten die letzten Sonnenstrahlen. Kumari wurde ernst.

»Ich hätte nicht gedacht«, sagte sie, »dass ich euch so schnell wiedersehe.«

Ramadevu brachte ihr einen Tee. Der Jugendliche, der sie bis vor die Hütte begleitet hatte, bekam auch ein kleines Glas und hockte sich damit unter den Dachüberstand des Hauses. Er trug über seine dürren Beine eine hellblaue Jeans mit Fransen, ein eng geschnittenes bräunliches Hemd und eine Schirmmütze auf dem Kopf. Kumari stellte ihn als ihren Cousin vor.

»Nennt ihn einfach Babu!« sagte sie. »Babu hätte euch gerne schon kennen gelernt, als ihr bei uns zu Gast wart. Er war jedoch noch im Internat und ist erst am Tag eurer Abreise angekommen.«

Dann erzählte sie, warum sie hier war.

Nachdem sie die beiden an der Bushaltestelle abgesetzt hatte, war sie nach einem Einkauf in der Stadt wieder in ihr Dorf gefahren. Dann habe sie in der Zeitung gelesen, was in Kukunuru und Gullavai passiert war und gestern habe sie im Radio gehört, dass die beiden Deutschen ausgebrochen seien. Sie hatte von all dem nichts gewusst. Aber ihre Familie habe eben Kontakte. Max und Tobias sahen sich an. Terrorist und Christ unter einem Dach – stimmt, Kontakte in alle Richtungen!

Sie habe dann ein paar Erkundigungen eingezogen, erzählte sie. Ihr Vater habe einige Telefonate geführt und schon wussten sie, wo die Deutschen waren. Krishna hatte ihr dann gestattet, die beiden als Übersetzerin zu begleiten. Er selbst habe ohnehin keine Zeit, sich um sie zu kümmern.

»Ich will euch ja keine Angst machen«, sagte sie. »Aber diese Leute sind gefährlich. Krishna ist total von der Vernunft gesteuert. Er tut, was der Sache dient. Überflüssige Gewalt übt er nicht aus. Aber Anand ist gefährlich, sehr gefährlich!«

Schnell war klar, dass Anand dieser Bärtige war. Er war, wie sie jetzt erfuhren, der Führer der Aktionsgruppe ‚Befreites Telangana'. Das sollte, was immer das war, eine Untergruppe der ‚peoples war group', also der ‚Kriegstruppe des Volkes' sein. Und er war wahrscheinlich auch der Chef jener Leute, die die Polizeistation angegriffen und die Sprengsätze in Gullavai gelegt hatten. Wahrscheinlich war er es auch, der die tödlichen Schüsse abgegeben und den Wachmann erstochen hatte.

Kumari redete recht offen. Allerdings schien sie nicht zu wissen, warum die Naxaliten die beiden Deutschen aus dem Gefängnis geholt und entführt hatten. Sie vermutete, dass es um eine Lösegeldforderung ging.

Max wollte gerade ansetzen und ihr von dem Notizbuch und dem belauschten Gespräch erzählen, da unterbrach Tobias ihn.

»Wie bist du denn hierher gekommen, Kumari?«

Tobias traute der Sache und auch dieser hübschen Frau noch nicht und wollte wenigstens einige Geheimnisse für sich behalten. Wenn Kumari so eng mit den

Naxaliten verbrüdert war, dann war bei solch sensiblen Informationen möglicherweise ‚Blut dicker als Wasser'. Lieber, sie blieben vorsichtig.

»Ich bin zusammen mit Babu über den Fluss und dann mit dem Bus bis Arukuru gefahren. Von dort gibt es einen Dschungelpfad nach Gondikottagudem. Den haben wir genommen und waren nach gut zwei Sunden hier, zum Glück noch bei Tageslicht. Nachts möchte ich nicht allein durch den Dschungel gehen!«

Gondikottagudem war also der Name des Dorfes, in dem sie sich befanden. Kumari erklärte ihnen die Bedeutung:

»Gond, das ist ein weiterer Stamm in dieser Region. Die Gonda Reddi leben meistens in vereinzelten Gehöften in den Bergen, während die Koya die Täler oder die Flussufer vorziehen und in geschlossenen Dörfern siedeln.«

Inzwischen war es dunkel geworden. Ramadevu hatte eine Öllampe angezündet. In deren flackerndem Licht erschien Kumari vor allem Max wie eine Schönheit, die gerade einem orientalischen Märchen entsprungen war. Wie ihre Haut glänzte und ihre Augen funkelten! Wie sie sprach und sich bewegte. Er war mehr als angetan. Tausend und eine Nacht würde er am liebsten mit ihr verbringen. Mindestens!

Tobias bemerkte, dass auch Kumari Max irgendwie verklärt ansah. Aber das konnte auch an der Beleuchtung liegen.

Sie hörten Trommeln. Dumpfe und helle Töne wechselten sich ab und ergaben so etwas wie eine monotone Melodie. Das kleine Öllicht flackerte und ließ merkwürdige Schatten über die Wände des Hauses, die benachbarten Bäume und auch über die Gestalten unter dem Vordach zucken. Die Atmosphäre veränderte sich. Vorhin noch geprägt durch helles Licht, das alle Einzelheiten sichtbar machte und den Augen wehtat, war sie in der Dämmerung eher diffus und verschwommen. Jetzt aber, in der Dunkelheit, umgab sie eine Welt voller Geheimnisse. Irgendwo dort draußen lauerten Tiger, Schlangen, Wildschweine, angeblich auch Braunbären und... Naxaliten.

Die Trommeln hörten sich ein wenig wehmütig an. So, als ob die geheimnisvolle Welt, die sie umgab, unter einem Mantel von Trauer und Leiden lag.

Sie hörten Gesänge, helle Frauenstimmen.

»Was ist das?« fragte Max.

»Sie tanzen!« sagte Kumari. »Und sie singen ihre alten Lieder. Wollt ihr es sehen?«

»Natürlich gern«, antwortete Max. Tobias ergänzte:

»Fragt sich nur, was Krishna oder Anand dazu sagen.«

»Das kläre ich.«

Und schon war Kumari verschwunden.

Nach nur wenigen Minuten kam sie wieder und rief den beiden bereits vom Tor aus zu:

»Kommt, sie haben nichts dagegen. Fliehen könnt ihr von hier ohnehin nicht.«

Die beiden Männer und Babu standen auf und folgten Kumari in Richtung der Trommeln und des Gesanges. Beide gingen ausgesprochen dicht hinter ihrer Dolmetscherin her und vermieden es, den schmalen Pfad zu verlassen. Sie schien einen sicheren Instinkt zu haben, denn wann immer eine Bodenwelle oder Abbiegung kam, ein Baumstumpf sie hätte stolpern lassen können oder herabhängende Dornen den Weg behinderten, stellte sie sich sofort und geschickt darauf ein. Schon nach zehn Minuten kamen sie zu einem freien Platz vor einem Haus. Am Eingang der Hofstelle standen mehrere Öllampen auf Schemeln oder Plastikstühlen und beleuchteten eine eindrückliche Szenerie.

Etwa zwanzig Frauen tanzten. Sie bildeten einen Halbkreis, hatten ihre Arme über die Schulter der Nachbarinnen gelegt und tanzten gebückt gen Mitte der Runde. Es waren einfache Schritte. Drei junge Männer schlugen flache, große Trommeln und benutzten dazu dünne Stöcke, die sie virtuos zu handhaben wussten. Ein vierter Mann saß an einer Art Bongo, offenbar aus Ton und Tierhaut von Hand gefertigt. Die Rhythmen rissen mit.

Einige Männer und Frauen, die am Rand des Platzes standen, machten ihnen Platz, ob aus Höflichkeit oder Angst, konnte man nicht erkennen.

Das Mädchen am Ende der Kette von Tanzenden war die Vorsängerin. Später meinte Max, so sei es auch bei Shantys: Einer singt vor, alle anderen singen das Gehörte nach. Damit endete der Vergleich aber auch schon. Hier waren Melodien und Sprache so fremd, dass sie mit westlichen Musikstilen nichts mehr zu tun hatten. Mit denen aus der Hindukultur das Südens allerdings auch nicht. Was Max und Tobias sonst im Tempel, im Autoradio oder aus den Geschäften gehört hatten, war völlig anderes gewesen. »Eine Strafe für meine Ohren!« hatte Max einmal gesagt, als sie einem Hochzeitszug in Hyderabad zugesehen hatten und die aus Bläsern, Harmonium und Trommlern bestehende Band an ihnen vorbeigezogen war.

»Erstaunlich, dass sie das Musik nennen!«

Dies war Musik, auch für weiße Ohren. Stammesmusik. Monoton, sich immer wiederholend, aber rhythmisch, melodisch und ausdrucksstark. Die Mädchen gerieten immer mehr in Schwung, angetrieben von den Trommeln. Immer wieder drehte sich der Halbkreis um sich selbst, kam an seinen Enden fast zusammen. Einzelne Frauen reihten sich ein, andere, denen die Puste ausging, verließen die Gruppe.

»Was singen sie?« fragte Tobias Kumari. »Irgendwie klingt es, bei allem Tempo, doch traurig.«

»Du hast ein gutes Gefühl für Musik«, antwortete Kumari. »Es ist sehr traurig. Sie besingen den Raubbau des Waldes, die Zerstörung ihrer Lebensgrundlagen.«

»Was singen sie? Einen Protestsong?«

Kumari übersetzte sinngemäß: »Seht ihr die Schönheit dieses Landes? Seine Bäume voller Pracht? Die Ströme, Bäche und Seen? Die Früchte, Tiere und Felsen? Seht ihr die Schönheit dieser Mädchen? Dann sagt mir: Wer rettet diese Schönheit? Wer bewahrt unsere Bäume davor, gefällt zu werden? Wer schützt unser Wasser? Wer rettet unseren Lebensraum und versorgt uns mit Nahrung und Freude? Wer das vermag, dem und nur dem, gehört die Schönheit dieser Mädchen.«

Sie schwiegen. Ein Hauch der Traurigkeit dieses Liedes hatte sie ergriffen. Es war ein Protestsong, ja, aber auch ein Liebeslied an die bedrohte Heimat dieser Menschen.

Eine alte, gekrümmte Frau kam auf Max zu. Sie reichte ihm die Hand.

»Wandanalu!« sagte sie, was immer das bedeutete.

Es schien ein Gruß zu sein. Max erwiderte das Wort und drückte die knochige Hand der Frau. Die Frau strahlte. Sie sagte einige Worte und ging dann davon. Erst am späten Abend, als sie auf ihrer Pritsche lagen und dem Konzert des nächtlichen Waldes lauschten, musste Max wieder an diese Szene denken. Es fiel ihm auf, dass diese Frau außer Kumari die erste Inderin war, die ihm die Hand gereicht hatte. Selbst Männern hatte er kaum die Hand gegeben, sondern immer nur die eigenen Handflächen zum Gruß aneinandergelegt. Morgen wollte er Kumari fragen, was das bedeutete.

Zwei weitere Lieder und Tänze, erklärte Kumari, waren traditionelle Stammestänze ohne solch ernsten Hintergrund. Eines besang Mond und Sterne und lobte die guten Geister der Verstorbenen, ein anderes beschrieb den Kampf zwischen einem Mungo und einer Kobra. Jetzt, da die beiden den Inhalt wussten, merkten sie, wie gut die Melodien und die Inhalte zusammen passten und ein Lied keineswegs immer nur eine Kopie des Vorigen war. Die Melodien, die Schritte und die Trommeln waren jeweils unterschiedlich. Inzwischen hatten sich einige junge Männer eingereiht. Berührungsängste zwischen

Mädchen und Jungen schien es hier nicht zu geben.

Die bewegliche Kette tanzte ganz nah an die fremden Zuschauer heran. Sie öffnete sich. Kumari schob Tobias in die Lücke und plötzlich gehörte er zu den Tanzenden. Zuerst guckte er krampfhaft auf seine Füße. Doch die Schritte waren ganz leicht. Er musste nur einen Ausfallschritt zur Mitte machen, der mit einem Ruck endete und schon ging es weiter. Unglaublich! Eben noch fremd am Rand stehend - jetzt mittendrin!

Kumari schob auch Max in den Kreis und tanzte neben ihm. Seinen Arm dirigierte sie so, dass er über ihrer Schulter lag. Sie lachte dabei. Mit seiner Größe kam Max sich zwischen den kleinen, schlanken Gestalten wie ein Riese und Tollpatsch vor. Aber es war gar nicht schwer, sich mitreißen zu lassen. Nur dass er Kumaris Schulter unter seinem linken Arm spürte und mit seiner Hand immer wieder die Haut ihres Oberarmes berührte, irritierte ihn. Er kam, obwohl er ein wirklich gutes Taktgefühl besaß, immer wieder aus dem Rhythmus.

Es staubte, wenn die Füße über den braunen Boden stapften. Längst hatten Max und Tobias ihre Sandalen ausgezogen und sie irgendwo an den Rand geworfen. Wenn sie nach unten schauten, sahen sie rechts und links kleine braune Füße, viele davon mit silbernen Fußkettchen und dazwischen ihre zwei eigenen weißen Übergrößen. Gelegentlich, vor allem, wenn es besonders wild wurde und schnell, sahen sie auf und lachten sich gegenseitig an. Oder ihre Blicke trafen sich mit Kumari oder einem der anderen Mädchen oder Jungen. Und plötzlich waren sie Teil eines Ganzen, jedenfalls für diesen einen Moment. Sie waren keine Geiseln mehr, aber auch keine Touristen, waren weder Weiße noch Ausländer. Für diesen Moment waren sie Teil dieses bedrohten und doch so lebendigen Universums.

Max gab zuerst auf. Prustend verließ er den Kreis. Tobias folgte umgehend. Sie klatschten im Takt der

Trommeln und schauten zu. Kurz darauf kam Kumari zu ihnen.

»Na«, fragte sie, auch selbst noch außer Atem, »wie sind sie, unsere einheimischen Tänze?!«

Wie aus einem Mund antworteten Max und Tobias mit einem der wenigen Wörter, die sie sich auf Telugu merken konnten:

»Chaala Bagundhi! Großartig!«

Max fügte hinzu:

»So etwas habe ich noch nie erlebt!«

Und, als wolle er die universale Bedeutung dieses Erlebnisses betonen, ergänzte er:

»Selbst in Amerika nicht.«

Kumari und Tobias lachten.

Kurz darauf drängte Kumari zum Aufbruch. Besser, sie gingen zurück zum Quartier, bevor Anand käme und sie mit Gewalt ins Bett brächte. Kumari zog sich mit Ramadevu in die Hütte zurück. Max und Tobias bekamen eine Decke und ein dickes Kopfkissen und sollten auf der Pritsche unter dem Schattendach schlafen. Vorher putzten sie sich noch die Zähne mit dem Wasser aus einem Steinkrug. Ob das nun sauber war oder nicht, spielte jetzt auch keine große Rolle. Sie freuten sich, dass sie wenigstens ihr Waschzeug gerettet hatten und die Zahnpasta. So kam wenigstens ab und zu ein Hauch Zivilisation in ihr Leben.

Erst nachdem es um sie herum ganz still geworden war, sagte Max etwas.

»Schläfst du schon?«

»Nein, ich kann nicht schlafen. Ich muss an das alles denken.«

»Woran denkst du? An Krishna und Anand?«

»Ehrlich gesagt nicht«, antwortete Tobias. »Ich denke an diese Leute hier oben. Schade, dass wir nicht die sind, die kommen und sie erlösen.«

»Na, wenn schon, dann wäre aber ich für die Schönheit dieser Mädchen zuständig! Du bist immerhin frisch verheiratet! Doch du hast Recht, es ist wirklich deprimierend.«

Max seufzte, als spüre er sein Bedauern körperlich.

»Auch ich denke an diese Leute dort draußen. Sie sind so fröhliche Menschen. Und so freundlich.«

Beide schienen mit ihren Gedanken lieber allein bleiben zu wollen. Nach wenigen weiteren Sätzen schwiegen sie wieder und lauschten den Lauten des Dschungels. Ein Hund bellte. Die Öllampe war verloschen. Man sah den Mond zwischen den Bäumen. Er lag wie ein Schiff am Himmel.

»Selbst der Mond hier ist anders«, dachte Tobias. Und dann schweiften seine Gedanken doch zu ihrer aktuellen Situation. Sie konnten diesen Menschen nicht ihren Wald erhalten. Aber vielleicht konnten sie doch den anderen helfen, die von einem Attentat auf den Staudamm betroffen sein würden. Fragte sich nur, wie?

Max dachte an Kumari. Er schlief wie immer als Erster ein.

*

Der nächste Anruf kam am Abend.

»Sorry, wir haben niemanden gefunden«.

Sie waren ins ‚Tigercamp' gekommen. Die wenigen Alten und Frauen, die dort lebten, wussten angeblich von nichts. Sie hatten die Umgebung abgesucht und waren fündig geworden. Reifenprofile führten über einen kaum sichtbaren Pfad in den Dschungel. Sie waren ihnen gefolgt, vorsichtig und zu Fuß. Der Weg war zum Pfad, der Pfad zur Spur geworden. Und dann fanden sie die Lichtung. Drei Hütten, halb zerstört. Eine Feuerstelle, noch lauwarm. Aber keine Menschenseele. Und keine Deutschen.

Chidambaram war frustriert auch wenn er sich so etwas schon gedacht hatte. Die Buschtrommeln funktionierten im Dschungel besser als Handy und Internet in der Zivilisation. Stromausfall, Netzlöcher und technische Pannen gab es dort keine. Fremde fielen auf. Durchreisende wurden registriert. Und eine Kolonne ziviler Fahrzeuge, besetzt mit drahtigen jungen Männern – wer sonst sollte das sein, als Polizei oder Armee? Der Inspektor tröstete sich damit, dass sie eine deutliche Spur hatten. Bei der Durchsuchung des Camps hatten die Kollegen einen klaren Hinweis gefunden, dass die Deutschen dort waren: Toilettenpapier. Es waren zwar nur kleine, zerknüllte Fetzen, benutzt und unappetitlich, aber immerhin! Toilettenpapier in der Wildnis – das war wie eine Visitenkarte mit ‚Max Hoyer' oder wie ein ‚Hier war Tobias Grunert' bei einer Schnitzeljagd. Wahrscheinlich waren sie weiter gen Norden in die Berge geflohen. Oder doch in den Westen, zurück in die Zivilisation, um außer Landes zu kommen? Die Zivilfahnder wollten dran bleiben. Ihre Truppe sollte bis Chintur fahren, dort übernachten und morgen zurück nach Rajamundhri.

Er legte auf und griff zum Telefon.

Bei Kumari nahm niemand ab. Er entschloss sich, selbst nach Nandipadu zu fahren. Unterwegs konnte er in Vinnayakapuram halten und ihren Vater aufsuchen. Vielleicht war sie ja bei ihm. Chidambaram bat einen Constabler, ihn zu fahren und nahm noch zwei vom Wachdienst mit. Immerhin führte sie ihr Kurztrip ins Stammesland.

Und Stammesland war Naxalitengebiet.

In Vinnayakapuram war Kumari nicht. Ihr Vater war allerdings auch nicht anwesend. Angeblich machte er Hausbesuche bei Gemeindegliedern. Der Inspektor konnte es immer noch nicht fassen, wenn er an die Geschichte dieser Familie dachte. Der Sohn eines Terroristenchefs wird christlicher Pastor. Vater und Sohn leben Haustür an Haustür in einem Doppelhaus. Der Pastor und der Terrorist. Die Tochter des Pastors wird in einem der aus Deutschland gesponserten Kinderheime erzogen.

Dann studiert das Stammeskind in der ‚High Tech City' Hyderabad. Welch Kontraste! Und nun hatte sie Kontakt zu zwei Deutschen, die dringend des Mordes und des Terrorismus verdächtig sind.

Als sie nach Nandipadu weiterfuhren, erschien es ihm gar nicht mehr so abwegig, dass Kumari in die Sache verwickelt war. Deutsche kannte sie über die Kirche. Mit den Naxaliten und ihren Zielen und Methoden war sie aufgewachsen. Und in Hyderabad hatte sie wahrscheinlich auch internationale Kontakte. Er hatte sie seit über drei Jahren nicht mehr wirklich erlebt. Damals waren ihre Positionen immer sehr klar gewesen. Das (und nicht nur das!) hatte er an ihr so bewundert. Sie hatte klare Vorstellungen von den Menschenrechten, von der Verteilung der Ressourcen und vom Recht auf Lebensraum für die Adivasi. Vielleicht war sie in Verbindung mit dem Polavaram-Staudamm radikalisiert worden. Vielleicht hatte sogar sie die Deutschen engagiert. Vielleicht war sie selbst die Verbindung zwischen den Geldgebern in England, den Deutschen und den Naxaliten.

Ihm dröhnte der Kopf. Lichter huschten vorbei. Die Umrisse der stolzen Kokospalmen hatten sie vorhin im Dämmerlicht noch erkennen können. Jetzt fuhren sie wie durch einen Tunnel. Ob es am Ende wieder hell wurde? Wieder huschte eine Glühbirne vorbei. Eine Bushaltestelle. War er womöglich zu tief involviert? Er hatte sie geliebt. Oder war es eher Besitzerstolz? Wenn er neben ihr stand oder ging oder saß, war er sich vorgekommen wie ein König. Sie war seine Königin. Alle hatten sie als Paar bewundert. Dabei waren sie noch keines – aus ihrer Sicht. Ihre Eltern hatten bereits miteinander gesprochen. Sie wusste davon nichts. Er war damals in Kontakt mit der christlichen Kirche gekommen. Sie hatte gehofft, dass er sich taufen ließ, auch wenn sie es nie gesagt hatte. Doch dieser Schritt war zu radikal für ihn. So weit war er noch nicht und würde es jetzt wohl nie sein. Er war Hindu, wenn auch kein besonders religiöser Vertreter. Aber er sympathisierte mit den Christen. Die hatten etwas, was es in der Kastengesellschaft sonst nicht gab: Gleichberechtigung. Er hatte viele ihrer Gottesdienste besucht, damals. Seit jenem Vorfall war er allerdings nicht wieder in einer Kirche gewesen und die Spaltung dort hatte ihn auch nicht gerade motiviert.

Die Pforte war geschlossen. Er rüttelte daran. Dann griff er über den Zaun und löste den Strick. Er öffnete das Torelement und sah sofort, dass niemand da war. Der schwarze Fußboden glänzte im Licht einer Straßenlampe. Auch die glatte Oberfläche des Trinkwassers im Trog spiegelte das Licht. Beide Türen waren mit großen Vorhängeschlössern versperrt. Er rief etwas. Kumari. Babu. Niemand meldete sich.

Er fragte Nachbarn. Sie seien seit heute Vormittag weg. Wohin, wusste niemand. Auch die alte Mutter sei fort, vielleicht bei einem ihrer Söhne.

Auf dem Rückweg beschlichen Chidambaram trübe Gedanken. Hatte er sie nun nicht nur als Geliebte und Partnerin verloren, sondern auch als Freundin? War sie nun sein Feind, übergelaufen zur anderen Seite? Würde er sie verfolgen, jagen und am Ende ins Gefängnis bringen müssen? Je länger er darüber nachdachte, desto schlechter ging es ihm. Vielleicht sollte er den Fall doch abgeben. Sein Kollege in Rajamundhri würde ihn vielleicht übernehmen. Und sein Kollege in Khammam würde vor Freude in die Luft springen.

Nein, er würde das durchziehen! Bis zum Ende. Und am Ende würde er die Sache aufklären und die Schuldigen dem Gesetz ausliefern. Egal wer sie waren.

07. Januar: Am göttlichen Fluss

Anand stand mit seiner AK47 vor ihren Pritschen. Max wäre lieber von Kumari geweckt worden. Nun aber fauchte der Bärtige ihn an und zwang ihn, sich sofort aufzusetzen. Auch Tobias schreckte hoch. Kumari kam aus der Hütte unter das Vordach. Sie stritt mit Anand. Doch sie schien sich nicht durchzusetzen.

»Wir müssen sofort los!« sagte sie. »In Chintur ist ein Konvoi von Polizeifahrzeugen aufgetaucht.«

Irgendwie triumphierte Max, das sah man ihm an.

»Betet zu Gott«, ergänzte Kumari deshalb, »dass sie uns nicht finden. Wenn es eine Schießerei gibt, seid ihr in höchster Gefahr. Vergesst nicht, dass ihr Geiseln seid!«

Schnell stopften sie ihre wenigen Utensilien in die Plastikbeutel, zogen ihre an einer Bambusstange zum Lüften aufgehängten Hemden wieder an und waren reisefertig. Erstaunlich, wie bereits drei Tage Wildnis sie verändert hatten – jedenfalls verglichen mit dem komplizierten Rucksack-Packen zu Beginn ihrer Reise. Die Frage: »Was packe ich ein?« war jetzt jedenfalls leicht zu beantworten.

Ein Hahn krähte, ein anderer schien zu antworten. Im Gänsemarsch ging es durch das noch stille Dorf in Richtung Osten. Erst als es zu dämmern anfing, bemerkte Max, dass Krishna nicht dabei war. Nur drei Männer waren bei ihnen, Anand, der mit der Geiernase und ein drahtiger junger Mann, den sie vorher nicht gesehen hatten. Max machte Tobias auf das Fehlen Krishnas aufmerksam.

»Dieser Anand reicht mir auch!« murmelte der. »Am besten, wir sehen Krishna gar nicht wieder!«

»Das wird uns wohl nicht vergönnt sein, immerhin ist er unser Entführer. Und die Kidnapper tragen nun mal die Verantwortung für ihre Opfer!«

»So´n Quatsch!«

Tobias nervte der Humor seines Freundes manchmal, wenn er sich das auch selten anmerken ließ. Auch der Junge, Babu, war nicht dabei. Als Kumari ihn wecken wollte, erzählte sie später, hatte Anand sie angefaucht und es ihr verboten. Kumari konnte daran nichts ändern, war jedoch eigentlich froh, den Jungen außer Gefahr zu wissen.

Der dichte Wald wich bald einer frisch abgeholzten Fläche. Es sah aus wie nach Bombenabwürfen. Die dicken Stämme waren verschwunden, das Restholz und die Äste lagen kreuz und quer auf dem Boden und machten das Durchkommen schwer. Nun verstanden die Deutschen, was die Mädchen gestern meinten. Nur noch ein oder zwei Kilometer Kahlschlag, dann lag ihr Dorf im Freien.

Nach über zwei Stunden Wanderung, zeitweise auch querfeldein, kamen sie an die Straße. Sie überquerten sie oberhalb einer Kolonie grauer Häuser neben einer bunt angemalten Kirche mit einem kleinen Turm. Daneben stand ein Wasserturm.

»Schon wieder eine Kirche«, sagte Max und sah Kumari dabei an.

»Wir sind in Arukuru. Hier ist eine unserer Gemeinden. Unsere Präsidentin lebt in diesem Dorf, die ehemalige Priesterin.«

Mehr zu sagen war weder Zeit noch Möglichkeit. Sie kletterten über große, runde Steine ins Tal hinab. Bald ging es zwischen Tabak und Chilifeldern immer weiter Richtung Fluss. Max versuchte das Gespräch wieder aufzunehmen. Politiker, Naxaliten und jetzt noch Stammespriesterinnen, erstaunlich, wer hier alles Christ war.

»Und ihr habt hier überall eure Kirchen?«

Kumari lachte.

»Überall ist übertrieben«, sagte sie, »aber richtig, wir haben so gut wie in allen Dörfern einige Familien.«

Tobias ging hinter ihnen und hatte wahrscheinlich

nicht mitbekommen, worüber sie sprachen. Jetzt quetschte er sich auf dem schmalen Streifen zwischen zwei Feldern neben sie.

»Sag mal, Kumari, ist es nicht riskant für die, hier so offen durch die Gegend zu marschieren? Waren wir in den Bergen nicht sicherer?«

Kumari schüttelte den Kopf.

»Leider nicht. Die Verstecke in den Bergen sind nur so lange sicher, wie sie einzeln kommen. Aber genau das wagen sie nicht. Einzelne Polizisten oder kleine Gruppen hätten gegen die Trupps der Widerstandskämpfer keine Chance. Wenn sie allerdings mit einer ganzen Truppe aufmarschieren, ist es umgekehrt.«

Das leuchtete ein.

»Aber hier im flachen Land? Und eben in diesem Dorf? Da laufen wir doch wie auf dem Präsentierteller.«

»Eben nicht«, antwortete Kumari. »Arukuru ist eines der Zentren der Naxaliten. Unter dem Deckmantel der CPI, der Kommunistischen Partei, werden sie hier mehr als geduldet. Die Polizei wird es nicht wagen, hier einzumarschieren. Habt ihr oben an der Straße das Schild gesehen?«

Es war ihnen nicht aufgefallen.

»Die Bewohner von Arukuru warnen darauf alle Offiziellen: Leuten, die von Behörden kommen oder wegen des Polavaram-Projektes, ist der Zutritt zum Dorf verboten. Ihnen wird Prügel angedroht.«

»Das ist doch ein Scherz!« staunte Tobias.

Doch sie sah nicht aus, als scherzte sie.

»Arukuru ist selbst der Polizei zu heiß, also sind wir hier sicher.«

Inzwischen hatten sie den Fluss erreicht und blickten über eine hohe Steilküste auf ihn hinab.

»Das ist die Sabari«, erklärte ihre Begleiterin, »sie kommt oben aus Orissa und Chhattisgarh und fließt bei Kunavaram in die Godavari. Auch sie wird durch das Polavaram-Projekt aufgestaut. Und genau das könnte noch unsere Rettung sein, denn die Nachbarstaaten prozessieren gegen den Damm. Man hat sie nicht gefragt, sondern einfach Tatsachen geschaffen.«

Anand und zwei seiner Leute bogen nach rechts ab. Dort gab es einen Abstieg. Rohre führten vom Fluss zu einer Pumpe am Rand eines Tabakfeldes. Ein dicker Strahl schoss daraus hervor und bildete in diesem Teil des Feldes einen kleinen Tümpel, bis sich das Wasser dann über kleine Kanäle über die Felder verteilte.

Sie kletterten die Steilküste hinunter und hielten sich zeitweise am Rohr fest. Der Boden war glitschig und aufgeweicht. Max rutschte einmal aus und seine Hose bekam am Hinterteil erneut eine andere Farbe.

»Scheiße!«

»Was hast du gesagt?« fragte Kumari und schaute zurück.

»Nichts!«

Max wurde rot.

Das Ufer war lehmig oder sandig. An den sandigen Stellen war es abgebrochen und die sehr starke Strömung vergrößerte diese Einbrüche ständig. Es gab kleine Buchten, in denen das Wasser ruhiger war. In einer dieser Buchten lag ein Boot. Kumari nannte es ‚Launche'. Es war zehn bis zwölf Meter lang und knapp zwei Meter breit. Es hatte ein Dach aus Wellblech, darunter einen Fahrgastraum mit Holzbänken. Anand kommandierte die Gruppe mit der Waffe. Über eine Planke, die ein Bootsjunge für sie vom Boot auf den Sand legte, stiegen sie ein. Der Junge stellte sich ins Wasser und hielt Kumari und den Gefangenen die Hand hin, um ihnen einen Halt zu geben.

Max und Tobias staunten wieder, wie gut diese Naxaliten organisiert waren. Dabei hatten sie ihre Handys noch nicht einmal benutzt. Als sie Kumari gestern diese Beobachtung mitgeteilt hatten, meinte die nur:

»Mobile Telefone kann man orten und abhören. Und der indische Staat ist darin unübertroffen!«

Tobias hatte an die Stasi denken müssen. Ob es auch

in Indien einen derart aktiven Geheimdienst gab? Kaum vorstellbar, aber doch möglich – oder?

Sobald sie an Bord waren, legten sie ab. Es ging stromabwärts und wegen der Strömung kamen sie enorm schnell voran. Der starke Motor tat das Seine dazu. Immer wieder führten Rohre vom Fluss aus über die Steilküste. Gelegentlich saßen Frauen am Rand und wuschen ihre Wäsche. Manchmal hörte man sogar, wenn sie die nassen Kleidungsstücke auf einem Stein ausschlugen. Oben an der Steilküste sah man gelegentlich die Kronen der schlanken Palmary. Meistens waren allerdings nur Buschwerk und der blaue Himmel zu sehen.

Bald sahen sie eine Brücke vor sich. Das musste die Brücke bei Kunavaram sein.

»Sie führt nach V.R.Puram«, Kumari wies östlich, »und sie ist erst vor wenigen Jahren fertig geworden. Vorher war die andere Seite für Fahrzeuge nicht erreichbar.«

Anand fuchtelte mit der AK47 herum und befahl, dass sie ganz und gar unter Deck verschwinden sollten. Sie mussten sich auf die feuchten Bodenplanken setzen. Wahrscheinlich hatten die Männer Angst, dass die Brücke kontrolliert wurde. Kumari bestätigte diesen Verdacht. Weiße gab es hier sonst nicht, also mussten sie sofort auffallen.

Als sie sich wieder auf die Sitzflächen der Bänke setzen durften, lag die Brücke außer Sichtweite. Sie befanden sich auf der Godavari. Irgendwo dort hinten musste die Stelle sein, wo sie am Neujahrstag den Fluss überquert hatten. Auch hier war die Strömung stark, jedoch weniger reißend, als auf der schmaleren Sabari. Sandbänke, die sich nach Auskunft Kumaris ständig veränderten, bestimmten die Routenführung der Launches. Die Schiffer brauchten viel Erfahrung, um hier nicht aufzulaufen.

Links tauchten bewaldete Berge auf. Es wurden immer mehr. Bald schoben sie sich näher an den Fluss heran. Rechts waren in weiter Ferne Gebirgszüge zu sehen.

»Sollte das Polavaram-Projekt kommen«, erklärte Kumari, »dann wären wir jetzt in der Mitte des riesigen Stausees. Der würde bis weit in den Norden gehen und auch in den Nachbarstaaten Orissa und Chhattisgarh Dörfer überschwemmen und Wald vernichten. Hier wäre alles metertief unter Wasser. Es würde sich in alle Täler stauen, weit über die Steilküste treten und sogar diese Berge dort zu einem Drittel bedecken.«

Für Max und Tobias war das kaum zu fassen. Die Steilküste hier war mindestens fünfzehn Meter hoch. Manchmal waren oben die Dächer der Stammesdörfer zu sehen. Auch einige feste Gebäude leuchteten weiß, wahrscheinlich die Häuser der größeren Landbesitzer. Gelegentlich sah man einen kleinen Tempel.

»Über eine halbe Millionen Menschen müssen wegen des Stausees ihre Heimat verlassen. Und wie schon immer in der Geschichte meines Landes: Betroffen sind vor allem die Adivasi.«

Die Ausmaße dieses Projektes waren für die beiden Deutschen unvorstellbar. Allein der Gedanke, dass diese Berge dort so weit vom Wasser bedeckt werden sollten, verlangte viel Fantasie.

Links von ihnen ragte jetzt ein hoher, spitzer Berg über die Steilküste gen Himmel. An einem Anleger lagen mehrere große Boote, etwa doppelt so lang wie das, in dem sie fuhren.

»Das ist der Sriramagiri«, Kumari blickte zum Berg hinauf.

»Dort oben ist ein Tempel und der Berg ist den Hindus heilig. Viele Pilger kommen hierher. Von Rajamundhri aus werden Schiffe gechartert oder man benutzt das wöchentliche Linienboot. Inzwischen macht auch die Tourismusbehörde Reklame mit diesen Touren. Man kann auch einen Ausflug mit Picknick auf einer Sandbank machen und einen Besuch im Ashram Perentapalli buchen.«

Wie Kumari das sagte, klang es nicht gerade freundlich. Schnell wurde auch klar, warum.

»Die Touristen schmeißen alles weg, was an Resten anfällt: Plastikbecher von den Teepausen, Pappteller, Luftballons und ich weiß nicht was noch. Alles landet in der Godavari oder im Wald am Ufer. Und sie machen Krach, behandeln die Einheimischen wie Affen im Zoo und benehmen sich, als gehörten sie zu einer höheren Rasse Mensch.«

Aus ihr sprach eine Aggression, wie sie weder Max noch Tobias ihr zugetraut hätten. Als sie redete, funkelten ihre Augen und sie reckte das kleine Kinn angriffslustig vor. Jetzt sah auch sie aus wie eine Rebellin.

Doch sie war noch nicht fertig. Verführte dieser faszinierende Fluss die beiden Deutschen eher zum Schwärmen über die traumhafte Landschaft und die faszinierende Natur, die sich vor ihnen ausbreitete, so inspirierte er Kumari zum Protest gegen jene, die dieses Paradies gefährdeten.

»Zuerst kamen die reichen Farmer aus dem Osten und nahmen uns das Land weg. Wir waren damals und sind es leider auch heute noch, reichlich naiv und viele von uns sind bis heute Analphabeten. Wir glaubten an Fortschritt und Wohlstand für alle. Irrtum. Einige profitierten davon, dass der Wald abgeholzt wurde und nun Landwirtschaft betrieben wird. Die Adivasi durften als Kulis auf ihrem ehemals eigenen Land arbeiten. Bis sie auch noch Traktoren brachten. Da konnte man Arbeitskräfte einsparen. Dann bauten sie die Papierfabrik. Die Bäume und der Bambus wurden zu Pappe verarbeitet und die Abwässer ungeklärt in den Fluss gepumpt. Danach fanden sie in den Bergen Bauxit. Wieder wurde der Wald abgeholzt und die Koya vertrieben. Jetzt kommen die Touristen. Unter dem Motto ‚Sehen und erleben, solange es das alles noch gibt!' sind sie die Vorboten des Stausees. Und der wird dieser Landschaft und auch uns Koya den Rest geben!«

Die junge Frau atmete durch, als wolle sie Kraft für eine weitere Erklärung sammeln, setzte jedoch nicht neu an, sondern schwieg. Angesichts ihres Gefühlsausbruches wagten die beiden Weißen nicht, ihr weitere Fragen zu stellen. Banale Fragen wie: »Gibt es hier Krokodile?« oder »War das da eben eine riesige Schildkröte, die vor dem Boot abgetaucht ist?« oder »Welche Fischarten fangen jene Fischer, die dort ihre Netze ans Ufer ziehen?«, waren jetzt wahrscheinlich gar nicht angebracht. Ihre Freundin sprach von wichtigeren Themen.

Oder war sie gar nicht ihre Freundin? War sie doch eine Naxalitenbraut und machte mit den Terroristen gemeinsame Sache? So weit jedenfalls schienen die Positionen nicht auseinander zu liegen. Tobias nahm sich vor, Kumari nach Telangana zu fragen, wenn sich ihr Temperament etwas abgekühlt hatte.

Das Flusstal wurde enger. Die Sandbänke lagen nicht mehr als Inseln in der Mitte, sondern nur noch in den Kurven des Stromes. Die Berge traten näher und näher an die Godavari heran. Nach etwa zwei Stunden kreuzte eine Hochspannung den Fluss.

»Dort drüben, wo der kleine Tempel steht, liegt Koyda.«

Kumari schien sich wieder beruhigt zu haben.

»Dort werden wir uns sicher nicht verstecken. Dieser Ort wird im Stausee völlig untergehen. Trotzdem haben sich die Bewohner nicht gegen das Vorhaben der Regierung gewehrt, sondern bereits Verträge zur Umsiedlung unterschrieben. Die Naxaliten konnten sie selbst mit Morddrohungen und dem Anzünden einiger Häuser nicht davon abbringen.«

Sie fuhren an Koyda vorbei. Faszinierend waren die riesigen alten Bäume, die sie immer wieder am Steilufer sahen. Manche der langen Wurzeln hingen in der Luft und manchmal saßen im Schatten darunter Leute, die auf den Fluss schauten. Tobias konnte sich gut vorstellen, dass eine Stunde Aufenthalt unter der Krone dieses Riesen, mit Blick auf den mächtigen und ewigen Strom, wie eine Woche Urlaub sein musste.

Als ob sie seine Gedanken erraten hatte, meinte Kumari:

»Dort rechts liegt der Ashram Perentapalli. Er ist den vier Weltreligionen geweiht, aber doch durch und durch ein Hinduheiligtum. Unsere Präsidentin hat dort früher ihre Priesterausbildung absolviert.«

Wieder diese Präsidentin. Wenn ihre Lage nicht so ernst gewesen wäre, hätten Tobias und Max gerne mehr über das Umfeld von Kumari erfahren. So aber befanden sie sich nun ja nicht auf einer Studienreise, sondern waren Geiseln in der Hand von Terroristen.

Als ob Anand genau dies noch einmal unterstreichen wollte, herrschte er sie an und befahl ihnen, sich wieder auf den Boden zu setzen. Auch vom Ashram aus sollten sie also nicht erkannt werden. Während der nächsten Kurven des Flusses mussten sie unten bleiben. Dann merkten sie, dass sich die Richtung veränderte. Das Boot fuhr langsamer und drehte ein wenig. Anand sprach mit dem Schiffer. Seine Schnellfeuerwaffe, die er während der Fahrt eher lässig um die Schulter getragen hatte, hielt er nun wieder schussbereit in der Hand.

»Wir sind da.«

Sie stiegen aus. Anand trieb sie zur Eile. Während des Aufstiegs zum Steilufer konnten sie gut gesehen werden. Der Naxalit mit der Geiernase ging voran. In Senken und nicht so steilen Stellen der Küste wuchs eine Art Gemüse. Die Deutschen hatten es noch nie gesehen. Offenbar versuchten die Einwohner hier jeden Quadratmeter fruchtbaren Bodens auszunutzen. Als sie über die Kuppe der Küste kamen, sahen sie auch, warum. Der Wald ging bis an die Abbruchkante des Flussufers heran. Platz für Landwirtschaft gab es nicht.

»Willkommen im Waldkurbad Kondepudi!« meinte Kumari und ihr Zorn von vorhin schien verraucht. Sie standen unter einer riesigen Tamarinde, die ihre dichte

Krone über mindestens zwanzig Meter streckte. Der dicke Stamm war von einem Betonpodest umgeben, auf dem einige Kinder und alte Männer saßen. Der Platz war wunderschön, bot er doch eine berauschende Aussicht auf das Flusstal. Für die Naxaliten war er wahrscheinlich auch deshalb attraktiv, weil man hier von keiner Seite und auch nicht aus der Luft gesehen werden konnte.

Anand wies sie an, sich zu setzen. Neben dem Baum, dessen Schatten offenbar der Versammlungsplatz des Dorfes war, standen einige ärmliche Hütten. Auch weiter hinten im Wald sahen sie mehrere davon, alle jämmerlich klein. Die meisten der Bewohner schienen außer Haus zu sein. Anand sprach mit einem alten Mann. Der wies gen Dschungel, der sich am Berg emporzog. Anand schickte den jungen, bartlosen Mann seiner Truppe los. Sie warteten.

»Die Leute in diesem Dorf«, informierte Kumari, »haben so gut wie kein Einkommen. Sie leben, wie es noch vor 20 Jahren die meisten Koya gemacht haben. Sie sammeln Früchte und Honig im Wald, gehen jagen und sammeln und schlagen Holz. Letzteres ist hier die beste Einnahmequelle – und natürlich wie auch das Jagen strengstens verboten!«

Sie waren also in einem Schmuggler und Wildererdorf gelandet.

Tobias verstand nicht, wieso die Leute nicht Fischen gingen und den Fluss als Möglichkeit nutzten. Kumari erklärte, dass jeder Stamm von alters her seine eigenen Rechte hatte und die durften nicht verletzt werden. Fischer fischten und Jäger jagten. Wenn sich das ändern würde, käme alles durcheinander.

Nach einer halben Stunde kamen Männer aus dem Wald. Sie trugen Pfeil und Bogen, aus Bambus gefertigt wie jene Pfeile, die sie in Kammarigudem gesehen hatten.

Die Spitzen waren aus Metall, lang und spitz.

»Tödlich«, schoss es Tobias durch den Kopf.

Einer der Männer sprach mit Anand. Sie kannten sich. Anand wies mehrfach auf seine Gefangenen. Der Jäger nickte und wies auf eine kleine Hütte am Waldrand. Anand sagte etwas zu Kumari.

»Hier werden wir bis nach Pongal bleiben!« erklärte diese daraufhin den beiden Männern. »Es sei denn, die Polizei oder gar die Armee taucht auf – womit nicht zu rechnen ist.«

‚Bis nach Pongal'. Max und Tobias sahen sich an. Wenn das geschah, war es für den Staudamm zu spät. Am 14. Januar würde er in die Luft fliegen. Heute war der 7. Januar. Sie hatten also nur noch sechs Tage Zeit. Für ihren gebuchten Rückflug war es dann allemal zu spät.

Anand dirigierte sie in ihre Unterkunft. Ärmlich war noch milde ausgedrückt. Das Grasdach der Hütte war löchrig. Statt der Lehmwände hingen alte Plastiksäcke von außen an den Wänden, die aus aneinander gereihten Holzknüppeln bestanden. Der Lehmboden war zerschlissen und bröckelig. Einige der Männer, die eben aus dem Wald gekommen waren, brachten zwei wacklige Pritschen.

Max setzte sich auf eine davon und die schien geräuschvoll zu überlegen, ob sie sich das für ein paar Tage antun wollte oder lieber gleich zusammenbrechen sollte. Sie entschied sich für durchhalten. Wie Max und Tobias auch.

»Wir müssen irgendwie versuchen, die Polizei zu informieren!« meinte Tobias.

Max legte sich vorsichtig auf das Geflecht. Seine Beine hingen in der Luft, denn er überschritt bei weitem die Einsfünfzig seines Bettgestells.

»Aber wie?« sinnierte er. »Wir haben kein Handy. Wir kommen hier nicht weg und wir haben auch niemanden, den wir schicken können. Oder meinst du, wir können

Kumari damit beauftragen?«

Tobias entfuhr, was er lieber nicht hätte sagen sollen:

»Die Frage ist, ob wir ihr wirklich trauen können. Offensichtlich ist sie ja mit diesen Leuten auf du und du. Und sie vertritt zumindest ähnliche Positionen!«

Max reagierte verstimmt:

»Ihr trauen? Natürlich! So wie sie denken wahrscheinlich die Meisten hier. Wenn sie dir einen Staudamm vor die Nase bauen und du alles aufgeben sollst, was du aufgebaut hast, dann würdest du auch so denken. Egal, was sie dir an Entschädigungen versprechen! Nee, für Kumari lege ich meine Hand ins Feuer.«

Tobias wollte seinen Freund nicht noch mehr provozieren.

»Lass uns wenigstens bis morgen warten. Wer weiß, was noch passiert. Vielleicht haben die Truppen in Chintur uns ja bereits wieder aufgespürt und wir müssen erneut flüchten.«

»Das glaube ich eher nicht. Anand kennt hier überall Leute. Die werden ihn nicht verraten. Man sieht uns weder vom Fluss, noch aus der Luft. Wie sollen sie uns finden?«

Also warteten sie. In diesem Dorf war es still am Abend. Keine Trommeln. Vom Fluss her hörte man gelegentlich Motorgeräusche vorbei fahrender Launches. Max hätte sich gerne mit Kumari unterhalten. Doch die war in einer der anderen Hütten verschwunden und saß dann auf dem Betonpodest, wo sie im Gespräch mit zwei ärmlich gekleideten Frauen war und Bohnen oder ähnliche Hülsenfrüchte schnippelte. Also blieb er auf seiner Pritsche vor der Hütte liegen. Es gab kaum Licht im Dorf. An einigen Betonpfählen hingen Lampen. Darunter waren Sonnenkollektoren montiert und wahrscheinlich hatte eine soziale Organisation oder die Regierung diesem Dorf Licht spendieren wollen. Max fiel der Blinde im Zug ein. Der wollte ebenfalls Licht verbreiten und niemand schien daran Interesse zu haben. Auch dieses Dorf hatte sichtlich wenig Wert auf Licht gelegt. Kabel waren herausgezogen, Kollektoren zerbeult und einige Masten abgeknickt, durch wen oder was auch immer.

Entwicklungshilfe gescheitert, dachte Max. Wie viel Geld mag auf diese Weise weltweit täglich verloren gehen. Geld für falsche Projekte zur falschen Zeit am falschen Ort mit falschen Zielgruppen. Jedes einzelne ‚falsch' kostete schon Unsummen. Wie viel mehr in Kombination?

Irgendwann brachte Kumari ihnen Decken und Kopfkissen. Ein Mann stellte einen Eimer Wasser vor die Hütte und legte ein paar flache Steine daneben.

»Euer Badezimmer!« meinte Kumari und wünschte ihnen eine gute Nacht. Dann reichte sie den beiden die Hand, gebrauchte jenes Wort, das Max am Vorabend schon von der alten Frau gehört hatte und verschwand so schnell wie vorhin die Sonne. Vielleicht war Kumari der Gefühlsausbruch auf dem Boot irgendwie peinlich und deshalb verzog sie sich so schnell. Oder sie war einfach müde. Weder Max noch Tobias hielten sie auf. Weitere Fragen konnten auch bis morgen warten.

08. Januar: Der Morgen stirbt nie

Der Morgen stirbt nie. An diesen Titel eines James Bond Filmes musste Tobias am nächsten Morgen denken. Vielleicht war es zu Hause auf dem Lande ähnlich, doch in Deutschland lag er um diese Zeit noch im Bett. Und das stand in einer Großstadt. Hier jedenfalls begann der Tag kurz vor vier. Hähne krähten. Es schien, als ob sie einen Dialog führten, von Haus zu Haus, von Dorf zu Dorf. An Einschlafen war nicht mehr zu denken.

»Klar«, meinte Max, als Tobias ihm seine ersten Gedanken dieses Tages mitteilte und sich über die Schreihälse beschwerte, »der eine fragt den anderen, wie spät es ist. Der sagt es ihm und dann legen sie sich erst mal wieder hin.«

Soweit, was störte. Die Schönheit des Morgens ließ das Weckgeschrei jedoch schnell vergessen. Sogar ihre missliche Lage trat für eine Zeit in den Hintergrund.

Nebel lag über den Bergen. Morgen und Abenddämmerung ähnelten sich und es mochte Leute geben, die sie verwechselten. Der Morgen jedoch barg die Kraft des Neuanfangs in sich. Krähen flogen kreischend über den Fluss. Frauen, die sie am Abend gar nicht bemerkt hatten, stiegen die Küste hinab, um Wäsche zu waschen. Aufrecht und gerade gehend, trugen sie ihre Töpfe und Wäschebündel auf dem Kopf. Männer kamen mit wippendem Schritt vom Fluss und brachten an Bambusstangen befestigte Krüge voll Flusswasser zu ihren Hütten. Zwei Fischer paddelten mit ihren Einbäumen flussaufwärts. Der Fluss glitzerte im Morgenlicht, als sei er mit Kupfer übergossen. Die Hütten dampften. Tief gebückt fegten Frauen mit stiellosen Reisigbesen die Böden vor ihren Häusern. Ein Mädchen streute mit geschickten Fingern Farbmuster auf angefeuchteten, geglätteten Kuhmist vor ihrer Eingangspforte. Pongal rückte näher, das Fest der bunten Muster.

Beim Frühstück war Kumari wieder da. Sie brachte ihnen Purifladen mit einem scharfen Chutney.

»Leider haben wir hier nichts Besseres zu bieten!« sagte sie bedauernd.

Max und Tobias hatten beschlossen, sie heute in alles einzuweihen – allerdings erst, wenn sie herausgefunden hatten, was es mit diesem ‚Telangana' auf sich hatte und wie sie dazu stand.

Kumari lachte. Heute trug sie einen Sari, der ihr ein wesentlich braveres Aussehen verlieh, als der Punjaby gestern.

»Telangana? Das ist ganz einfach.«

Dann erzählte sie, dass viele Adivasi, lokale Parteien und diverse Bewegungen seit vielen Jahren einen eigenen indischen Bundesstaat im nordwestlichen Teil von Andhra Pradesh beanspruchten. Historisch war nach ihrer Interpretation Telangana bereits Teil des Staates Hyderabad. Nach der Unabhängigkeit Indiens wurde der Telugu sprechende Teil Südindiens zusammengefasst und 1956 Andhra und Telangana zu Andhra Pradesh verbunden. Die Bevölkerung im ehemaligen Telangana fühlt sich heute benachteiligt und will wieder selbstständig werden. Es hat sich sogar eine eigene Partei gegründet, die Telangana Rashtra Samithi (TRS), die allein den eigenen Staat zum Ziel hat. Für Krishna und seine Leute ist solch ein politischer Weg allerdings ohne Aussicht und Telangana muss durch die Bevölkerung erzwungen werden, wenn nötig auch mit Gewalt.

»Aber einfach so einen neuen Staat zulassen? Und sogar mit Hyderabad, der ‚High Tech City'? Das wird Andhra wohl kaum machen – und die Zentralregierung auch nicht!“

Max schüttelte den Kopf.

»Wieso nicht?“ meinte Kumari. »Chhattisgarh ist doch auch erst im Jahr 2000 gegründet worden! Warum dann nicht ein weiterer Staat namens Telangana?! Warum sollen wir Adivasi uns von der Hindumehrheit weiterhin diskriminieren lassen? Warum dürfen wir uns nicht selbst verwalten und unsere Politik mit unserer Kultur und unserem Glauben abstimmen?«

Es war nicht zu überhören. Kumari gehörte zu den Befürwortern eines solchen Staates. Doch ob sie deswegen auch die Mittel befürwortete, zu denen Anand und seine Gang griffen, oder Krishna, der Wolf im Schafspelz? Tobias fragte sie offen.

»Nein! Ich verabscheue Gewalt. Vor allem, wenn Menschen zu Schaden kommen, sind Grenzen überschritten worden. Du sollst nicht töten! Wer sich gegen Gottes Gebot stellt, kann mit meiner Unterstützung nicht rechnen.«

»Aber du unterstützt doch diese Leute um Krishna.

Und die waren es, die den Polizisten erschossen und den alten Mann abgestochen haben und immer wieder erfolgreich mit Sprengstoff spielen.«

Tobias wollte Kumari verstehen. Max wollte ihr glauben. Was die Religion anging, war es bei ihnen merkwürdiger Weise umgekehrt. Da wollte Max verstehen und Tobias glauben.

»Mein Großvater war, wie ihr ja schon wisst, einer ihrer Anführer. Ich bin also mit den Naxaliten aufgewachsen. Anand etwa kenne ich schon aus der Schule. Das sind alles Leute aus meinem Umfeld. Ich werde sie nicht verraten. Aber nur wenn ich den Kontakt halte, kann ich das Schlimmste wenigstens etwas eindämmen.«

»Ist das nicht reichlich naiv«, Tobias schüttelte den Kopf.

»Mag sein, aber lieber naiv und politisch engagiert, als klug und nur an den eigenen Vorteil denken!«

Diese Frau hatte es wirklich drauf. Sie verstand zu argumentieren und strahlte gleichzeitig eine große Wärme und Leidenschaft aus.

Die Geiernase und der Bärtige kamen auf die Hütte zu. Ihr Gespräch verstummte umgehend. Anand sagte etwas zu Kumari. Dann gingen die Kämpfer wieder.

»Heute Nachmittag treffen hier mehrere Trupps ein. Irgendetwas braut sich zusammen. Anand hat mich gebeten, die Frauen des Dorfes zu sammeln und das Essen für sie zu bereiten. Ich werde heute also wenig Zeit für euch haben.«

»Vielleicht solltest du dir aber jetzt noch einige Minuten nehmen«, bat Tobias. Sie war einverstanden.

Die beiden erzählten ihr von dem Notizbuch und ihren Erklärungsversuchen, was ihre Entführung anging. Sie hörte aufmerksam zu. Je mehr sie erzählten, desto ernster blickte sie drein. Als Tobias und Max fertig waren, dachte sie kurz nach und sagte dann:

»Danke, dass ihr mir das erzählt habt und mir also

vertraut. Ich werde euch hoffentlich nicht enttäuschen. Ich stimme euch zu: Ihr seid entführt worden, damit ihr den geplanten Anschlag nicht verraten könnt. Vielleicht geht es Krishna aber vor allem um seine eigene Sicherheit. Er ist noch nirgendwo als Naxalit oder Mitglied in einer Telangana-Gruppe in Erscheinung getreten. Ihr währet also die Ersten, die ihn belasten könnten.«

»Traust du ihm zu, dass er uns wirklich schaden wird? Er kann auch richtig nett sein.«

Kumari sah Max an als wollte sie sagen: Du bist richtig lieb, aber für Inder reicht deine Menschenkenntnis nun wirklich nicht aus. Laut antwortete sie:

»Lasst euch nicht täuschen. Ich kenne Krishna schon lange, wenn auch unter anderem Namen. Ich habe euch ja schon erzählt, dass ich im Kinderheim von Kukunuru gelebt habe. Das war eine prima Zeit. Damals habe ich Krishna bereits kennen gelernt. Ich sage mal weiterhin Krishna. Das war damals sein Spitzname. Er hat im Dorf den Mädels nachgestellt und wie viele der Jungs mit seinen Muskeln gespielt. Aber schon damals war er nicht nur der starke Mann. Er hatte auch Köpfchen. Während die meisten anderen Typen erfolglos bei den Mädels waren, hat er mindestens zwei oder drei mit seinem Charme und seiner Klugheit rumgekriegt. Und dann hat er sie eiskalt fallen lassen. Vielleicht hat er sich ja an seinem Namensgeber, dem Hirtenjungen Krishna orientiert. Der hatte es auch immer mit den Mädels, vor allem, wenn sie badeten und ihm hilflos ausgeliefert waren. Jedenfalls bekam er schon damals den Spitznamen Krishna verpasst.«

Tobias nahm sich vor, die Geschichten um den Hirtenjungen Krishna noch einmal nachzulesen. Da musste es einige delikate Legenden geben.

»Auf der englischsprachigen örtlichen Schule, der Alina-Schule, war er immer wieder Klassenbester. Dann ist er nach Bhadrachalam auf ein Junior-College gegangen und ich habe ihn aus den Augen verloren. Erst in Hyderabad, wo ich studiert habe, traf ich ihn dann wieder. Er hat an derselben Uni studiert. Geografie und Politik, glaube ich. Dann ist er nach England gegangen und hat gut Geld verdient. Dort ist er in irgendeine politische Gruppe geraten und plötzlich sind ihm seine unterdrückten Freunde in Indien wieder eingefallen. Na ja, jetzt betätigt er sich sozusagen als eine Art freier Mitarbeiter bei den Naxaliten. Er plant Aktionen, bringt das Geld mit und koordiniert die Durchführung. Dann verschwindet er wieder und lässt andere die Suppe auslöffeln.«

»Wie, und das lassen die sich gefallen?«

Tobias hatte noch nie von ‚freien Mitarbeitern' bei Terroristen gehört.

»Was sollen sie machen? Sie brauchen Geld zum Leben, für Waffen und als Schmiergeld. Sonst wären sie schon lange aufgeschmissen. Im Moment haben sie im Bundesstaat Andhra Pradesh ohnehin einen schlechten Stand. Die Regierung hat viele bereits erschossen und verfolgt die Naxaliten konsequent. Ihr Aktionsgebiet haben sie deshalb nach Chhattisgarh und Orissa verlegt. Ich vermute, Krishna will unserer Landesregierung eine Lektion erteilen.«

Wieder dachte sie nach. Inzwischen stand die Sonne über den östlichen Bergen und ihre Strahlen berührten bereits das Wasser der Godavari im Tal unter ihnen.

»Ich vermute, es geht um eine Lektion wegen des Polavaram-Projektes«, sagte Kumari nun. »Der Patwagu-Staudamm ist vergleichsweise zwar ein sehr kleiner Damm, aber immerhin ist er ein Staudamm. ‚Seht her', soll die Lektion lauten, ‚wir sind durchaus in der Lage, einen Staudamm zu sprengen! Und wenn ihr den Polavaram-Damm baut, jagen wir den auch in die Luft. Und dann erlebt ihr eine wirkliche Katastrophe! Es wird viel schlimmer als die Überschwemmung von 1986.' "

»Und nur für eine solche Lektion setzen diese Leute hunderte Menschenleben aufs Spiel?«

»Na ja, so schlimm wird es nicht. Der Patwagu-Stausee führt um diese Jahreszeit nicht viel Wasser. Es würden wahrscheinlich nur ein paar Häuser vollaufen, mehr nicht. Außerdem wird vor allem Kammarigudem betroffen sein. Die Hälfte der Leute dort sind selbst Rebellen, die andere Hälfte Christen mit, sagen wir, rebellischen Sympathien. Eine Flutwelle würde keine Unterscheidungen machen. Anand würde mit Sicherheit nicht mitmachen, wenn Naxaliten umkämen und auch Krishna würde sich ja ins eigene Fleisch schneiden.«

Tobias und Max waren platt... Nur ein paar Häuser volllaufen? Und dafür wurden sie aus dem Knast geholt, entführt und mit der Kalaschnikow bedroht? Sie dachten, es ginge um einen Riesenstaudamm, eine Tsunamiwelle, die Tausende in den Tod riss... und nun?

»Na ja«, beruhigte Kumari sie, »ich sagte ja schon, es ging und geht bei euch wahrscheinlich nicht nur um den Anschlag, es geht auch um die Identität Krishnas. Allerdings«, fügte sie nachdenklich hinzu und zog zweifelnd ihre Stirn kraus, »irgendwie erscheint auch mir dafür der Aufwand reichlich überzogen.«

»Wir kennen ihn außerdem kaum!«

»Na ja, ihr wisst, wie er aussieht. Ihr wisst, dass er mit Anand zusammen arbeitet. Ihr wisst, dass er hinter den Anschlägen steckt. Ihr habt gesehen, dass er über Dubai von Bristol nach Indien gereist ist... Ihr wisst schon viel mehr als alle andern über ihn.«

Tobias fiel die Visitenkarte ein, die irgendwo im Rucksack sein musste und nun plötzlich an Bedeutung gewann. Ob die Polizei sie schon gefunden hatte?

Als ob sie den beiden Deutschen Zeit lassen wollte, den Schock zu verdauen, stand Kumari jetzt auf.

»Wir reden später weiter. Ich überlege, was ich für euch tun kann und ob wir wegen des Staudammes überhaupt etwas tun können. Dann sehen wir weiter.«

Tobias und Max waren erleichtert, dass sie nun eine

Verbündete hatten. Wegen der Sache mit der Identität Krishnas allerdings waren sie beunruhigt. Nun waren es nicht mehr nur Anand und seine Kumpels, die sie identifizieren konnten, sondern auch der Anführer oder genau gesagt, der Projektleiter der Telangana-Kämpfer musste durch sie um seine Sicherheit fürchten. Das war äußerst beunruhigend.

Den Tag verbrachten sie mit Warten. Warten hatten sie in Indien lernen müssen: Warten auf den Tee, das Essen, den Zug, den Bus, den Strom, den Dolmetscher...

Dieses Mal wussten sie allerdings nicht so genau, worauf sie eigentlich warteten. Auf ihre Flucht? Auf Soldaten oder Polizeikommandos? Auf ihre Ermordung?

Sie unterhielten sich, auf ihrer Pritsche liegend, über ihre Möglichkeiten. James Bond hätte sie alle hier aufgemischt. Anand wäre samt Kalaschnikow durch die Luft geflogen, Krishna als Obergangster einen schrecklichen Tod gestorben und Kumari hätte schmachtend in seinem Arm gelegen.

»Wenn du Max heißt, dein Bier weder geschüttelt noch gerührt trinkst und mit solchen Hosen herumläufst wie ich, dann läuft das leider anders.«

Max grinste.

»Für James Bond wäre das hier ohnehin einige Nummern zu klein. Hier wird weder die Welt gerettet noch ein Nuklearkrieg verhindert. Hier geht es ja nur um einen kleinen Staudamm irgendwo in Hinterindien. Es geht auch nicht um Medienmogule, durchgeknallte Industrielle, Präsidentenmord, global operierende Mafiabosse, Chemiekonzerne, Milliarden von Dollar, sondern nur um ein paar Widerstandskämpfer im Busch und ihren smarten Organisator. Und es geht um ein paar Adivasi, von deren Existenz ohnehin die meisten Menschen auf dieser Welt nichts wissen.«

»So kann man das sehen«, Max schien wenig überzeugt. »Allerdings geht es auch um mich und um dich. Und jetzt wird es ein wenig komplizierter! Ich hänge nämlich irgendwie an meinem Leben! Und Kumari ist betroffen und die Mädchen, die für uns getanzt haben. Und Ramadevu, die uns so gastfreundlich versorgt hat. Und es geht um all die Leute in dieser Region, vor allem um jene, die zwangsumgesiedelt werden sollen.«

In der Analyse waren sie sich einig. Schwieriger waren die Folgerungen für ihr Handeln daraus. Wenn sie überhaupt handeln konnten. Immerhin waren sie Geiseln in der Hand von bewaffneten Kidnappern. Doch selbst wenn eine Flucht gelang – was sollten sie danach tun? Zur Polizei gehen? Sie selbst wurden als Mittäter gesucht. Man würde sie nicht mit Samthandschuhen anfassen und ihnen zunächst gar nichts glauben. Allerdings, früher oder später mussten sie zur Polizei, schon wegen ihrer Pässe. James Bond hätte das Attentat verhindert. Irgendetwas wäre dabei trotzdem in die Luft geflogen. Doch wie sollten sie die Sprengung verhindern? Die Zeit war extrem knapp. Okay, das war sie in den Bond-Filmen auch. Sie könnten vielleicht die Leute in Kammarigudem warnen. Doch wenn das Naxaliten waren und sie vor den Ausmaßen des Attentates keine Angst hatten, was würde das nützen? Beide waren ratlos.

Auch als ihnen eine ältere Frau etwas zu Essen brachte hatten sie noch keinen Ausweg gefunden. Der frische Fisch, der ihnen hier mit Reis und etwas Gemüse serviert wurde, schmeckte köstlich. Die Frauen verstanden es offenbar, ihn zuzubereiten. Einen Teil servierten sie als Curry, also sehr scharf, dafür aber mit saftiger Sauce. Noch besser schmeckten den Deutschen die gebratenen Fische.

Inzwischen fuhren immer mehr Launches an ihrem Versteck vorbei. Vielleicht sollten sie einfach hinunterlaufen und um Hilfe rufen? Fragt sich nur, in welcher Sprache. Und immer stand einer ihrer Entführer irgendwo in Sichtweite. Wahrscheinlich hatten sie sich abgesprochen und ihre Wachen aufgeteilt.

Von manchen der Boote kam laute Musik und Gelächter. Bedachte man, dass hier einmal soviel Ruhe herrschte, dass sich etwas weiter flussabwärts ein Ashram für Meditation niedergelassen hatte, dann konnten die zwei Kumaris Ärger über die lauten und völlig ignoranten Touristen verstehen. Als sie gekommen waren, hatten sie kurz vor Kondepudi einen Piknickplatz der Reiseagenturen passiert. Die Geräuschfetzen, die jetzt Dank eines auffrischenden Windes von dort herüberwehten, ähnelten denen eines vollen Schwimmbades im Sommer.

Am frühen Nachmittag kamen einige Männer ins Dorf. Sie waren sofort als Naxaliten erkennbar, da sie Waffen trugen. Im Laufe des Nachmittags kamen weitere hinzu, manche vom Fluss her, die meisten auf kleinen Trampelpfaden aus den Bergen. Tobias und Max waren beeindruckt. Die Kämpfer trugen verschiedene Tarnkleidung, manche Mützen mit Abzeichen, andere über dunklen Hemden Patronengürtel. Alle zierten sich, obwohl meist jünger als ihre deutschen Gefangenen, mit dem in Indien obligatorischen Oberlippenbart. Einige der älteren Kämpfer hatten einen Vollbart wie Anand und wirkten damit genauso finster. Alle waren sie bewaffnet: Viele mit einem Gewehr oder einer Schnellfeuerwaffe über der Schulter und jeder mindestens mit Revolver und Messer. Drei der Typen aus dem Tigercamp erkannten sie wieder. Der Bartlose schaute flüchtig zu ihnen hinüber, nahm jedoch keinen Kontakt zu ihnen auf. Insgesamt sah die Truppe aus, als hätte sie sich vorgenommen, dem Klischee einer Guerillatruppe in jedem Detail zu entsprechen.

»Die ziehen hier offensichtlich ihre Leute zusammen«, kommentierte Tobias die immer größer werdende Versammlung. »Einigen von ihnen möchte ich wahrlich nicht im Dunkeln begegnen. Mit einer Flucht wird es jetzt wohl immer schwieriger.«

Die Männer saßen auf dem Betonpodest unter dem Baum, hatten sich darauf ausgestreckt, hockten sich irgendwo seitlich an die Grenze zur Steilküste oder standen einfach nur herum. Ein kurzer Blick in Richtung Geiseln, die vor der kleinen Hütte auf der Pritsche saßen, manchmal einigen Worten mit den schon Anwesenden gewechselt und eine Geste in ihre Richtung – mehr wurden Tobias und Max nicht beachtet. Auch die Naxaliten warteten, wussten jedoch wahrscheinlich, worauf.

Dabei hätten Tobias und Max es sich denken können. Plötzlich war Rama Krishna Rao da.

Die Männer hatten auf ihn gewartet, auf ihren Anführer, Organisator, Geldgeber und Lebensabschnittsgefährten. Doch wie der auffrischende Wind vorhin plötzlich überraschte, so auch Krishna. Obwohl alle auf ihn gewartet hatten, nahmen sie seine Anwesenheit erst wahr, als er schon da war. Kein Hallo mit Girlanden und Bücklingen, keine Freudenrufe oder Böllerschüsse. Krishna war einfach da. Er trug wieder seine zusammen gewürfelte Uniform. Er musste aus dem Wald gekommen sein, direkt hinter der Hütte seiner Gefangenen. Plötzlich saß er unter dem Baum auf einem blauen Plastikstuhl. Jemand hatte ihm Tee gebracht.

Die Deutschen beachtete er nicht.

Nun sprach er zu seinen Leuten. Offensichtlich begrüßte er sie, bedankte sich bei ihnen und erklärte, warum sie hier waren.

»Wenn doch nur Kumari jetzt übersetzen würde!« Tobias wirkte nervös.

Doch Kumari war nicht zu sehen. Sie war wahrscheinlich in einer der Hütten rechts vom Dorfplatz und unterstützte die Frauen bei der Zubereitung des Essens. Vorhin war sie kurz bei ihnen gewesen, doch nur um zu sagen, dass sie auch für das Abendessen sorgen musste. Über dreißig Männer sollten mitessen.

Zwischen den unglaublich schnell auf Telugu gesprochenen Sätzen schnappten Tobias und Max einige Worte und Namen auf, die sie jedoch nur schwer in einen Zusammenhang bringen konnten. So verstanden sie Patwagu, roadside, forest, Pongal, police, army, Polavaram, nighttime. Bei anderen Worten waren sie sich nicht sicher, ob sie richtig verstanden hatten: Rallapudi, Yelerupadu, Zeem (oder so ähnlich), Reddi, morning.

Bei nächster Gelegenheit mussten sie Kumari fragen, ob diese mehr damit anfangen konnte. Hoffentlich waren sie in der Lage, sich alles zu merken.

Es gab eine Diskussion. Irgendwann begannen Anand und Krishna, sich zu streiten. Nun fiel ein Wort, das sie leider sehr gut verstanden: ‚Germans'. Es war also von ihnen die Rede. Anand schien immer mehr Oberwasser zu gewinnen. Er bekam offenbar Unterstützung von einem der anderen Anführer. Während er redete, legte er immer wieder eine Hand auf den Griff seines Messers. Am Ende der Auseinandersetzung sahen fast alle Männer unter dem Baum mehrfach zu den beiden Deutschen herüber. Mit düsterem Blick.

Auch der Name ‚Kumari' fiel einige Male. Da schien man jedoch schneller einig zu werden.

Krishna schien wegen der zwei Geiseln und seiner Gehilfin unter Druck geraten zu sein. Doch dann, für die zwar existenziell aber leider nicht wirklich beteiligten Zuschauer sehr überraschend, deutete er mit einer herrischen Bewegung an, dass die Diskussion zu Ende sei. Er setzte sich.

Ein Jugendlicher lief in eines der Häuser und brachte ihm Tee. Kurz darauf kam eine Frau aus der Hütte und füllte aus einem offensichtlich heißen Blechtopf Tee in kleine Plastikbecher. Jeder bekam einen Becher, hielt ihn an der oberen Kante fest und schlürfte vorsichtig das heiße, belebende Getränk. Max und Tobias bekamen nichts.

»Was war das jetzt?« fragte Max seinen Freund. »Das sah aber gar nicht gut aus!«

Max, der sonst schnell irgendetwas Positives zu entdecken vermochte, klang deprimiert.

»Auch mir ist seltsam zumute.«

Die Antwort seines Freundes klang gar nicht Mut machend.

»Du bist doch immer gut im Kombinieren! Nun füge doch mal die einzelnen Puzzleteile zusammen und erkläre, welches Bild entsteht.«

Offenbar hatte Max selbst das bereits getan und ein sehr, sehr düsteres Bild bekommen.

»Es wird jetzt wirklich ernst. Die ziehen bald los. Und uns brauchen sie wahrscheinlich nicht mehr. Im Gegenteil, wir sind nur eine Belastung!«

»So sehe ich das auch.«

Tobias stand Schweiß auf der Stirn.

»Jetzt wird es eng. So lange sie noch alle hier sind, mag es gehen. Aber wenn sie abziehen, könnte es uns an den Kragen gehen. Uns muss unbedingt irgendetwas einfallen!«

Sie einigten sich darauf, auf Kumari zu warten. Auch von ihr war ja die Rede gewesen. Allerdings wussten sie nicht, ob freundlich oder bedrohlich.

Kumari kam mit dem Abendessen. Es war bereits dunkel. Sie war sehr schweigsam.

»Esst erst einmal«, sie flüsterte beinahe.

Sie aßen schweigend. Inzwischen ging das mit den Fingern recht gut, wenn sie auch immer noch das Gefühl von Schmutz empfanden.

»Ich komme gleich wieder«, sagte die engagierte Frau, »und ihr macht euch fertig. Ihr tut, als ob ihr ins Bett gehen wollt. Ich komme von hinten durch die Hütte. Wir müssen hier verschwinden, sofort!«

»Aber…«

Tobi hätte gerne mehr gewusst und wie immer auf Grund von Fakten entschieden, doch Kumari war bereits jenseits des Scheins der Öllampe, die ihnen zum Essen leuchtete, verschwunden.

Von den Naxaliten war wenig zu sehen. Am Baum standen zwei oder drei und rauchten ihre Beedees, zu kleinen Zigarillos zusammengerollte Blätter eines besonderen Busches. Der ihr eigene Geruch wehte gelegentlich herüber. Wo Krishna untergekommen war, hatten die zwei nicht gesehen. Er war nach rechts gegangen und hinter einer Hütte verschwunden.

Geschockt sahen Max und Tobias sich an, beide mit Angst im Blick.

»Wir hatten also Recht. Schöne Scheiße!«

»Wir tun, was sie sagt.«

Tobias reckte sich, so als ob er müde sei.

»Komm, wir tragen unsere Pritschen in die Hütte.«

Sie hatten es sich während des Tages vor der Hütte bequem gemacht, jetzt trugen sie die Betten wieder hinein. Das Öllicht nahmen sie mit. Sie legten die Decken auf die Betten und stopften die Kopfkissen darunter. Wieder reckten sie sich. Tobias ging noch einmal hinaus und stellte sich an einen Busch, gut sichtbar. Dann kam er herein und legte sich hin. Max lag bereits auf seiner Pritsche, voll bekleidet.

»Und nun?«

»Ich mache die Öllampe aus und wir warten auf Kumari!« Tobias pustete kräftig, es flackerte und sie lagen in völliger Dunkelheit.

Der Wind, der durch das Tal geweht hatte, war eingeschlafen. Im Wald zirpten Grillen. Oder waren es Frösche? Dazwischen Schreie wie von einem Vogel. Wer wusste schon, dachte Max, welche Kreatur dort in diesem Moment um ihr Überleben kämpfte? Auf dieser Seite des Dschungels waren sie selbst es.

Eines der Bambuselemente bewegte sich. Die Geräusche, die Kumari machte, unterschieden sich kaum von denen der Mäuse oder Ratten, die manchmal zwischen den knochentrockenen Palmblättern lärmten.

»Kommt!«

Für Max musste sie das Wandteil noch weiter öffnen.

»Aber leise!«

Leicht gesagt für zwei deutsche Touristen.

Doch es gelang. Als sie draußen standen, wagten sie kaum zu atmen. Ein kleiner brauner Junge, nur mit dunklen Shorts bekleidet, wartete auf sie. Sie folgten ihm. Geschickt schlängelte er sich durch den Wald, immer darauf achtend, dass Platz für die im Vergleich zu ihm tollpatschigen Weißen war. Trockene Äste schob er zur Seite, jedenfalls auf den ersten drei- bis vierhundert Metern. Dann ging es schneller voran. Sie konnten jetzt vom Ufer aus nicht mehr gesehen werden. Tobias hätte gern mit Kumari gesprochen. Doch immer wieder bedeutete sie ihm, still zu sein und trieb die beiden Freunde zur Eile. Der Junge führte sie einen Abhang hinauf, dann wieder in ein kleines Tal. Bald kam der nächste Berg. Auch den ging es wieder hinab. Der Mond war jetzt am östlichen Horizont erschienen. Also gingen sie gen Westen. Zwar war nicht mehr Vollmond, es wurde jedoch viel heller und die Konturen der Berge und Bäume traten klar hervor. Jetzt war es leichter, den Zweigen auszuweichen, die ihnen vorhin immer wieder ins Gesicht geschlagen waren. Die drei folgten dem Jungen, so gut und so nah sie konnten.

Der kannte sich aus, das konnte man deutlich merken. Zielsicher führte er sie durch den Dschungel, so als kenne er hier jeden Strauch und Baum genau so gut wie ein Europäer die Möbel in seiner Wohnung. Und auch jedes wilde Tier wusste der Junge offenbar zu umgehen, denn ihnen begegneten weder eine Kobra noch sonst ein Untier. Nach zwei oder drei Hügeln bewegten sie sich nicht mehr parallel zum Fluss gen Nordwesten, sondern in Richtung Flussbett.

Die Godavari lag noch im Dunkel. Zum Mond hatten sich einige Sterne gesellt. Einzelne Wolken verhüllten sie zeitweise.

»Wartet!«

Der Junge huschte davon.

»Wir überqueren hier gleich eine Straße«, sagte Kumari leise. »Es wäre schlecht, wenn uns irgendjemand sehen würde.«

Der Junge kam wieder und hieß sie mit einer Handbewegung, ihm zu folgen. Die Straße war schmal, ein Asphaltband, das den Windungen des Stromes folgte und offenbar noch nicht besonders alt war.

Nachdem sie vorsichtig und schnell ein Stück darauf marschiert waren, den Jungen immer einige Meter vor sich, so dass er als Erster um jede Kurve spähen konnte, bogen sie in Richtung Fluss ab.

Sie kletterten und rutschten die tiefe Steilküste hinunter. Unten begann an dieser Stelle direkt das Wasser. Selbst im matten Mondlicht sahen sie die starke Strömung. Wo sich der Mond spiegelte, sah es wunderschön aus. Allerdings hatten sie keinen Sinn dafür, die nächtliche Atmosphäre zu genießen. Der Junge führte sie ein wenig nach links. Manchmal mussten sie über Felsen klettern und aufpassen, nicht ins Wasser zu stürzen. Dann wurde es leicht. An dieser Stelle endete eine Sandbank und sie hatten wieder ebenen Boden unter den Füßen. Am Ufer lag ein Fischerboot. Es war schmal und lang. Die Familien lebten teilweise am Ufer, doch auch auf ihren Booten. Deshalb trug dieses Boot eine Kabine mit Dach und Planen als Seitenwand.

»Hier hinein!« kommandierte Kumari.

Der Junge war plötzlich verschwunden. Statt seiner schlug ein älterer Mann die Plane zurück und half den Weißen hinein.

»Wandanalu«, sagte er, als er Kumari mit Handschlag begrüßte.

Wieder dieser seltsame Gruß, dachte Max! Sie setzten sich auf die Ruderbänke. Der Fischer schloss die Plane. Dann legte er ab, schob den Kahn mit seiner Stange in die Strömung und warf den Motor an.

»Zwar ist es noch etwas früh zum Fischen«, Kumari flüsterte nun nicht mehr, sondern sprach ganz normal, »aber dass Fischer sich auch Nachts auf dem Fluss bewegen, ist nichts Ungewöhnliches.«

*

»Ich will sie hier haben, hier in meinem Büro!«

Sein Tonfall duldete keinen Widerspruch. Der Mann von unten kam in wenigen Minuten zu ihm in den ersten Stock und stellte die beiden Rucksäcke auf den Boden. Er salutierte und verschwand. Babu räumte einige Akten und Zeitungen vom Holztisch. Dann öffnete er den ersten Rucksack.

»Hast du die Liste?«

Er hatte sie und gab sie seinem Chef.

»Dann können wir anfangen.«

Stück für Stück packten sie die Rucksäcke aus. Der Inspektor schaute sich jedes Kleidungsstück an, griff in jede Tasche, untersuchte jeden Gegenstand. Die Taschenlampe, ein Aufladegerät für die Kamera, Ersatzbatterien, Medikamente gegen Erkältung und Durchfall, ein Roman auf Deutsch. Babu hakte die Liste ab. Es war alles da. Die Kamera hatten sie bereits nach ihrem vergeblichen Besuch im Gefängnis mitgenommen und warteten nun auf Abzüge der interessantesten Bilder.

»Und das ist wirklich alles?«

Chidambaram war enttäuscht. Er hatte gehofft, dass man im Gefängnis etwas Wichtiges übersehen hatte und die Liste also nicht vollständig war. Deshalb hatte er darauf bestanden, dass ihm ihr Gepäck überstellt wurde. Er hätte es gleich nach dem Ausbruch mitbringen sollen. Nun war es erst heute angekommen und möglicherweise wurde kostbare Zeit verloren.

»Die Liste ist korrekt. Aber vielleicht gibt es noch Taschen, die sie übersehen haben.«

Babu hatte wie immer gute Ideen. Ja, es war einer jener westlichen Rucksäcke mit vielen Taschen und Gurten. Da konnte noch etwas verborgen sein. Chidambaram wagte kaum, es zu hoffen. Sie brauchten unbedingt eine neue Spur. So kamen sie nicht weiter.

Die Deutschen waren wie vom Erdboden verschluckt. Die Einsätzkräfte waren aus Chintur zurück beordert worden. Die verdeckten Ermittler kurvten noch irgendwo in der Region zwischen Chintur und Bhadrachalam herum, auf der Suche nach Hinweisen. Sie hatten Waldarbeiter befragt, die für die Papierfabrik Bambus lieferten. Sie hatten mit Ladenbesitzern gesprochen und an der weit und breit einzigen Tankstelle recherchiert. Sie hatten Beamte des Forstdepartments interviewt, die an der Straße Richtung Chintur kontrollierten, um illegalen Holzhandel zu unterbinden. Überall Fehlanzeige. Allerdings musste das nicht bedeuten, dass die Flüchtenden dort nicht durchgekommen waren. Es gab hundert Gründe, dass Zeugen schwiegen. Solidarität, Angst, eigene Interessen, Verwandtschaft, Geld, Prinzipien.

»Zwei Tage! Zwei ganze Tage haben wir nichts von ihnen gehört. Sie können sonst wo sein, vielleicht schon außer Landes! Sieh genau nach, Babu. Vielleicht finden wir ja doch noch etwas!«

Babu drehte das Innere nach außen, fasste in jede Tasche, tastete jede Naht ab. Fehlanzeige bei Rucksack Nummer eins. Der zweite Rucksack war etwas kleiner. Das Namenschild wies ihn als Eigentum von Tobias Grunert aus. Wieder untersuchte Babu jeden Zentimeter. Er war schon fertig und stellte ihn mit einem resignierten Schulterzucken zur Seite, da wies der Inspektor auf das Namenschild, das an der Seite hinter einer kleinen quadratischen Plastikfolie zu sehen war.

»Dort hast du noch nicht nachgesehen. Vielleicht steckt ja noch etwas hinter dem Namenschild. Oder es steht hinten etwas drauf.«

Babu löste den Druckknopf und zog das kleine Schild mit der Adresse heraus. Und tatsächlich. Dahinter fand er ein kleines Kärtchen, eine eng bedruckte Visitenkarte.

Wie elektrisiert griff Chidambaram danach.

»Vorsicht! Das könnte es sein!«

Er nahm ein Plastiktütchen aus der Schublade, berührte die Karte nur an den Kanten und steckte sie hinein. Erst dann las er, was dort stand.

Dr. Rama Krishna Rao
University of Bristol, Senate House, Tyndall Avenue, Bristol BS8 1TH, UK. Tel. +44 (0)117 928 9091,
privat: Queens Road 128.

Auf der Rückseite der Karte standen zwei handschriftlich nachgetragene Telefonnummern. Indische Mobilfunknummern.

Chidambaram jubelte.

»Das ist er! Das ist die Kontaktadresse der Deutschen hier in Indien!«

Babu machte ein verdutztes Gesicht.

»Rama Krishna Rao? Krishna, Krishna...? Der Name ist doch so ähnlich irgendwo schon aufgetaucht.«

Er schien sein Gedächtnis zu durchsuchen wie ein Computer seine Festplatte. Dann hellte sich seine Mine auf.

»Ich hab´s! In einem Telefonat mit Delhi. Da hat der Ermittler den Namen genannt. Mit einem ähnlichen Pseudonym wurde der Geldbetrag in Warangal abgehoben. Allerdings hieß er dort Shiva Krishna.«

»Und ich höre den Namen jetzt zum ersten Mal!?«

Chidambaram ärgerte sich selten über seinen Assistenten. Jetzt jedoch war ein solcher Moment. Allerdings gab es auch Abweichungen.

»Okay, aber jetzt haben wir wahrscheinlich mehr als die damals. Wir haben Mobilnummern und eine Adresse!«

Das Dossier der Deutschen war seiner Meinung nach inzwischen vollständig. Eine Verbindung nach Bristol oder überhaupt nach England war daraus allerdings nicht ersichtlich. Dieser Mr. Hoyer hatte über seine

Computerfirma Verbindung in die USA, nicht jedoch nach Großbritannien. Und der Finanzbeamte Mr. Grunert war über Norddeutschland nicht weit hinaus gekommen. Nein, sie hatten erst hier in Indien Kontakt aufgenommen. Oder dieser Krishna Rao hatte sich mit ihnen in Deutschland getroffen.

»Ich mache das selbst«, sagte er. »Du kriegst raus, wem diese beiden Mobilnummern gehören und veranlasst eine Peilung. Aber nicht anrufen. Ich will das Wild nicht aufscheuchen, noch nicht! Aber komm wieder und hilf, die Rucksäcke zu packen!«

Er lachte und wies auf das Chaos um und auf dem Holztisch. Babu notierte sich die Nummern und verließ das Büro.

Der Inspektor war froh, dass sein Internetanschluss gerade funktionierte. Seit sie mit Computern arbeiteten, lief tatsächlich vieles schneller. Allerdings schien es ihm, als gäbe es immer dann keinen Strom, wenn er gerade eine Mail absenden oder Daten der Polizeiakten im zentralen Server einsehen wollte. Zudem war die Anlage oft für viele Tage oder gar Wochen außer Betrieb. Dann wartete er auf den Techniker, der allerdings permanent überlastet schien. Der junge Mann war offenbar in der ganzen Region der Einzige, der diese rätselhafte Technik wenigstens halbwegs beherrschte. Es gab zwar in jedem der wie Pilze aus dem Boden schießenden Telefonläden sogenannte »Computerexperten«. Die Meisten hatten allerdings keine Ahnung. Aber dieser Eine war richtig gut! Wann immer Chidambaram auf ihn wartete, spürte er die Kehrseite dieser Technik: Alle hatten sich dermaßen darauf eingestellt, dass ohne sie kaum noch etwas lief. Sie waren zu Sklaven geworden, zu Sklaven der Technik und jener Jugend, die dabei war, Indien ein neues Gesicht zu geben.

Schnell hatte er jetzt über Google die Homepage der Universität von Bristol gefunden. Die Adressen stimmten. Aber der Name Dr. Rama Krishna Rao tauchte nirgendwo auf. Er wählte die Nummer des Sekretariats der Universität. Bei über fünf Stunden Zeitunterschied musste es noch besetzt sein. Es tutete lange. Dann hörte er eine Frauenstimme.

»University of Bristol, Mrs. Brown.«

Er war richtig. Zuerst schien sie seinen indischen Dialekt nicht zu verstehen. Dann aber stellten sich beide aufeinander ein und über mehr als zehntausend Kilometer hinweg offenbarte moderne Kommunikationstechnik alle ihre Vorteile. Schlauer war er anschließend leider nicht. Je länger sie telefonierten, je mehr die Dame auf der anderen Seite der Welt in ihren Ordnern blätterte und ihre Listen durchsah, desto ernster und enttäuschter wurden seine Gesichtsauszüge. Ein Rama Krishna Rao war in jener Universität nicht gemeldet, weder als Dozent noch als Student. Es gab zwei Studenten mit ‚Krishna' im Namen. Es gab einen ‚Rao' unter den Dozenten. Aber niemanden mit Namen Dr. Rama Krishna Rao. Auch ein Shiva Krishna war nicht dabei.

Als er aufgelegt hatte, blieb seine Hand noch auf dem Hörer liegen. Nun hatten sie einen Namen, konnten mit ihm jedoch nichts anfangen. Er fluchte vor sich hin, warf die kleine Karte in ihrer Schutzhülle ärgerlich vor sich auf den Schreibtisch und rief seinen Sekretär.

»Hast du was rausgefunden?"

Babu nickte. Er schien den Wechsel in der Stimmung seines Chefs zu spüren und das ärgerte Chidambaram. War da ein leichter Hauch der Genugtuung in der Stimme Babus, als er sprach?

»Na ja, ich bin nicht so richtig fertig. Die Mobilnummern sind nicht in Gebrauch. AirTel hat mir die Namen der Nutzer genannt. Sie haben sogar Adressen. Ich habe dort angerufen. Beides scheinen Sackgassen zu sein. Die Nutzer sind dort nicht gemeldet.«

»So´n Mist! Auch Namen und Adresse von der Visitenkarte scheinen falsch zu sein. Wir haben es also weiter mit einem Phantom zu tun. Hier ist die Karte. Bitte gib sie zum Erkennungsdienst. Vielleicht finden wir ja Fingerabdrücke, die in unserer Kartei sind. Und dann drucke mir alle mit diesem Namen aus, ob Doktor oder nicht! Zuerst will ich mal alle aus Andhra Pradesh mit diesem Namen. Ich hoffe, wir müssen nicht noch ganz Indien durchsuchen.«

An einen Doktortitel kam man hier mit Beziehungen und Geld leicht. Also half er bei einer Identifizierung kaum.

»Aber jetzt räume erst einmal mit auf. Ich will den Tag hier nicht in einem Saustall beenden.«

Er musste wieder an das schnieke Büro in Rajamundhri denken. Sie konnten hier aufräumen, soviel sie wollten – ein solcher Arbeitsplatz würde dadurch nicht entstehen.

Sie stopften die Sachen zurück in die Rucksäcke und der Inspektor heftete die Liste in die Akte, nachdem er sie um den Vermerk ‚Visitenkarte Dr. Rama Krishna Rao' ergänzt hatte. Wenn er auch keinen Durchbruch erzielt hatte, so wollte er doch jeden Hinweis in diesen Akten sehen. Eine saubere Dokumentation war schließlich Grundlage jeder guten Polizeiarbeit!

Babu nahm die Rucksäcke zur Aufbewahrung mit. Chidambaram hoffte, sie eines Tages seinen Besitzern ausliefern zu können – um sie ihnen gleich wieder abzunehmen. Wer in Haft geht, hat auf privaten Besitz zu verzichten.

Wo aber waren die Weißen? Und wo war Kumari? Er hatte vorgestern ihren Bruder erreicht und dann auch die Mutter aus der Nachbarwohnung. Beide hatten ihn kühl aber höflich behandelt. So, als wüssten sie etwas, würden jedoch nichts sagen. Angeblich sei Kumari mit dem jungen Babu zum Einkaufen für das Fest noch einmal nach Hyderabad gefahren. Kaum glaubhaft, denn alles, was man zu Pongal brauchte, bekam man auf den Märkten hier. Als Chidambaram heute angerufen hatte, war Babu zudem angeblich wieder zurück. Allerdings konnte er ihn nicht sprechen, weil er jetzt Ziegen weidete. Wo, das wusste Kumaris Bruder angeblich auch nicht.

Merkwürdig. Irgendwie hatte er den Verdacht, dass sie doch involviert war. Vielleicht war sie nicht die Drahtzieherin, das könnte dieser Krishna sein, aber doch hatte sie irgendwie damit zu tun.

Rama Krishna Rao. Ein typischer Allerweltsname. Krishna hieß sozusagen jeder dritte oder vierte. Der Hirtenjunge war überaus beliebt. Er hatte Witz, Charme und Sexappeal. Also nannten Mütter ihre Söhne Krishna. Lord Rama war eine der großen Gottheiten, sagenumwoben und souverän. Und Rao. Na ja, das war eine ehrenwerte Bezeichnung für Männer. Nein, der Name half nicht weiter. Es sei denn, er fand jemanden im Umfeld der beiden Weißen, der wenigstens einen dieser Namen trug. Oder im Umfeld Kumaris. Ob der junge Mann, der die Deutschen von Hyderabad nach Bhadrachalam gebracht hatte, dieser Krishna war? Krishna. Hatte er das nicht bereits einmal irgendwo in den Akten gelesen? Er blätterte die Recherche über die Stationen der Deutschen in Indien durch. Da war es! Sie hatten im Gästehaus in Chennai eine Nachricht bekommen. Ein Inder hatte ihnen einen Brief hinterlassen. Die Frau an der Rezeption, mit der Babu telefoniert hatte, meinte, sich an einen ‚Kisha' zu erinnern. Wahrscheinlich meinte sie ‚Krishna'. Also hatten sie gleich zu Beginn ihrer Indienreise Kontakt. Somit musste dieser unterwegs oder schon in Deutschland begonnen haben. Schade, dass die Nachricht nirgendwo im Gepäck der Deutschen aufgetaucht war.

Der Inspektor war müde. Er hatte noch Anderes zu tun. Heute Vormittag musste er eine Ortsbesichtigung für die politische Großveranstaltung machen. Die neuen Schleusentore des Patwagu-Stausees sollten eingeweiht werden. Sie hatten es mit großem TamTam als tolle moderne Errungenschaft ausgegeben. Dabei war es nur ein vergleichsweise kleines Projekt, jedenfalls zum geplanten

Polavaram-Damm. Der Stausee versorgte einige Dörfer mit Trinkwasser und bewässerte ihre Felder. Aber er führte nur in der Regenzeit wirklich viel Wasser. Danach trocknete er wegen seiner geringen Tiefe und riesigen Fläche schnell wieder aus. Im Moment gab es nur ein kleines Wasserreservoir, das vor allem für Vögel und Wild zum Überleben wichtig war. Die Tore waren fällig gewesen. Sie waren verrostet und marode und konnten bei höchstem Wasserstand brechen. Dann würde es eine riesige Flutwelle geben – so wie jene, die vor einigen Jahren das kleine Dorf Kammarigudem vernichtete, weil ein Teil des Dammes brach. Kammarigudem. Auch ein Nest der Naxaliten. Ob die auch in die Attentate involviert waren? Immerhin lag das Dorf sehr nahe den Tatorten.

Seine Gedanken quälten ihn.

»Ich muss abschalten oder zumindest auf die Sache mit der Versammlung umschalten«, dachte er. »Die Sicherung der Brücken und Straßen in der Region ist organisiert. Die Gegend um den Staudamm und um die Versorgungspipeline haben wir schon einmal abgesucht. Am 13.1. kommen die Spezialisten aus Hyderabad. Die Straßensperren und die Umleitungen des Verkehrs waren geplant. Ich hoffe nur, sie werden mit den Erdarbeiten fertig, damit ein halbwegs begehbarer Veranstaltungsplatz entsteht. Jedenfalls ist direkt vor Ort in Kothuru noch manches zu tun. Kothuru? Sind nicht auch dort die Deutschen durchgekommen? Dort war diese Demo, wo sie nicht weiterfahren konnten. Und sehr weit ist es von dort bis Nandipadu auch nicht. Und in Nandipadu wohnt Kumari.« Chidambaram seufzte. Es war also nichts mit Abschalten.

09. Januar: Die Spur der Plakate

Nun endlich konnten sie reden. Es ging langsam voran. Der Fischer steuerte gegen die Strömung. Kumari wartete nicht, bis Tobias sie wieder zu Erklärungen nötigte.

»Wir fahren flussaufwärts und gehen dann auf die andere Seite nach Koyda. Wahrscheinlich vermuten Krishna und Anand, dass wir versuchen werden, uns flussabwärts nach Polavaram durchzuschlagen. Wir könnten uns in den Schutz eines Touristenbootes begeben. Oder wir versuchen über die Berge zu fliehen und die Polizeistation in Chintur zu erreichen. Möglicherweise denken sie auch, wir versuchen über Kunavaram nach Bhadrachalam zu gelangen. Dass wir flussaufwärts gehen und dann auf das Westufer, werden sie zumindest zunächst nicht vermuten. Wie sollten wir auch in der Nacht den Fluss überqueren?«

Tobias musste sofort an die Krokodile denken, die sie gesehen hatten. Er nannte jedoch einen anderen, ebenso beunruhigenden Gedanken:

»Aber die haben doch bestimmt Mobiltelefone. Damit könnten sie doch ihre Freunde überall informieren und die machen dann richtig Treibjagd auf uns.«

»Wenn schon«, antwortete Kumari, »hier gibt es kein Netz! Außerdem haben auch wir viele Freunde!«

Das hatten die zwei bereits gemerkt. Ramadevi, der kleine Junge, der Fischer. Sie alle riskierten mit Sicherheit ihre Existenz, wenn nicht mehr.

»Warum mussten wir denn nun so schnell fliehen?« Tobias konnte es kaum abwarten zu hören, was bei der Beratung der Terroristen herausgekommen war.

»Weil ihr sonst spätestens morgen Abend tot wärt!«

Sie waren geschockt. Kumari berichtete, dass Anand und seine Freunde keinen Sinn darin sahen, die Deutschen am Leben zu lassen. Die Gefahr wäre zu groß. Die Weißen kannten inzwischen alle Gesichter, auch von

Krishna und dessen Doppelleben wussten sie mehr als andere. Zudem ging es um ein Projekt riesigen Ausmaßes. Es würde unglaublich viel Öffentlichkeit für ihre Sache bringen. Mögliche Zeugenaussagen dieser Deutschen würden ihnen möglicherweise massiv schaden. Da sei es besser, sie wären auf Nimmerwiedersehen verschwunden.

Krishna hatte zuerst versucht, eine Hinrichtung zu vermeiden. Das jedoch hatten die Anführer nicht durchgehen lassen. Also hatte Krishna nachgegeben. Um sein Gesicht zu wahren, hatte er dagegen Kumari nicht ans Messer geliefert. Auch sie hätten die Naxaliten am Liebsten als störende Zeugin beiseite geschafft.

Sie schwiegen.

Dann waren sie also noch einmal mit dem Leben davongekommen.

»Noch sind wir nicht in Sicherheit«, meinte ihre Retterin. »Sie werden unser Verschwinden nicht vor Morgengrauen merken. Das gibt uns also einen Vorsprung von vier oder fünf Stunden. Bis Sonnenaufgang können wir drüben in Koyda bleiben. Dabei müssen wir vermeiden, gesehen zu werden. Die Buschtrommeln sind hier ziemlich laut!«

Max schüttelte den Kopf.

»Ich kann es nicht fassen. Wollten die uns tatsächlich wegen der Überschwemmung einiger Häuser umbringen?! Oder weil wir einige vage Hinweise über sie weitergeben könnten?«

»Vielleicht steckt doch mehr dahinter«, meinte Kumari. »Mir kommt das auch komisch vor, zumal sie ‚von großer öffentlicher Aufmerksamkeit' gesprochen haben.«

Das Boot bekam einen Schlag an die Seite. Sie waren an die harte Kante einer Sandbank gestoßen. Der Fischer schaute herein und sagte etwas. Kumari stand auf und bat die zwei, ihr zu folgen. Kurz darauf standen sie auf dem sandigen Ufer.

»Wandanalu!«

Der Fischer antwortete mit demselben Wort. Es musste so etwas wie »Danke« bedeuten, oder »Guten Tag« oder »Guten Morgen«? Seltsam.

Sie stapften durch den losen Sand, als gingen sie durch eine Wüste. Zwei oder dreihundert Meter breit war der Strand, oder genauer gesagt, das restliche Flussbett. Im Kontrast zum helleren Himmel sahen sie rechts am Ufer einen kleinen Tempel. Eine Treppe führte hinauf. Als sie Kumari auf den Tempel ansprachen, meinte sie nur, die fundamentalistischen Hindus hätten vor einigen Jahren eine Missionskampagne gestartet. Das Geld für die Dorftempel war indirekt von Staat selbst ausgegeben worden, also aus Steuergeldern. Man wollte die Koya zurück zum Hinduismus bringen. Nach Meinung der Hindus gehörten sie als Ureinwohner des Subkontinents sozusagen naturgegeben dazu. Also sollten sie nicht ihre Naturreligion, sondern die Götter Indiens verehren. Hier in Koyda war das Lord Rama.

»Allerdings sollten wir dann wieder ganz unten einsteigen«, meinte Kumari ironisch, »als Parias und in den niedrigen Kasten der Unberührbaren.«

Tobias hatte noch niemals gehört, dass Hindus missionierten. Allerdings lernte man in diesem Land an fast jedem Tag etwas Unglaubliches dazu. Dass Steuergelder für Tempelbauten eingesetzt wurden, war allerdings nichts Neues. Damit hatten Gopanna und der Nizam von Hyderabad schließlich schon vor hunderten von Jahren begonnen.

Das Dorf lag direkt über der Steilküste. Kumari steuerte nach links. Dort machten sie sich unterhalb eines riesigen Baumes mit Wurzeln, die in die Luft ragten, an den Aufstieg der Steilküste. Die parallel zum Fluss verlaufende Dorfstraße lag wie ausgestorben da. An jeder Seite gab es einfache, arme Hütten, dazwischen einige der typischen grauen Steinhäuser, wie sie die Regierung bei Fluthilfeprogrammen gebaut hatte. Jede Hütte war von einem Hofplatz umgeben, eingegrenzt durch Bambuszäune. An der Straße lagen vor jedem Haus einige Wasserbüffel oder Kühe. Es regte sich kaum etwas. Irgendwo in der dritten Reihe, wo es weitere Straßen geben musste, plärrte ein Radio. Vor einigen Häusern brannte eine Glühbirne. Also gab es Strom.

Kumari hielt sich ganz links.

»Hier können wir zwei oder drei Stunden schlafen, dann müssen wir weiter!«

Die schöne Inderin geleitete die zwei durch einen schmalen Gang bis in eine Hütte. Die halbhohen Wände waren weiß getüncht. Darüber gab es zwischen den Pfosten offene Fenster, die den Blick auf den Fluss freigaben. Dort sah man in der Ferne die Lichter von Fischerbooten oder Touristenschiffen.

»Wartet!«

Kumari verschwand im benachbarten Haus. Sie kam mit mehreren Decken und zwei Kopfkissen wieder heraus.

»Legt Euch hin, wir haben wirklich wenig Zeit.«

Max erlebte eine Premiere, Tobias auch. Max war seit seiner Konfirmation und ungefähr zwei oder drei Weihnachtsfesten erstmals wieder in einer Kirche. Und Tobias hatte noch nie in einer solchen übernachtet, geschweige denn in einer Hüttenkirche auf dem Betonfußboden.

Erstaunt starrten sie auf das rote Kreuz an der Stirnseite über dem etwas erhöhten Altar. ‚Happy Christmas' stand darüber. An einer Wand hing ein Bild von Jesus, kitschig dargestellt mit blutendem Herzen. Wie in Kumaris Elternhaus.

Sie waren hundemüde. Also spürten sie auch den harten Boden nach wenigen Minuten nicht mehr. Sie schliefen sofort ein, nachdem sie sich auf eine ausgebreitete Bastmatte gelegt hatten. Noch einmal davon gekommen. Gott sei Dank!

Wie war das mit dem Morgen? Der Morgen stirbt nie. Sie waren noch am Leben.

Tobias wachte zuerst auf. Er spürte seine Knochen auf dem harten Boden und mochte nicht mehr liegen bleiben. Als Max etwas später wach war und sie sich umsahen, waren sie sich schnell einig: Sie befanden sich an einem der schönsten Plätze, die sie je besucht hatten.

Die kleine Kirche, noch weihnachtlich mit Girlanden geschmückt, lag direkt am Fluss. Von hier hatte man einen wunderbaren Ausblick über das Flussbett, die Sandbänke und die das Ganze umschließenden Berge. Kuhherden waren auf dem Weg zur Tränke. Frauen standen am Ufer und wuschen Wäsche. Fischerboote fuhren nah am Ufer entlang und kontrollierten ihre Netze. Eine Ziegenherde kam blökend vom Wasser zurück und wurde die Steilküste hinaufgetrieben. Eine erste Launche tuckerte flussaufwärts. Bald würden es viele sein und es wäre mit der Ruhe vorbei. Ein Junge klettere auf den Busch hinter der Kirche und brach einige kleine Äste ab. Später erfuhr Tobias, dass er sich seine Zahnbürsten pflückte: Zweige vom Niembaum, die beim Kauen reinigenden und schützenden Saft erzeugten.

Der Mond stand westlich am Himmel, jetzt blass und kraftlos. Die Sonne übernahm sein Regiment. Noch dämpfte der Dunst des Morgens ihre Leuchtkraft, bald jedoch würde sie mit voller und vor allem aus eigener Kraft den Tag regieren.

Tobias verließ die Kirche und stellte sich ans Steilufer. Er sah nach Nordwesten, zur anderen Seite des Flusses.

»Dort irgendwo sind unsere Verfolger! Sie sind jetzt sicher sehr aufgeregt, wenn sie unser Verschwinden überhaupt schon bemerkt haben“.

Dann stellte er sich zur Sicherheit so hinter die Bambuswand, dass er von drüben nicht gesehen werden konnte.

»Ich hoffe, Kumari hat Recht und sie suchen uns zuerst in der entgegen gesetzten Richtung.« Max klang wieder zuversichtlich.

Ihre Begleiterin war noch nicht da. Als sie nach knapp einer Stunde kam, hatte sie einen jungen Mann im Schlepptau, der offensichtlich im Haus neben der Kirche wohnte und dem das schicke Motorrad gehörte, das unter dem Schattendach stand. Es war eine Honda und auf der schwarz glänzenden Lampenabdeckung stand unter einem kleinen Kreuzsymbol ‚Gods gift' (‚Gottesgeschenk'). Der Mann trug eine dunkle Hose und ein schneeweißes Hemd. Kumari stellte ihn als Pastor Mark vor. Mark sprach nur wenige Worte Englisch. Trotzdem verstanden sie sich auf Anhieb.

»Wandanalu!« sagte er und reichte den Gästen die Hand. Jetzt hielt Max es nicht mehr aus vor Neugier. Er fragte Kumari direkt:

»Sag mal, was bedeutet das eigentlich: Wandanalu?!«

Sie lachte.

»Ganz einfach! Es ist ein christlicher Gruß und bedeutet soviel wie ‚Gott mit Dir!' Oder es heißt ‚Danke', oder ‚guten Tag', ‚gute Nacht', ‚auf Wiedersehen'... du kannst es für alles Mögliche nehmen.«

Max und Tobias schien es, als tauchten sie in eine sechste oder siebte Welt ein. Zuerst das Indien der überfüllten Städte; dann die Ausflugsziele, Strände und isolierten Hotels des touristischen Indien; dann das Indien der Tempel und des Hinduismus; dann das ländliche Indien, das riesige Überlebens-Reservoir für fast ein Fünftel der Menschheit; dann die so empfindlich bedrohte Stammeskultur; dann die Camps flüchtiger und verdeckt agierender Terrorgruppen. Und nun auch noch die Welt eines christlichen Indiens. Sie waren ihr bereits in Chennai begegnet und die Schwedin Sandra war wohl auch ein Teil davon. Dass es allerdings sogar hier im Stammesland derart viele Kirchen und Christen gab, hätten sie niemals vermutet.

Eine Entdeckung war verblüffender als die vorige.

Wie gern hätten sie hier ein paar Tage am Fluss gesessen und mit Kumari und Pastor Mark über dieses Dorf, die Adivasi und, Max wunderte sich über diesen Gedanken, über die Kirche und die Christen in Indien gesprochen. Nun aber mussten sie sicher schnell weiter und hatten sich um andere Themen zu kümmern. Schade.

Mark sah die beiden an. Sein Blick glitt ernst von Kopf bis Fuß der zwei fremden Gäste. Dann ging er wortlos ins Haus und kam mit zwei weißen Hemden wieder heraus.

»Take it«, sagte er, »and change it! (Nimm sie und wechsle sie!)«

Dabei zeigte er auf die sich jeder Farbansage widersetzenden Hemden der beiden Ausländer.

Sie wollten die Hemden zuerst nicht nehmen. Doch auch Kumari redete auf sie ein.

»Ihr lasst eure Hemden hier und leiht euch diese hier. Wir waschen eure und ihr kriegt sie irgendwann wieder.«

Tobias war es äußerst peinlich, so verdreckt auszusehen. Dieser Pastor lebte in staubigen Hütten, er saß auf dem Boden, er ging über schmutzige Abfallhalden, vorbei an Kuhfladen und Plastikabfällen – und doch sah er aus, wie aus dem Ei gepellt. Genauso Kumari. Sie war mit ihnen im wahrsten Sinne des Wortes durch dick und dünn gegangen und sah doch aus, als käme sie gerade aus einem Schönheitssalon. Der orange Punjaby leuchtete in der Sonne, die schwarzen Haare trug sie hochgesteckt mit einer gelben Blüte darin, ihre goldene Kette und ihre Armreifen funkelten, als lägen sie in der Auslage eines Schmuckladens. Nur ihre Schuhe sahen etwas mitgenommen aus, weil einige der kleinen Blumenverzierungen abgefallen waren.

Max hatte diesmal schneller begriffen als Tobias. Er hatte das frische Hemd schon in der Hand und seines bereits aus der Hose gezogen.

»Eine saubere Hose könnte ich auch gebrauchen, aber die habt ihr in meiner Größe wahrscheinlich nicht!«

Kumari lachte und übersetzte für Mark. Der lachte ebenfalls und schüttelte dabei bestätigend den Kopf. Dann stellte er ihnen einen Eimer mit Brunnenwasser und ein Stück Seife bereit, damit sie sich etwas waschen konnten.

»Bei nächster Gelegenheit«, sagte Kumari zu Max, »suche ich dir einen großen und starken Pastor, dessen Hose du anziehen kannst!«

Max hätte sich niemals träumen lassen, einmal in den Hosen eines Geistlichen herumzulaufen.

In einer Hütte nebenan bekamen sie Frühstück. Wie gut das tat nach all diesen chaotischen Abenteuern: Ein heißer Tee, zwei Doshai mit Zwiebeln gefüllt und das Gefühl von Freiheit.

»Was machen wir nun?«

Tobias wollte schon wieder Pläne schmieden. Doch Kumari übernahm das Kommando. Ganz anders, als sich die beiden Deutschen das vorgestellt hatten, waren die Frauen der Adivasi sehr selbstbewusst. Sie hatten in den Städten oft gesehen, wie Frauen in gewissem Abstand bescheiden hinter ihren Männern hergingen. Sie hatten gelesen, dass in Indiens Dörfern immer noch Mädchen nach der Geburt getötet wurden, weil die Eltern Angst hatten, die Mitgift nicht aufzubringen. Hier aber machten die Frauen einen ganz anderen Eindruck. Auch die Gastgeberin, eine Frau Mitte fünfzig namens Mariama, wirkte überaus resolut. Sie reichte den beiden noch einen Tee und mahnte dann zum Aufbruch.

Mariama, eine sichtlich arme Kulifrau, bekleidet mit einem großgeblümten Sari aus Kunstseide, begleitete sie. Sie gingen zu Fuß.

Schon nach einigen Metern, sie hatten noch nicht die Abzweigung in die Berge erreicht, sondern waren noch mitten auf der Dorfstraße, blieb Tobias plötzlich wie angewurzelt stehen.

Ein über drei Meter hoher Mann stand vor ihm. Nicht im Original, jedoch auf einem riesigen Plakat. Bis in den hintersten Winkel hatten die Plakatdienste es also geschafft. Coca Cola wäre neidisch auf diese Servicedichte. Er stand dort in weißem Anzug, einem traditionellen Dothi. Auf der Brust prangte ein riesiger Button. Den Arm erhob er zum Gruß und er blickte furchtlos und weltmännisch auf die Hütten, Büffel, Hunde, Ziegen, Bäume, Blumen, Reistrohhaufen und Menschen in Saris, Hosen, Röcken, Lumpen und Lendenschürzen herab. Der CM! Genau das stand in großen Buchstaben auf dem Plakat: »Welcome the CM«. Alles andere war in Telugu und somit in für Tobias unlesbaren Schriftzeichen geschrieben.

Er war wie elektrisiert und plötzlich hellwach.

»Kumari«, völlig aufgelöst zog er ihre Retterin am Schal ihres Punjaby zurück. Fast stolperte sie.

»Wer ist das? Was steht dort?«

Kumari erschrak. Aber sie verlor die Fassung nur für einen kurzen Moment.

»Was ist denn mit dir los, Tobi? Das ist der CM.«

»Und wer oder was ist das, der Zeem?«

Kumari lachte. Als sie sprach, hatte sie auch das Interesse von Max, der schon einige Schritte voraus war und jetzt umkehrte, um das riesige Plakat näher in Augenschein zu nehmen.

»Der CM, das ist unser Chiefminister! Der Chef von Andhra Pradesh, unser oberster Politiker. Er heißt Dr. Y.S. Raja Shekar Reddi. Er vor allem ist es, der uns die Sache mit dem Polavaram-Projekt eingebrockt hat. Und er ist es, der es um jeden Preis umgesetzt haben will. Er ist die treibende Kraft im Staat, ohne Zweifel. Durch das Indiramma-Hausprogramm hat er bereits jetzt über zwei Millionen Familien zum Eigenheim verholfen. Auch sonst hat er während seiner Amtszeit viel Gutes bewirkt. Doch mit dem Polavaram-Damm hat er sich unzählige Feinde gemacht. Da ist er zu rigoros vorgegangen und, auch wenn er Christ ist, hat er zumindest bei uns Adivasi verspielt.«

Tobias sah sich den Mann genauer an. Er sah eigentlich recht nett aus. Nicht so feist, brutal oder verschlagen wie manche der indischen Politiker, die mit verächtlicher Mine ihre Position, ihr Geld und ihr Amt heraushängen ließen. In der Zeitung oder auf Plakaten hatten sie jedenfalls Typen gesehen, die Anand oder seinen Kollegen in nichts nachstanden, mal abgesehen davon, dass sie besser rasiert waren. Dieser Reddi aber hatte ein rundes, freundliches Gesicht, lachende Augen und einen kleinen Schnauzbart unter der Nase. Er wirkte sympathisch – bei aller Kritik an seinem politischen Kurs.

Tobias murmelte das, was er dachte vor sich hin. Und er ergänzte, nun für die anderen sehr gut vernehmbar:

»Schade, dass er an Pongal sterben soll.«

Er genoss die Verblüffung.

»Wieso muss er sterben, so alt sieht er doch gar nicht aus?« Max schien seinen Freund für etwas abgedreht zu halten.

»Ich frage erst mal nach«, sagte Tobias jetzt, an Kumari gewandt. »Was steht noch auf dem Plakat?«

»Dort steht, dass der CM nach Kothuru kommt. Er soll dort einen riesigen Wassertank einweihen, der für die Pipeline vom geplanten Stausee nach Sathupally so eine Art Zwischenstation bildet.«

»Er kommt also in diese Gegend?«

»Ja. Und er soll im Rahmen seines Besuches einen Abstecher ins nahe Rallapudi machen, wo er die erneuerten Tore eines Stausees in Betrieb nehmen soll.«

Plötzlich bekam Kumari, trotz ihrer braunen Samthaut, einen roten Kopf.

»Jetzt verstehe ich, was du meinst!« rief sie. Aber

dann schluckte sie, als ob es ihr die Sprache verschlug. »Du hast Recht! Alles passt zusammen. Alles!«

Max wippte von einem Bein auf das andere.

»Was passt zusammen? Wovon redet ihr eigentlich? Was geht uns dieser Minister an? Ich denke, wir sind auf der Flucht – und nun stehen wir hier vor einem modernen Götterbild und diskutieren über eine politische Veranstaltung!«

»Max, aber genau das ist es! Ein Minister und eine politische Veranstaltung. Mit ganz viel Medienrummel! Kumari, steht dort ein Datum?«

Kumari nickte.

»Natürlich. Wenn die Leute zu einer Großveranstaltung eingeladen werden, müssen sie doch wissen, wann und wo! Der CM kommt am 14. Januar.«

»Äh«, nun schien auch Max langsam zu begreifen. »Das ist doch dieser Pongal-Feiertag, der in dem Notizbuch stand.«

»Endlich hast du´s«, jubelte Tobias, »und CM stand auch drin und Reddi und Rallapudi und die Uhrzeit mit samt einer genauen Zeichnung.«

Mariama drängte zur Eile und sagte etwas zu Kumari. Die hatte wegen des Plakates offenbar fast vergessen, was sie heute noch vorhatten. Jetzt aber drängte sie ihre Freunde:

»Kommt! Wir wollen heute noch mindestens zwei Berge überqueren und uns dann erst einmal unsichtbar machen. Wir haben wirklich noch viel vor uns. Reden können wir später oder unterwegs!«

Sie marschierten weiter. Unterwegs unterhielten sie sich weiter über ihre neue und erschreckende Erkenntnis. Es ging tatsächlich um mehr als einen kleinen Staudamm oder die Identität einiger Leute. Es ging um nichts Geringeres als um Präsidentenmord. Die Sache mit ihnen, der Mord in Kukunuru und die Sprengung in Gullavai hatte Krishna nur inszeniert, um von diesem Attentat abzulenken. Wie der Polizist waren auch Max und Tobias lediglich Bauernopfer in Krishnas Schachpartie. Beim nächsten Zug sollte dann der König ‚Schach matt' gehen.

»Leider«, dachte Tobias laut vor sich hin, »ist James Bond jetzt nicht zur Stelle.«

»Wer ist James Bond?« fragte Kumari.

»Äh, das ist so etwas wie ein allmächtiger Retter, der am Ende immer gewinnt.«

»Diesen James Bond brauchen wir nicht. Wir haben Jesus auf unserer Seite. Ein Retter reicht!«

Mehr als verblüfft sahen Max und Tobias sich erstaunt und irritiert an. Diese indische Schönheit war voller Geheimnisse.

Sie hatten das Dorf hinter sich gelassen, waren auf einem Feldweg durch abgeerntete Felder gegangen und kamen nun auf leicht ansteigendes Brachland. Hier war der Wald offenbar erst vor kurzer Zeit abgeholzt worden. Von ehemals prächtigen Bäumen waren nur noch auf Knie- bis Schulterhöhe abgeschlagene Stubben sichtbar. Manche waren wieder ausgeschlagen und hatten saftig grüne Zweige hervorgebracht. Büsche waren gewachsen. Dazwischen gab es noch einige alte, große Bäume, die erahnen ließen, wie wunderschön dieser Dschungel einmal gewesen war.

Mariama ging voran. Es war beachtlich, wie sie mit ihren Badelatschen über Stock und Stein marschierte. Die weißen Fußkettchen aus kleinen Plastik- oder Knochenstücken wippten bei jedem Schritt. Mariama gehörte zu jenen Koya, die ihr Leben lang barfuss oder in Sandalen durch die Natur gelaufen waren. Ihren Füßen sah man es an. Sie hatten eine dicke, teilweise eingerissene Hornhaut gebildet. Füße, die noch nie in Schuhen gesteckt hatten. »Freie Füße!« dachte Tobias, als er hinter ihr herging und beobachtete, wie sicher und geschickt sie auftrat.

Einmal stoppte sie, nahm einen Stock und kickte einen riesigen gelben Tausendfüßler zur Seite. Er sei sehr gefährlich, sagte sie, fast so wie der schwarze Skorpion, den es in dieser Gegend häufig gab. Doch nicht tödlich. Man sei nur vier Tage mit großen Schmerzen außer Gefecht.

»Welch ein Trost!« dachte Max und achtete jetzt noch genauer darauf, wo er hintrat. Zum Glück waren ihre Sandalen etwas derber als die von Mariama und Kumari.

Unter einem großen Baum auf der anderen Seite des Berges machten sie Pause. Die Deutschen genossen den kühlen Schatten unter der weiten Krone der Tamarinde. Es wehte ein kleines Lüftchen und so konnten sie es gut aushalten. Während des Marsches dagegen hatten beide sehr geschwitzt, vor allem Max. Sie fragten sich, wieso sie frische Hemden angezogen hatten. Diese waren feucht und klebrig vom Schweiß. Mariama hatte eine Art Einkaufstasche aus Plastikgeflecht dabei. Daraus zauberte sie nun einige von den köstlichen kleinen Bananen, mehrere in Zeitungspapier eingewickelte Doshai und scharfes Chutney in einer kleinen Plastikschale. Erstaunlich, wie gut sich die beiden Deutschen inzwischen auf das fremde Essen eingestellt hatten. Dieses Picknick fanden sie geradezu köstlich.

Doch Mariama packte schnell wieder ein, kaum waren die Doshai verzehrt.

»Die Bananen könnt ihr auch unterwegs essen«, übersetzte Kumari sie, »und euer Mineralwasser habt ihr ja sowieso bei euch.«

Max und Tobias waren froh, dass Kumari sie in Koyda mit Mineralwasser versorgt hatte. Sie hätten nicht gedacht, dass es so etwas in diesem Kaff gab. Als sie ihr das sagten, grinste sie und meinte:

»Da habt ihr Recht! So etwas gibt es in Koyda wirklich nicht. Die Leute hier sind froh, wenn zwischendurch mal die Pumpe der zentralen Wasserleitung funktioniert und sie nicht Wasser aus dem Fluss holen müssen. Nee, Mark hat das Wasser heute Nacht aus Yelerupadu besorgt. Mit dem Motorrad.«

Welch ein Einsatz für ihre überraschenden Gäste! Max und Tobias hatten in den letzten Tagen Brunnenwasser getrunken. Natürlich wussten sie, wie gefährlich das war! Doch was war ihnen übrig geblieben? Sie waren froh, dass keiner von Beiden Durchfall bekommen hatte oder Schlimmeres. Sie mussten einen Schutzengel gehabt haben.

Den ganzen Tag wanderten sie über die Berge. Sie mieden Straßen und Wege, vor allem Ortschaften. Mariama kannte kein Erbarmen. Offensichtlich hatte Kumari ihr erzählt, in welcher Gefahr sie schwebten. Mehrfach wollte Tobias mit seinen Freunden darüber reden, was sie wegen des geplanten Attentates unternehmen könnten. Kumari wies ihn jedes Mal zurück.

»Nachdenken kann unterwegs erst mal jeder für sich. Heute Abend tragen wir die Ergebnisse dann zusammen.«

»Das hat sie geahnt«, murmelte Tobias am Abend, als sie nach stundenlangem Marsch auf ihrer Pritsche im Inneren einer geräumigen Hütte lagen. »Wir sind so müde, dass es heute nichts wird mit dem Zusammentragen unserer tollen Gedanken! Ich bin vorhin schon im Stehen eingeschlafen.«

»Immerhin haben wir etwas zu Essen bekommen und ein Bett.«

Max schien zufrieden zu sein. Ja, sie hatten alles, was sie brauchten. Sie waren bei einem Verwandten Mariamas untergekommen, in einem kleinen Dorf abseits aller befestigten Straßen. Wer dieser Verwandte war, wussten sie nicht, denn es war niemand im Haus. Mariama nannte dieses Dorf einfach nur ‚Kolonie'. Tobias sagte, dass er sich wunderte, dass der Ort keinen richtigen Namen trug. Max meinte aber, das sei ein Name.

»Quatsch!« hatte Tobias geantwortet.

»Kolonie ist doch kein Name. Kolonie wovon?«

Leute trafen sie nicht. Sie sahen nur durch Bambusmatten voneinander abgegrenzte Hofstellen. Es schienen auch nur sieben oder acht Hütten zur Kolonie zu gehören.

»Hierhin kommt niemand!« hatte Mariama behauptet.

»Und wenn jemand käme«, betonte sie dann noch, »dann wüssten wir es lange vorher.«

10. Januar: Abwarten und Zeitung lesen

Um die Mittagszeit des nächsten Tages konnten sie erstmals seit Gondikottagudem wieder in einer englischsprachigen Zeitung lesen. Sie waren Tags über im abgegrenzten Hof des Verwandten Mariamas geblieben. Der selbst war allerdings immer noch nicht aufgetaucht. Wahrscheinlich war er verreist. Tobias hatte immer mehr den Eindruck, die waren hier alle verwandt. Jedenfalls kam ihm das irgendwie bekannt vor: »Ein Verwandter von mir.« Hatte er das nicht schon häufig gehört?

Wie Kumari es herausbekommen hatte, war den beiden schleierhaft. In der Zeitung stand es jedenfalls nicht. Also ‚Buschtrommeln'. Kumari teilte während des nur aus Reis und Sauce bestehenden Mittagessens wie selbstverständlich mit:

»Etwa zwanzig der Rebellen haben Kondepudi noch gestern in zwei Richtungen verlassen. Eine Gruppe ist den Fluss aufwärts, die andere abwärts gegangen. Sie suchen uns.«

Dann gab sie ihnen den Deccan Cronicle.

»Srinu war heute früh hier«, sagte sie. »Er hat auch für euch eine Zeitung mitgebracht.«

Wer immer dieser Srinu war, er hatte mitgedacht und eine englischsprachige Zeitung besorgt. Kumari wies auf zwei für die Flüchtigen interessante Artikel hin.

Eine kleine Notiz auf der vorletzten Seite teilte mit, dass es von den beiden »geflüchteten Deutschen« keine Spur gab. Die Polizei hatte Erkundigungen bei den Deutschen Behörden eingezogen und es war völlig rätselhaft, was die bisher als unbescholten geltenden Männer antrieb. Sie waren mit normalem Touristenvisum eingereist und hatten sogar schon ihren Rückflug gebucht. Niemand wusste, wo sie jetzt waren. Die Angebote der Gerüchteküche schwankten zwischen international arbeitenden Terroristen, die jetzt mit den Naxaliten zusammen gingen und unliebsamen Zeugen, die längst irgendwo im Wald verscharrt waren. Der ermittelnde Inspektor aus Ashwaropeta, Mr. Chidambaram, betrachte die Ausländer als Schlüssel zur Klärung der Morde, habe auch von neuen Erkenntnissen gesprochen, diese jedoch nicht weiter benennen wollen.

»Na schön«, kommentierte Max den Artikel. »Immerhin stehen wir noch in der Zeitung. Dann haben sie uns nicht ganz vergessen.«

»Ich frage mich nur«, sagte Tobias, »was meine Frau jetzt wohl ausstehen muss und unsere Eltern.«

Und zu Kumari gewandt:

»Wann, denkst du, können wir in Deutschland anrufen?«

Kumari reagierte zunächst nicht. Sie murmelte etwas vor sich hin und Tobias verstand den unaussprechlichen Namen aus der Zeitung ‚Chidambaram'. Vielleicht kannte sie diesen Polizisten. Aber Kumari war schon wieder bei der Sache.

»Ich gönne es euch so sehr! Aber ihr müsst noch warten, bis dies alles vorbei ist. Zwar sind die Naxaliten im Moment am gefährlichsten für uns – aber auch die Polizei könnte es missverstehen, wenn ihr plötzlich einfach wieder auftaucht. Vielleicht habt ihr dann erst einmal wochenlang keine Chance, euch zu verteidigen und sitzt im Ausländerknast von Hyderabad. Dann ist das Attentat passiert und ihr seid immer noch nicht entlastet. Also, ruft nicht an! Die Gespräche aus dieser Region werden mit Sicherheit abgehört! Ganz abgesehen davon müsstet ihr sowieso bis übermorgen warten, da es hier keine Netzverbindung gibt.«

Da war es wieder, Indien und seine Geheimdienstmethoden. Ob das wirklich stimmte? In einem derart großen Land?

Die zweite interessante Meldung der Zeitung betraf die Großveranstaltung. Eigentlich war es eine Anzeige der Regierungspartei, sie war jedoch aufgemacht wie ein normaler Artikel. Das Indira-Sagar-Projekt der Regierung wurde in den höchsten Tönen gelobt. Es bringe Wasser und damit Nahrung für alle, hieß es. Der Staudamm würde mehreren Millionen Menschen zum Segen werden, erzeuge Energie für die Stahlwerke im Osten, durch breite Kanäle würden neue Verkehrswege zwischen der Godavari und der weiter südlich gelegenen Krishna geschaffen und durch die fast hundert Kilometer lange Pipeline würde man selbst die Regionen oberhalb des Stausees bewässern.

Kumari bekam wieder ihren kämpferischen Gesichtsausdruck, als sie den Artikel kommentierte.

»Nicht davon die Rede ist«, sagte sie verärgert, »dass vor allem wir Adivasi darunter zu leiden haben und gar nicht gefragt wurden, dass es längst günstigere Alternativprojekte mit weniger Opfern gibt, dass einige Gutachten inzwischen dringend von dem Projekt abraten, dass der Damm durch jüngste Bedingungen der staatliche Waldbehörde und dem Widerstand der Nachbarstaaten kurz vor dem Aus steht und dass trotzdem bereits viele Milliarden Rupien Steuergelder dafür verschwendet wurden!«

Mariama reichte Kumari ein Stück Papaya. Sie hatte wohl gespürt, dass sie ein wenig beruhigend auf ihre Freundin einwirken sollte.

Max las weiter. Der Ministerpräsident würde am vierzehnten Januar, dem zweiten Pongaltag, nach Kothuru kommen, um von 14 bis 15.00 Uhr den Zwischentank der Pipeline einzuweihen. Im Rahmen seines Besuches würde er anschließend die drei neuen Schleusentore des Patwagu-Staubeckens begutachten und sie ebenfalls einweihen. Da mit großer Beteiligung der örtlichen Bevölkerung zu rechnen sei, möge man rechtzeitig anreisen. Die einfachste Anreise sei über Ashwaropeta. Dann gab es noch eine Liste jener Minister und örtlichen Politiker, die den CM begleiten würden.

Und wieder ereiferte sich Kumari, ganz zur Freude von Max. Wenn Kumari sich aufregte, erschien sie ihm besonders schön.

»Mit großer Beteiligung der Bevölkerung! Dass ich nicht lache! Sie werden das ganze Gebiet absperren. Den Event wird nur mitmachen, wer eingeladen ist oder ein Congress-Parteibuch hat. Ihr macht euch ja keine Vorstellung, wie bedeutsam bei uns in Indien der CM ist. Er hat weitreichende Befugnisse. Er ist im Staat die letzte Instanz, der mächtigste Mann. In Tamil Nadu hat man es sogar fertig gebracht, einigen Ministerpräsidenten ein Mausoleum zu bauen, die heute wie Tempel behandelt werden.«

Weil die Papaya inzwischen verspeist war, nahm Mariama Max die Zeitung aus der Hand und sagte etwas zu Kumari. Vielleicht wollte sie ihre jüngere Freundin auch nur beruhigen.

Kumari wurde wieder sachlich.

»Mariama hat Recht, wir sollten uns jetzt nicht über den Chiefminister aufregen, sondern lieber eine Mittagspause machen. Wir müssen ohnehin noch warten.«

»Aber wollen wir denn nicht noch überlegen, wie es eigentlich weiter geht?«

Tobias konnte es schlecht ertragen, dass sie immer noch keinen konkreten Plan hatten.

»Das geht noch nicht.«

Max nickte, während Kumari sprach. Damit war von vornherein klar, auf wessen Seite er war.

»Wenn wir zu früh zur Polizei gehen, könnten sie euch wie Verbrecher behandeln, euch nicht ernst nehmen oder alles hinauszögern, weil sie Kompetenzprobleme haben oder auf Schmiergeld warten. Damit wäre nichts gewonnen. Allerdings, wenn wir uns direkt an Inspektor Chidambaram wenden, dann...“

Kumari schien ihre eigenen Überlegungen zu hinterfragen. Offenbar kannte sie diesen Inspektor. Doch sie korrigierte sich erneut.

»Nein, nein, wir müssen erst sehen, was unsere Freunde Krishna und Anand machen. Erst dann können wir weiter planen. Folglich sind Abwarten und von der Bildfläche verschwinden das Beste, was wir tun können!«

»Aber wir könnten doch einfach im Büro des CM anrufen und sie warnen!«

Kumari sah Tobias fast ein wenig mitleidig an.

»Was meinst du, was der CM für Drohanrufe bekommt. Und selbst wenn sie es ernst nehmen! Gehen wir einmal davon aus, dass sie die Sicherheitsvorrichtungen noch weiter erhöhen oder die Veranstaltungen einfach absagen. Wie willst du dann beweisen, dass der Anschlag geplant war und ihr deshalb entführt wurdet. Es kann ja genauso gut sein, dass ihr euch nur entlasten wollt. Im Übrigen werden wir nur Erfolg haben, wenn wir den Anschlag nicht nur verhindern, sondern auch die Attentäter an die Polizei ausliefern.«

Tobias war zwar noch nicht ganz überzeugt, legte sich jedoch auf seine Pritsche. Sie hatten sich darauf geeinigt, während der heißen Mittagszeit nichts mehr zu unternehmen. Danach wollten sie weiter sehen. Er ließ alles noch einmal Revue passieren. Am Ende musste er Kumari Recht geben. Sie kamen nur davon, wenn sie die Rebellen in eine Falle lockten und der Polizei bewiesen, dass sie das Attentat verhindert hatten. Also doch James Bond...

Für Kumari musste es sehr schwer sein, ihre Naxalitenfreunde ans Messer zu liefern. Doch durch die Befreiungsaktion der Deutschen hatte sie sich eindeutig auf die andere Seite gestellt und wie sie selbst gesagt hatte:

Anand verstand keinen Spaß. Dafür gab es sicher nicht nur den kaltblütig erschossenen Polizisten und den erstochenen Wachmann als ‚lebendige' Beispiele. Seltsam, die junge Frau kannte nicht nur diese Terroristen, sondern auch jenen Inspektor Chidambu..., der auf sie angesetzt war. Schon wieder hatte Tobias den komplizierten Namen vergessen. Eine wirklich interessante Frau.

Nachmittag und Abend verliefen eintönig. Tobias fragte Kumari, ob sie irgendwo Schreibzeug hätte. Dann könnte er sich Notizen machen. Wer weiß, vielleicht würde er das Ganze so noch besser reflektieren können. Kumari brachte ihm ein Notizheft mit Kugelschreiber.

Den Rest des Tages lagen die Freunde auf der Pritsche herum oder vertraten sich gelegentlich auf dem Hof die Beine. Zu fragen, ob sie den Hof verlassen und ins Dorf gehen konnten, kam ihnen nicht in den Sinn. Sie waren auf der Flucht. Sie durften nicht gesehen werden. Und sie durften keiner einzigen Buschtrommel gestatten, auch nur einen Ton über ihre Anwesenheit hier weiterzugeben.

Als es dunkel wurde, machte Mariama ihren Gästen heißes Wasser und sie konnten in dem durch Bambusmatten abgegrenzten ‚bathroom' ein Ganzkörperbad nehmen. Besonders Tobias mochte das: Draußen unter freiem Himmel mit heißem Wasser duschen! Klasse!

11. Januar: Kolonie der Verschwiegenheit

Auch der folgende Tag war noch vom Warten geprägt, wenn auch ganz anders als der vorige. Mariama, die sich in diesem Haus wie in ihrem eigenen bewegte, servierte ihnen nach der Mittagspause einen Tee und bot dazu geröstete Erdnüsse an, die köstlich schmeckten. Max und Tobias fühlten sich bei diesen Leuten sehr wohl.

Sie strahlten Vertrauen und Zuversicht aus und hatten viel Humor. Schade nur, dass sie immer nur hinter Bambuszäumen oder in Hütten saßen. Gerne wären sie auch einmal durchs Dorf gegangen und hätten sich das Treiben dort angesehen. Max nannte Kumari nun doch diesen Wunsch, vorsichtshalber gleich mit der Einschränkung, dass ihre Sicherheit natürlich vorginge.

»Hier ist das kein Problem«, sagte sie zur Überraschung der Deutschen. »Das sind alles unsere Leute. Da hättet ihr auch schon früher fragen können. Trinkt euren Tee aus und dann gehen wir durch die Kolonie. Wir wollten sowieso noch mit offenen Karten spielen.«

Verständnislos blickten Max und Tobias sie an. Kumari lachte.

»Habt ihr euch denn noch nicht gefragt, wo der Verwandte von Mariama eigentlich ist? Und wieso wir sagen, ihr seid absolut sicher?«

»Na klar haben wir uns das gefragt«, antwortete Tobias. »Wir nehmen an, der Verwandte ist verreist und dieses Dorf liegt eben besonders einsam.«

Kumari übersetzte Mariama das. Beide lachten laut und ihre Gäste sahen sich erneut ratlos an.

»Nein, nein!« erklärte Kumari.

»Mariamas Cousin ist nicht verreist. Er hat sich vor euch versteckt!«

»Was hat er?«

Ungläubig schaute Tobias Mariama an.

»Versteckt? Vor uns? Aber warum denn?«

Kumari meinte, sie würden es verstehen, wenn sie ihn kennen lernten. Das konnte gleich passieren, wenn sie wollten. Also verließen sie erstmals seit ihrer Ankunft vor zwei Tagen das Grundstück und gingen durch die Dorfstraße. ‚Dorf' war übertrieben und ‚Straße' allemal. Es war nichts als eine Ansammlung von ärmlichen Hütten mit Bambuszäunen darum, einigen wenigen Rindern und Schafen davor – und das war´s auch schon. Der holprige Weg war voller Kot, Steine und Baumwurzeln.

Zwischen den Hütten lag weggeworfener Müll. Am Rand des Dorfes, unter einer schattigen Tamariske, stand eine kleine, schiefe Hütte mit weiß getünchten, halbhohen Seitenwänden, vielen weißen Papierfähnchen und einem riesigen roten Weihnachtsstern.

»Unsere Kirche!«

Kumari schien stolz auf jenes Prunkstück vor ihnen zu sein.

»Kirche? Nicht einmal als Stall würden wir das in Deutschland benutzen.«

Tobias fand diese Bemerkung seines Freundes ziemlich unsensibel, zum Glück hatte Max Deutsch gesprochen.

»Jesus wurde doch auch in einem Stall geboren!« wies er seinen Freund zurecht. Der erwiderte diesmal nichts, denn sie standen nun vor dem mit Girlanden geschmückten Eingang und einem handgemalten Schild. ‚GSELC' stand darauf. Kumari lachte:

»Das ist der Name unserer Kirche. Good Shepard Evangelical Lutheran Church.«

Tobias erinnerte sich an Bhadrachalam. Lutherisch? War da nicht ein Politiker, der in der Tempelstadt ein lutherisches Büro hatte, zu dem gelegentlich auch weiße Besucher kamen? Er fragte Kumari danach, bekam aber nur eine knappe Antwort.

»Ja, das ist der Ayyagaru, der jetzt Abgeordneter ist. Der hat unsere Kirche Anfang der achtziger mit begründet, sie dann total autoritär geführt und sie später sträflich im Stich gelassen. Er hat jetzt nur noch etwas mit seinen Vasallen in der Stadt zu tun. Unsere Präsidentin heißt Lea Rani und wir haben unser Zentrum in Ashwaropeta.«

Für Kumari war dieses Thema sichtlich unangenehm, so als ob es mit schmerzlichen Erinnerungen verbunden war. Also fragte Tobias nicht weiter nach. Vielleicht würde diese Geschichte ein andermal erzählt werden. Interessant genug hörte sie sich jedenfalls an, zumal ja offenbar eine Frau an der Spitze dieser Kirche stand. War sie nicht sogar diese ehemalige Priesterin aus Arukuru?

Sie kehrten wieder um. Erst jetzt nahmen sie bewusst wahr, dass an fast allen Hütten weiße Stofffahnen, bestickt mit einem roten Kreuz, flatterten.

»Unsere Gemeindeglieder!« kommentierte Kumari diese Beobachtung.

Tobias machte Max darauf aufmerksam, dass sie solche Fahnen auch schon in Koyda gesehen hatten.

»Es muss hier viele christliche Familien geben«, meinte er auf Deutsch.

Als ob Kumari das verstanden hätte, sagte sie:

»Unsere Kirche war einmal sehr groß. Leider hat es diese Spaltung gegeben. Nun sind wir nur ungefähr zehntausend getaufte Mitglieder. Sie leben auf beiden Seiten der Godavari verteilt,...«

Dann ergänzte sie mit eindeutig trauriger Stimme:

»... in beinahe allen vom Polavaram-Projekt betroffenen Dörfern!«

Als sie fast wieder bei ihrem Quartier angekommen waren, fragte Max etwas, was Tobias erst wahrnahm, als sein Freund es aussprach.

»Sag mal Kumari, wo sind denn eigentlich die ganzen Leute hier?«

Tatsächlich. Sie waren keiner Menschenseele begegnet.

»Sie sind entweder auf dem Feld, im Wald oder in ihren Häusern.«

»Und wieso haben wir niemanden gesehen?«

»Ich sagte es ja. Sie verstecken sich.«

Kumari und Mariama lachten wieder. Statt bis zur Hütte zu gehen, wo ihr Cousin wohnte und sie jetzt zu Gast waren, steuerte Maria eine Hofstelle davor an. Auch dort flatterte eine weiße Fahne mit Kreuz im lauen Wind. Mariama öffnete den Bambuszaun, ging hinein und rief:

»Randi! Kommt.«

Die beiden Männer und Kumari folgten ihr. Unter dem Dachüberstand der Hütte saß ein Mann, der mit einem verblichenen kariertem Lunghi und einem löchrigen Unterhemd bekleidet war, auf einer Pritsche. Er war gerade dabei, einen Verband am linken Arm zu erneuern. Oder er legte ihn erstmals an.

Max und Tobias kamen näher.

Mariama sagte etwas zu dem Mann, der etwa in ihrem Alter sein mochte. Der zögerte und schüttelte den Kopf. Es schien, er hatte einen Einwand. Er schaute auf die beiden Weißen. Doch dann schien er sich einen Ruck zu geben und wickelte den braunen Verband wieder ab.

Max und Tobias starrten auf die Hand. Sie hatte nur drei Finger und die auch nicht vollständig. Eine feuchte, helle Wunde glänzte dort, wo eigentlich ein Finger hätte sein müssen.

Max fand zuerst wieder Worte.

»Oh, das tut mir Leid!«

Und auf Deutsch fügte er hinzu:

»Du liebe Scheiße! Das ist Lepra!«

Wahrscheinlich hatte Kumari bemerkt, dass Max einen Schritt zurück gewichen war.

»Ihr müsst keine Angst haben!« sagte sie. »Wenn ihr damit nicht direkt in Berührung kommt, steckt es nicht an. Und in diesem Stadium ist sie gar nicht mehr ansteckend.«

Der Mann wickelte seine Hand wieder ein. Nun erst sahen die beiden Deutschen, dass auch einer seiner Füße verbunden war und an einem Bein befand sich ebenfalls ein Verband.

»Lepra kann heute mit einer Kombination aus mehreren Antibiotika eigentlich gut behandelt werden«, meinte Kumari. »Allerdings sind diese Medikamente hier kaum zu bekommen und für diese Leute unbezahlbar. Also bekommen sie die Krankheit, wenn überhaupt, erst spät in den Griff. Es beginnt mit weißen Flecken. Dann kommen

Wunden. Und dann verlieren die Leute Gliedmaßen.«

Der Mann zeigte mit seinem Handstumpf auf seine Stirn. Er grinste dabei freundlich. Max und Tobias wussten nicht, was er wollte.

»Er will, dass ihr für ihn betet«, sagte Kumari »und ihn segnet.«

Max wurde rot.

»Äh, aber das kann ich nicht.«

Tobias war auch verunsichert und Kumari schien das zu bemerken. Sie sagte etwas zu dem Kranken. Der schien zufrieden zu sein und nickte. Sein Lächeln blieb.

»Wandanalu«, sagte er und reichte seine noch komplette andere Hand. Tobias drückte sie. Max zögerte, ergriff sie dann aber auch. Der Mann hatte einen festen Händedruck.

Mariama sagte etwas. Kumari gab es an die beiden Freunde weiter.

“Das ist ihr Cousin! Er hat seit acht Jahren Lebra und lebt seit drei Jahren hier in der Kolonie.«

Tobias bat Kumari, dem Cousin herzlichen Dank dafür zu sagen, dass sie in seiner Hütte sein konnten. Der Mann lachte, als er den Dank entgegen nahm. Kumari übersetzte, was er sagte.

»Aber das ist doch klar! ‚Wer einen meiner Geringsten aufnimmt, der nimmt mich auf', hat Jesus gesagt. Ich kenne das, wenn man vor den Menschen fliehen muss... Und ich bete für euch!«

»Komischer Heiliger«, meinte Max beim Hinausgehen.

Als sie hinüber ins Nachbarhaus gingen, sagte Tobias zu Kumari:

»Jetzt verstehe ich das mit dem Verstecken. Sie wollen uns nicht damit belasten. Oder sie schämen sich.«

»Du hast Recht, mit Beidem.«

Dann erzählte sie davon, dass die Regierung zwar bereits vieles tat, um das Problem Lepra zu bewältigen, die Dorfbewohner verstanden jedoch nur langsam, was es mit dieser Krankheit auf sich hatte und wie sie mit ihr umgehen konnten. Meistens wurden die Erkrankten von den anderen Bewohnern des Dorfes gemieden und manchmal ausgestoßen. Es wurde ihnen nahe gelegt, das Dorf zu verlassen. So war diese Kolonie entstanden. Es war eine Leprakolonie.

»Also Aussätzige!« sagte Max.

»Genau deshalb mussten sie gehen«, meinte Kumari, »weil die anderen sie hinaus gesetzt haben. Wir Christen aber besuchen sie und kümmern uns um ihre Versorgung mit Nahrung und Medikamenten.«

»Und deshalb sind sie selbst Christen geworden?!«

Tobias hatte verstanden.

»Hast du ‚Papillon' gesehen?«

Am Abend, vor dem Einschlafen, mussten die Freunde noch einmal über diese Begegnung sprechen. Klar hatte Tobias den Film gesehen und die Szene mit der Zigarre von dem Aussätzigen noch gut vor Augen.

»Ich hatte ganz schön Angst«, gestand Max, »als ich ihm die Hand gegeben habe.«

Trotzdem träumte er in dieser Nacht nicht von Leprakranken und deren Zigarren, sondern davon, dass ein Inder, der aussah wie Rama Krishna Rao, ihnen anbot, bei einem Anschlag auf einen Staudamm mitzumachen. Irgendwie mussten sie darauf eingegangen sein, denn mühsam versuchte Max im Traum, die Tore des Staudammes zu schließen, damit er sie dann sprengen konnte.

»So ein Blödsinn«, dachte er mittendrin.

Danach schlief er richtig gut.

*

Er kam nicht weiter.

Die Deutschen waren verschwunden, ein Rama Krishna Rao nirgendwo bekannt und Kumari mit unbekanntem Ziel verreist. Zwar scheute er sich vor der Erkenntnis, merkte jedoch, dass ihm vor allem Kumari Sorge bereitete. Ob er immer noch in sie verliebt war? Damals hatte er seine Königin geradezu vergöttert. Oder nur jenen Besitzerstolz in sich, also sich selbst? Vielleicht war es ganz harmlos. Vielleicht war sie wirklich zurück nach Hyderabad auf den Campus ihrer Universität. Er nahm sich vor, das nachzuprüfen, wenn er zurück im Büro war.

Nervös ging Chidambaram auf dem langgestreckten Damm hin und her. Er hatte jetzt Zeit. Sie waren zusammen mit einigen Experten von der Regierung hierher gefahren, um ihre Inspektionen durchzuführen. Alles in Ordnung. Die Brücken bis zum Veranstaltungsort waren abgesucht worden, sogar jene, die man eher als Rohrverbindungen unter der Straße bezeichnen konnte. Er hatte den Einwand gebracht, dass es viel zu früh sei. Wenn der Ministerpräsident erst am vierzehnten käme, nützte es nichts, wenn man schon am elften nach Bomben suchte. Die Experten behaupteten, dass sie nachher nicht mehr genug Zeit hätten, es gründlich zu machen. Deshalb machten sie es jetzt gründlich und nachher nur Stichproben an den empfindlichsten Stellen. Zwischendurch sollte er mit seinen Leuten die Strecke sichern. Was lächerlich war. So viele Leute wie er dazu brauchte, könnten sie im gesamten Khammam Distrikt nicht mobilisieren! Nun, als letzte Aktion für heute, ging einer von den Beamten aus der Hauptstadt rechts, der andere links am Fuß des Dammes entlang und suchte nach Hohlräumen, in denen Sprengsätze versteckt sein könnten. Es waren kernige Typen, die sie beim Staatsschutz hatten: Durchtrainiert, gut ausgebildet und alle mit einem Siegerlächeln. Wenn sie in drei Tagen mit dem Staatschef kämen, würden sie einen Hörer im Ohr tragen, leger mit weißem Hemd und schwarzer Hose auftreten, die winkenden Menschen an der Straße kritisch fixieren, allzu sehr Jubelnde wegscheuchen und bis an die Zähne bewaffnet sein. Der CM und seine Ministerriege würde ganz traditionell mit schneeweißen Dothies gekleidet sein. Sie würden irgendwo an einem selbst Chidambaram geheimen Ort mit dem Hubschrauber landen und in gesicherte Tata-Limousinen umsteigen. Dann würden sie den Rest der Strecke am wartenden Wahlvolk vorbeibrausen, die Fahrzeuge an der neben der Verteilerstation der Pipeline aufgebauten Bühne verlassen, einigen in diesem Bereich mehrfach durchgecheckten Parteifreunden die Hand schütteln, ihre Reden halten und mit den Fahrzeugen bis zum Damm fahren. Der Weg darauf war für Fahrzeuge zu schmal. Also sollten sie aussteigen und etwa dreihundert Meter zu Fuß bis zur Schleuse gehen. Das war´s. Alles war eigentlich ziemlich leicht zu überblicken und, abgesehen von den vielen Brücken und Rohren, die bis zum Versammlungsort die Straße kreuzten, auch zu sichern.

Chidambaram konnte nichts tun als warten. Die neuen Schleusentore, die in frischem Rot und Grün erstrahlten, mit gelben Markierungen an den Rändern, hatten sie bereits untersucht. Nichts Verdächtiges. Auch das Betriebsgebäude war sauber.

Der Inspektor schlenderte auf dem schmalen Weg des Dammes entlang. Je weniger er zu tun hatte, desto träger wurde er. Vielleicht hatte er doch zu viel gearbeitet. Die freien Tage am Meer, die er sich nach Pongal gönnen wollte, konnte er wirklich gut gebrauchen.

Unten lagen einige flache Gebäude. Eine Telefonleitung führte in eines davon. Dort musste das Büro des Schleusenwärters sein. Zwei gemauerte Kanäle verliefen vom Staudamm weg gen Norden. Eigentlich waren es keine echten Kanäle, sondern der hier noch kanalisierte Patwagu. Weiter hinten sah Chidambaram auf einem flachen Hügel die grünen Bäume des Dorfes Kammarigudem. Zweimal war es in den letzten Jahren durch Fehler oder Schäden am Stausee ein Opfer von Überschwemmungen geworden. Die Familien hatten diverse Eingaben an die Regierung gemacht, den Damm zu erhöhen oder zumindest den Wasserspiegel des Sees in der Regenzeit zu senken. Nichts war passiert. Wie bei seinen Eingaben wegen der Polizeistation. Sie lebten in einer schwerfälligen Bürokratie.

Ein heller Indica hielt am Schlagbaum vorne. Der Inspektor erkannte seinen Assistenten Babu.

Komisch, dass Babu mir nachfährt, dachte er, es muss wichtig sein. Babu klemmte sich einen Aktendeckel unter dem Arm und kam auf seinen Chef zu.

»Chef«, sagte er, »wir haben eine weitere Spur. Ich wollte Sie gleich unterrichten, habe Sie aber mit dem Handy nicht erreicht.«

Funkloch, kein Netz, dachte der Inspektor. Spur? Von den Deutschen? Von diesem Krishna oder seinem Helfer? Von Kumari? Er musste die Spannung nicht lange ertragen. Babu öffnete den Aktendeckel und zog mehrere Blätter mit vergrößerten Fingerabdrücken hervor.

»Dies sind die Fingerabdrücke von der Visitenkarte. Die des einen Deutschen, jenes Tobias Grunert, sind eindeutig identifiziert. Wir haben sie auch auf dem Rucksack und diversen Gegenständen darin gefunden. Sein Komplize, Maximilian Hoyer, hat die Karte wohl nicht in der Hand gehalten. Auch seine Abdrücke hatten wir ja zum Vergleich, vor allem von der metallenen Taschenlampe. Aber wir haben noch einen Abdruck gefunden. Und der ist in unserer Kartei!«

Nun war alle Trägheit des Inspektors wie weggewischt.

»Lass hören! Wer ist es? Wenn er in der Kartei ist, haben wir ihn!«

»Leider nicht.«

Babu verstand es wieder einmal, dem Inspektor seine schnelle Begeisterung zu nehmen. Er war halt Realist und Analytiker. Er dagegen, Chidambaram, hatte die

Eingebungen, Ideen und den kriminalistischen Spürsinn.

»Wir haben zwar die Abdrücke, aber keinen wirklich verwertbaren Namen.«

»Das heißt?«

»Das heißt, dieser Abdruck auf der Visitenkarte ist identisch mit einem Abdruck, den die Staatspolizei auf der Auszahlungsanweisung des Geldbetrages in Warangal gefunden hat.«

»Also war jener Rama Krishna Rao alias Shiva Krishna in Warangal und hat das Geld abgehoben. Wir haben das allerdings schon gewusst.«

»Richtig, aber jetzt haben wir den Beweis dafür. Und noch einen Fingerabdruck von ihm haben wir gefunden.«

»Und wo das?«

»Auf dem Gurt eines der Rucksäcke.«

»Also ist auch bestätigt, dass dieser Krishna mit den Deutschen zusammen war. Vielleicht war er sogar selbst bei der Befreiungsaktion im Gefängnis beteiligt. Jetzt haben wir einen weiteren Beweis zur Beteiligung der Deutschen an den Morden. Gute Arbeit, Babu!«

»Oder er hat ihnen einfach einmal den Rucksack getragen.«

Natürlich hatte Babu Recht. Dieser Fingerabdruck konnte alles Mögliche bedeuten. Chidambaram wusste nicht, ob er triumphieren oder sich ärgern sollte. Sie hatten bis jetzt keine wirkliche Identität dieser Person. Also konnten sie keine Fahndung veranlassen. Hoffentlich war dieser Mann überhaupt noch in Indien. Andererseits wusste er nun genau, dass diese Geldtransfers und die Anschläge miteinander verbunden waren. Fragte sich nur, wie die Deutschen ins Bild passten. Wenn nicht jenen Krishna, so musste er doch unbedingt diese Deutschen fassen. Sie waren die Schlüsselfiguren zur Aufklärung der Morde – und genau darin bestand sein Auftrag!

»Noch weitere Erkenntnisse?«

Babu verneinte.

Inzwischen hatten die Bombenexperten den Damm bis zur Schleuse abgesucht und kamen ihnen auf dessen Kuppe entgegen. Einer von beiden schüttelte mit dem Kopf. Also wieder nichts. Gut! Nun konnten sie zurück nach Ashwaropeta fahren und Chidambaram konnte sich wieder seinem eigentlichen Fall widmen. Erschossen und erstochen. Der Inspektor wollte keinen dieser Tode sterben. In seinem vermieften Kleinstadtbüro wollte er allerdings auch nicht den Rest seiner Tage verbringen. Also: Wer hatte den Polizisten erschossen und wer den Wachmann erstochen? Wenn er diesen Mord aufklären würde, könnte er vielleicht ein Büro wie das seines Kollegen in Rajamundhri beziehen. Vielleicht. Allerdings, je länger es dauerte, desto schwieriger wurde es.

12. Januar: Flucht durchs Weiße Meer

Inzwischen hatten sie sich an den Lebensstil der letzten Tage gewöhnt. Das Essen mit den Fingern, die Dusche mit Brunnenwasser am Morgen, die Nächte auf der Pritsche, die Geräusche des Dschungels und das Geplärre aus Radios und Fernsehern – irgendwie war das alles so eine Art Camping, nur etwas abenteuerlicher. Auch mit dem Klogang kamen sie beide gut zurecht. Da sie keinen Durchfall bekamen und Max die Rolle Toilettenpapier tatsächlich wie seinen Augapfel hütete, reichte sie bis jetzt. Dass sie in die Büsche gehen mussten, machte ihnen dabei nichts aus. Wann immer einer von ihnen die Klorolle nahm, zitierte der andere scherzhaft den Titel einer uralten deutschen Krimiserie: ‚Kobra übernehmen Sie!'

Am diesem Vormittag warteten sie und blieben innerhalb der eingezäunten Hofstelle. Ihrem kranken Nachbarn oder auch anderen Bewohnern dieser Kolonie begegneten sie nicht mehr. Immer wieder aber kam jemand zu Fuß oder mit dem Motorrad über die Hügelkuppe, ging direkt auf ihr Haus zu und verschwand nach einem kurzen Gespräch mit Mariama und Kumari wieder. Dann kam N. David. Er war ein stämmiger junger Mann mit braungrauer Hose und blau kariertem Hemd. Auf seinem Motorrad trug er einen Anorak, der Tobias westlich erschien. Kumari stellte David als Generalsekretär ihrer Kirche vor und erklärte, dass er neben ihrer Präsidentin der zweite Mann der Kirche sei. N. David lachte.

»Manchmal auch der Letzte! Ich muss alles Mögliche machen und für alle und alles da sein!« Er sprach Englisch, wenn auch nur gebrochen.

N. David redete längere Zeit mit den beiden Frauen. Kumari übernahm dann die Berichterstattung für die zwei:

»Wir haben jetzt ein Bild des Ganzen. Die Puzzleteile scheinen zusammen zu passen. Und wir haben einen Plan. Ihr bleibt bis heute Abend hier. Sie werden uns überall suchen, hier aber niemals vermuten, da sie davon ausgehen, dass wir auf schnellstem Wege zur Polizei gehen wollen. Deshalb werden sie die Straßen sperren und dort suchen, wo wir eine Polizeistation erreichen könnten.«

Tobias unterbrach sie.

»Wieso glaubst du, sind wir hier sicher?«

»Weil niemand in diesen Ort kommt. Warum, das müsste euch doch inzwischen klar sein. Also weiter: Wenn es dunkel wird, fahren wir mit Motorrädern nach Yedavalli. Das liegt an der Godavari. Von dort geht es im Jeep über Yelerupadu in den Ort, wo mein Vater seine Gemeinde hat und auch wohnt. Dort bringen wir euch im Kinderheim unter. Die Kinder sind im Moment wegen der Ferien nicht dort. Das ist von hier aus hinter dem Stausee, also werdet ihr den Ort des übermorgen geplanten Staatsbesuches passieren. Schade, dass ihr ihn nicht seht. Wir durchfahren ihn heute Abend, wenn es bereits dunkel ist.«

»Ich glaube«, unterbrach Tobias, »wir sind schon dort

gewesen. Krishna ist ja mit uns von Kukunuru zu dieser Siedlung mit dem kurz darauf zerbombten Gebäude gefahren und dann haben wir die Nacht in einem Dschungeldorf verbracht. Ich glaube, es hieß Kammarigudem. Man erreicht es nur, wenn man über einen Fluss geht, den er ‚Kanal' nannte.«

»Ja, dann wart ihr bereits dort. Der Fluss ist die Patwagu, die in die Godavari mündet und oft in der Nähe der Straße verläuft. Dann habt ihr sogar den Ort der Veranstaltung passiert. Dort lagen vor Tagen noch riesige Erd und Sandhaufen herum und euch müssten die großen Rohre für die Pipeline aufgefallen sein. Die Baustelle am neuen Versorgungsbassin hat man inzwischen eingeebnet und für die Großveranstaltung mit dem CM vorbereitet.«

»Ja, ich erinnere mich an die Baustelle und die Rohre. Ganz in der Nähe war auch ein Staudamm. Man sah ihn von weitem, als wir kamen. Dieses Kammarigudem muss ganz in der Nähe sein.« Tobias war stolz auf sein gutes Orts- und Namensgedächtnis.

»Gut, dann könnt ihr euch ja die Gegend vorstellen. Doch weiter mit den Infos: Die Polizei hat mit der Sicherung des Veranstaltungsgeländes und der Straße begonnen. Sogar Brücken werden nach Sprengsätzen abgesucht. Doch das ist üblich, wenn der CM kommt. Ich glaube nicht, dass sie irgendwelche ungewöhnlichen Befürchtungen haben.

Wir müssen den Bereich des Stausees also passieren, bevor sie die Straßen sperren. Unsere Kirchenmitglieder in der Region sind mobilisiert und helfen uns.

Anand mit seiner Kerntruppe ist bereits auf dieser Seite des Flusses und hat inzwischen vielleicht schon sein Versteck erreicht. Der Trupp, der uns flussaufwärts gesucht hat, ist inzwischen auf dem Weg zum Treffpunkt. Natürlich erfolglos. Wo sich der andere aufhält, wissen wir noch nicht, ebenso wenig kennen wir den Aufenthaltsort von Krishna. Aber ich bezweifle, dass er beim Attentat selbst Hand anlegt. Vielleicht ist er schon wieder in England!«

Tobias sah Max an und sagte auf Deutsch:

»Hoffentlich treffen wir ihn nicht am Flughafen!«

»Oder gerade!« meinte Max und ballte seine mächtige Faust.

Kumari sah etwas irritiert drein, fuhr dann aber unbeirrt fort:

»Mit den Naxaliten verbundene Dorfbewohner haben schon gestern einige Straßensperren errichtet. Sie wollen wahrscheinlich ganz auf Nummer Sicher gehen, dass ihr hier nicht auftaucht. Also halten sie alle Passanten an und fragen nach uns oder hoffen gar, uns selbst zu erwischen.«

Beide hörten aufmerksam und überaus erstaunt zu. Woher wussten Kumari und dieser N. David das alles? Sie saßen hier in einem Dschungeldorf ohne Strom und fließend Wasser und die kannten nicht nur die Bewegungen von Polizei und Sicherheitsdiensten, sondern auch die der Naxaliten und deren Unterstützer. Diese Christen mussten über ein erstaunlich dichtes Netz an Informanten verfügen

»Bevor sie uns erwischen, würde ich doch gerne euren Plan kennenlernen«, sagte Tobias, der schon wieder Angst bekam, dass er am Ende ohne Durchblick dastand.

»Gerne. Soweit er euch angeht, sollt ihr ihn wissen. Ihr bleibt bis übermorgen Mittag bei meinem Vater im Kinderheim und ruht euch aus. Dann bringt er euch nach Ashwaropeta. Dort geht ihr zur Polizei und erzählt dem Inspektor eure Geschichte. Danach werden sie euch ein bisschen verhören und euch dann frei lassen.«

Tobias und Max saßen mit offenem Mund da.

»So einfach? Ich dachte, wir müssten den Naxaliten eine Falle stellen.«

»Das machen wir. Ihr haltet euch da raus!«

Kumaris Stimme ließ keine Widerworte zu.

»Außerdem ist es noch keineswegs ausgemacht, dass der Plan klappt. Erst mal müssen wir sicher ins Kinderheim kommen.«

»Aber du hast doch gesagt, die Polizei würde uns nicht glauben.«

»Keine Sorge, ich werde schon dafür sorgen, dass sie euch glauben.«

Sie stand auf und reckte sich. Jetzt trug sie eine rote Blume am Ansatz eines langen Zopfes, der ihr Haar noch dunkler und kräftiger erscheinen ließ. Max vergaß beinahe, aufzustehen.

»Kommt, lasst uns ein wenig die Beine vertreten. Es wird nachher noch spannend genug.«

Ein junger Mann, der sich als jener Srinu entpuppte, kam mit dem Motorrad. Sie verließen den armen aber gastlichen Ort kurz darauf. Max war eifersüchtig auf Tobias, da dieser zwischen Kumari und Srinu auf dem Motorrad saß. Er selbst füllte zusammen mit N. David den zweiten Motorradsitz aus.

Langsam fuhren sie über den schmalen Feldweg, immer bergauf. Oben angekommen, schauten sie über eine weite Ebene mit spitzen Bergen im Hintergrund. Tobias vermutete, dass dies die Berge um den Sriramagiri sein mussten, auf der anderen Seite des Flusses. Er fragte Kumari und die bestätigte das. Doch sie fuhren nicht direkt darauf zu. Vorsichtig fuhren sie hinunter und dann unter Büschen und Bäumen zu einer neuen Anhöhe. Der Weg schlängelte sich zwischen Hügeln und Flachland hindurch, als könne er sich nicht entschließen, wohin er wollte. N. David wusste das jedoch genau. Er fuhr voraus und bog dann auf eine schmale Asphaltstraße ein. Jetzt waren sie im flachen Land. Die Berge lagen hinter ihnen. Sie hatten die Tour gut geplant. Während sie beim Abstieg aus dem Bergdorf noch Licht genug hatten, war es inzwischen dunkel geworden. Es war also nicht zu erkennen, wer da durch die nun flache Landschaft fuhr. Die Berge waren bald weder hinter noch vor ihnen zu sehen. Nur dort, wo der heilige Berg sein musste, sahen sie Lichter.

Sie kamen schnell voran. Die Straße war nicht schlecht. Manchmal knickte sie im rechten Winkel ab und die Fahrer mussten sehr langsam werden. Es ging offenbar durch weite landwirtschaftliche Flächen. Dann passierten sie eine Ortschaft.

»Das ist Yelerupadu«.

Es roch angebrannt und würzig. Tabakfabriken. Die Hauptstraße war teilweise beleuchtet. Tobias hoffte, dass niemand sie als Weiße identifizierte. Leider hatte er sich getäuscht.

Sie passierten eine Polizeistation mit Posten hinter Stacheldraht und Schutzmauer. Der Eingang war beleuchtet. Kurz danach stoppten sie und bogen zwischen zwei Hütten in einen Weg.

»Hier wartet der Jeep«, sagte Kumari.

Er stand hinter einer Hütte, im Dunkel nicht von der Straße aus sichtbar. Ein Mann kam aus der Hütte, wirkte etwas aufgeregt und fuchtelte mit einem Mobiltelefon herum. Kumari, N. David und der Mann diskutierten miteinander. War etwas schief gegangen? Sie riefen Srinu und gaben ihm Instruktionen. Der fuhr mit seinem Motorrad los.

»Wir müssen warten«, erklärte Kumari. »Es gibt dort seit gestern eine Straßensperre. Wir wissen noch nicht, ob es eine Sperre der Naxaliten ist oder eine der üblichen Kontrollen der Forstbehörde. Auf jeden Fall müssen wir Vorkehrungen treffen.«

»Na, das kann ja heiter werden. Fast am Ziel kriegen sie uns dann doch noch! Was immer das heißt: Vorkehrungen.« Max sah nicht gerade fröhlich aus.

»Du bist doch sonst immer so optimistisch. Mit diesen Leuten an der Seite hab' ich keine Angst. Du hast es ja erlebt: Unkraut vergeht nicht.«

»Ich schon«, sagte Max ehrlich und vermutete, dass Tobias sich mit markigen Sprüchen selbst Mut machen wollte. Sie warteten etwa eine Stunde.

Dann kam ein Anruf.

»Wir können los!«

N. David ließ sein Motorrad neben der Hütte stehen und öffnete den beiden Deutschen die Heckklappe des Jeeps. Sie stiegen ein. Ihre Plastiktüte mit Waschzeug, Toilettenpapier und Mineralwasser legten sie unter den Sitz. Kumari setzte sich neben Max, N. David nach vorne auf den Beifahrersitz. Den Fahrer bemerkten die beiden Freunde erst jetzt. Er hatte offenbar in seinem Fahrzeug geschlafen. Nun warf er sich aus einer bräunlichen Plastikflasche eine Handvoll Wasser ins Gesicht und rieb sich die Augen. Er stieg ein und ließ den Motor an.

Als sie auf der Straße waren, fuhren sie schnell und konzentriert. Sie durchquerten mehrere Dörfer. Die Deutschen sahen Lichter und schemenhaft auch Hütten und Menschen vorbeiziehen. Einmal meinte Tobias, auch eine Kirche mit Weihnachtsstern gesehen zu haben, ein anderes Mal einen Tempel. Niemand sagte etwas. Die Atmosphäre war angespannt. Mit Recht.

Nicht auf freier Straße, sondern mitten in einer Ortschaft, gleich hinter einer Kurve, lag plötzlich ein dicker krummer Ast auf der Straße. Menschen standen links und rechts. Die Straßensperre. N. David sagte etwas zum Fahrer. Der bremste ab und es schien, er wollte umkehren. Doch es war zu spät. Die dunklen Gestalten an der Sperre mussten sie gesehen haben. Wieder sagte N. David etwas zum Fahrer. Der fuhr langsam an die Sperre heran. Rechts war genug Platz, um vorbei zu kommen, doch dort stand ein Fahrrad quer. Dahinter hatte ein kleiner Laden sein Werbeschild auf den Weg gestellt.

Kumari sagte etwas zu N. David. Ob Tobias Angst in ihrer Stimme gehört hatte? Er war sich nicht sicher. Er jedenfalls hatte Angst. Nun trat eine Gestalt von der Seite auf den Jeep zu. Sie trug etwas Längliches in der Hand. Ein Gewehr. N. David sprach mit dem Mann. Der wollte offenbar, dass sie ausstiegen. Der Pastor weigerte sich. Er zückte einen Hunderter. Doch der Mann draußen wurde ärgerlich und hob die Waffe.

Plötzlich gab der Fahrer Gas und lies die Kupplung los. Er riss das Steuer herum, der Jeep sprang mit einem Satz nach rechts, krachte gegen das Fahrrad, schleuderte es zur Seite. Dann krachte es noch einmal und das Schild rauschte über Windschutzscheibe und Dach. Sie duckten sich. Doch sie hörten keinen Schuss, nur Schreie und Wortfetzen. Dann hörten sie nichts mehr, als das schnelle Brummen des Diesels und das Rumpeln der Räder auf der holprigen Straße.

»Buh, das war knapp!«

Max wischte sich den Schweiß von der Stirn.

»Naxaliten«, sagte Kumari und N. David nickte, »oder zumindest ihre Unterstützer. Srinu hat sie weiter hinten passiert. Wenn sie dort geblieben wären, hätten wir sie umfahren. Sie müssen ihre Sperre verlegt haben. Womöglich haben sie mit uns gerechnet.«

»Oder sie haben zwei«, meinte Tobias, »dann wird es noch einmal brenzlig!«

Sie fuhren langsamer. N. David telefonierte wieder. Also gab es hier ein Netz. Er spähte jetzt sorgfältig nach vorn, so als ob er versuchte, noch über den Lichtkegel der Lampen hinaus zu schauen. Kumari sagte etwas zu ihm. Er sah sich um. Nun bemerkten auch Max und Tobias die drei Lichtkegel, die schnell näher kamen. Drei Motorräder? Oder ein PKW und ein Motorrad. Letzteres war der Fall. Die Verfolger kamen schnell näher. Merkwürdigerweise wurde der Fahrer ihres Jeeps nicht schneller. Die befreiten Geiseln befiel ein merkwürdiges Gefühl. Nun waren die Fahrzeuge nur noch vier oder fünfhundert Meter hinter ihnen. Warum nur gab ihr Fahrer nicht Gas?! Plötzlich tauchten vor ihnen einige Lichter auf. Ein Ort. Die Verfolger kamen immer näher. Ob sie auch in einer Ortschaft angreifen würden? Immerhin hatten sie vorhin ihre Sperre mitten in einem Dorf aufgestellt. Es kam eine Rechtskurve. Kaum waren sie diese gefahren, gab der Fahrer Gas. Sie rasten gen Ortsausgang.

Bis die vielen Menschen kamen. Plötzlich gingen überall Lichter an, Taschenlampen, Öllampen und Glühbirnen an einem Gebäude auf der rechten Seite, das aussah wie eine Scheune. Viele von ihnen trugen weiße Hemden, die im Scheinwerferlicht leuchteten. Auch viele Frauen in bunten Saris waren zu sehen. Sie waren gezwungen, langsamer zu fahren. Dann hörten sie Trommeln. Die Leute vor ihnen blockierten die gesamte Straße. Sie tanzen. So wie damals die Mädchen im Gebirge, bildeten Frauen und Männer lange Ketten, die Arme gegenseitig auf die Schultern gelegt. Es mussten hundert, vielleicht zweihundert Leute sein, die dort tanzten und sangen. »Rerela, Rerela« verstanden die Deutschen, was immer dieser Text bedeuten mochte.

Tobias sah sich um. Wo waren die Verfolger? Er bekam einen Schreck. Sie waren nur noch hundert oder zweihundert Meter hinter ihnen. Sie hatten keine Chance mehr, wollten sie nicht jemanden aus der Menge überfahren.

Aber nun geschah etwas Merkwürdiges. Die Menge öffnete sich. Es entstand eine Gasse vor ihnen. Die Leute gingen zur Seite. Es sah aus, als ob im Winter die Schneeflocken zu beiden Seiten der Windschutzscheibe vorbeiwehten, als teilten sich die Wogen eines weißen Meeres.

Der Jeep der Fliehenden fuhr hindurch. Nur dieser.

Tobias schaute zurück.

Die Menschenketten schlossen sich hinter ihnen und tanzten ihre Stammesweisen. Sie hörten wildes Hupen, von einem PKW und von einem Motorrad. Doch kein Auto, kein Zweirad, ja nicht einmal eine Maus wäre wahrscheinlich durch diese Straßensperre gekommen. Das

Hupen wurde immer wilder, allerdings auch leiser.

Der Abstand vergrößerte sich schnell.

N. David steckte sein Handy in die Tasche und grinste ein breites Grinsen.

»Das war meine Gemeinde!« sagte er stolz.

»Narayanapuram!«

Kumari lachte.

»Wie das Volk Gottes am Roten Meer. Die Fluten teilten sich, ließen das Volk hindurch und schlossen die Lücke. Arme Ägypter!«

Max und Tobias verschlug es die Sprache. Keiner von Beiden sagte etwas. Was hier eben geschehen war, war eine Meisterleistung an Planung und Mut. Oder Gottvertrauen!

Sie fuhren inzwischen schnell und nachdem sie abgebogen waren, noch schneller.

»Wir sind jetzt auf der Straße von Kukunuru nach Ashwaropeta«, informierte Kumari sie.

»Gleich kommen wir in das Dorf meines Vaters.“

An einem kleinen Laden, der allerdings jetzt geschlossen war, bogen sie links ab. Gegen den Nachthimmel hoben sich Palmen ab, prachtvoll und majestätisch. Bisher hatten die grazilen Palmary mit ihren rundlichen Fächern das Bild der Landschaft geprägt. Hier schien es sich zu verändern. Die Königin der Palmen beherrschte das Bild, selbst nachts.

Sie hielten vor einem Tor. Schnell stiegen sie aus und nahmen ihre wenigen Sachen. Der Jeep drehte und fuhr davon.

Und sie betraten den Palast der Königin. Oder den Garten Eden. Das gesamte, offenbar recht große Grundstück, war mit Kokospalmen bewachsen. Rechts stand eine frisch gestrichene Steinkirche mit Turm, daneben befanden sich zwei große, geräumige Hütten. Einzelheiten konnten die Flüchtenden nicht erkennen, da nur eine einzige Glühbirne brannte und die riesigen Palmwedel der Bäume dem Mondschein kaum eine Chance ließen.

Ein Mann, ganz in weiß, kam ihnen entgegen. Er war

um die fünfzig, von wohlgenährter Statur, einem runden Gesicht und einem breiten Grinsen darin.

»Wandanalu!«

Dann tat er etwas Seltsames. Er stellte eine niedrige Fußbank vor sie hin, bückte sich und deutete auf die Fußbank und ihre Füße. Eine Frau im weißblauen Sari stand inzwischen hinter ihm, in der Hand ein Handtuch. Auch sie ging in die Hocke. Hilflos sahen sich Tobias und Max nach Kumari um.

»Ach ja«, sagte die, »ich habe ganz vergessen, dass ihr ja fremd seid bei uns. Ihr habt das ja noch gar nicht kennen gelernt. Bei uns werden Gästen symbolisch die Füße gewaschen. Als Zeichen, dass wir ihnen dienen und Gott uns.«

Freundlich zeigte sie auf die Fußbank. Zögernd schob Tobias seine Sandalen von den Füßen und stellte sich darauf. Sofort goss der Mann aus einem Schöpfgefäß kühles Wasser über die Füße und begann, diese mit den Händen zu reinigen. Es war sehr angenehm. Und ungewohnt. Die Frau trocknete die Füße zumindest von oben ab und Tobias konnte wieder in seine Sandalen schlüpfen. Allerdings war die Familie noch nicht fertig mit ihrer Begrüßungszeremonie. Während Max sein Gewicht auf die arme Fußbank brachte, bekam Tobias Blumen. Ein Mädchen in blauem Rock und weißer Bluse, sie mochte um die 12 Jahre alt sein, hob Tobias eine Blütenkette entgegen. Er musste den Kopf senken und bekam die Girlande um den Hals. Die roten Blüten, aber vor allem der weiße Jasmin, dufteten stark.

Beeindruckt saßen die beiden in der Hütte des Pastors. Sie erfuhren, dass er ebenfalls David hieß, aber K. David. Es war Kumaris Vater, Sohn eines Naxalitenführers und in jungen Jahren selbst ein Naxalit. Gerne hätten sie sich mit ihm unterhalten. Er sprach jedoch kein Englisch. Doch er lachte sie an, als würde er sie auch ohne Worte verstehen.

Die Zeit nach dem hervorragenden Abend oder besser Nachtessen mit Huhn, Reis und selbstgezogenen Bananen, verbrachten Tobias und Max damit, sich über ihre Erlebnisse auszutauschen. Man hatte ihnen zwei Bettpritschen in eine der großen Hütten gestellt. Dort schliefen sonst offenbar die Kinder. Große Blechkisten standen an der Wand, mit Namen darauf. Die Frau des Pastors hatte ihnen noch einen Tee und Mineralwasser gebracht und frische Bananen auf einen Holzhocker gelegt. Dann war sie gegangen. Auch Kumari hatte sich zurückgezogen. N. David war bereits wieder abgefahren, allerdings nicht, ohne ihnen ein herzliches »Wandanalu« mitzugeben. Kumaris Vater saß noch eine Weile vor der Hütte und war dann darin verschwunden.

»Was wir erleben, glaubt uns zu Hause keiner!« sagte Max, nachdem sie eine Weile schweigend zum Mond zwischen den Palmen hinauf gesehen hatte. Irgendwo im Dorf dudelte ein Radio oder Fernseher.

»Gut, dass es jetzt danach aussieht, dass wir überhaupt wieder nach Hause kommen!« Tobias war wirklich froh. Während vieler Phasen der Geiselhaft und auch während ihrer Flucht war er sich keineswegs sicher gewesen. Erst jetzt fühlte er sich, jedenfalls halbwegs, sicher.

»Die wissen, was sie tun!« meinte Max. »Ich meine, die Leute um Kumari. Diese Davids und Marias und Marks. Ist dir eigentlich aufgefallen, dass sie meistens christliche Namen tragen?«

Natürlich war Tobias das aufgefallen. Allerdings war das Gespräch nach wenigen weiteren Sätzen am Ende. Sie waren todmüde. Also ließen sie sich von Palmzweigen und Mondschein in den Schlaf wiegen. Tobias dachte noch darüber nach, wer wohl jetzt die Rolle von James Bond spielen würde. Er jedenfalls nicht.

13. Januar: Warten unter Palmen

»Mrs. Kumari? Aus Narayanapuram?«

Er war aufgesprungen, als ihn gleich nach Dienstbeginn der Anruf des Pförtners erreichte. Kaum zu glauben! Kumari stand vor dem Revier und wollte zu ihm. Er kämmte sich schnell durchs struppige Haar, glättete den Schnurrbart, ordnete seinen Hemdkragen, schob die Papiere vor sich zusammen und einen Stapel Akten vom kleinen Sitzungstisch unter die Bank. Schnell noch die Uniformjacke!

Es klopfte. Er stand bereits hinter der Tür und öffnete sie. Und dann stand sie vor ihm, schön, aufregend, klug und selbstbewusst wie er sie in Erinnerung hatte.

Sie streckte ihm die Hand entgegen.

»Wandanalu. Wir haben uns lange nicht gesehen, Chidam!«

Er atmete erleichtert auf. Sie nannte ihn Chidam! Wie früher. Also trug sie ihm nicht nach, was geschehen war. Wandanalu, wie lange hatte er diesen Gruß nicht erwidert?

»Wandanalu Kumari! Ja, lange, viel zu lange haben wir uns nicht gesehen!«

»Nun fang nicht gleich wieder an!« lachte sie.

»Wir wollten auf Abstand gehen und sind auf Abstand gegangen.«

»Ich weiß. Ist ja auch okay. Für mich war es nur nicht leicht.«

Kumari kam ganz ins Büro. Er schloss die Tür und bot ihr einen Platz am Sitzungstisch an. Er hinter dem Schreibtisch und sie davor, das fand er für ein erstes Wiedersehen nach so langer Zeit nicht passend. Er rief Babu und bat um Tee. Sein Sekretär schien genauso überrascht zu sein, sie zu sehen, wie er.

»Mrs. Kumari, das ist aber eine Überraschung!« Sofort verschwand er und nach wenigen Minuten hatten sie den dampfenden Tee vor sich, dazu einige Kekse.

»Es ist schön, dich zu sehen!«

»Ja, finde ich auch.«

»Ich habe mit deinem Bruder telefoniert.«

»Ich weiß, er hat es mir gesagt.«

»Er war ziemlich kühl und ablehnend.«

»Versteh ihn doch. Natürlich habe ich klargestellt, dass zwischen uns nichts war. Aber er denkt immer noch, du hast mich vergrault und missbraucht oder sonst etwas Schlimmes...«

»Na ja, so kann man das ja auch nennen.«

Sie waren schon nach nur wenigen Minuten genau da, wovor er all die Jahre am meisten Angst gehabt hatte: Dass sie ihm vorwerfen würde, wie er mit ihr umgegangen war. Dass er so getan hatte, als sei sie schon seine Frau, dass er sie an jenem Abend umarmt hatte und auch dann noch küssen wollte, als sie sich gewehrt hatte. Dass er ausfallend geworden war, als sie gesagt hatte, dass sie nur aus Liebe heiraten würde...

»Vergiss es!« Wie Staub von gestern wischte Kumari seine Gedanken weg. »Wir haben damals darüber gesprochen. Du warst nicht fair. Du warst sogar grob und hast Grenzen überschritten. Ich habe dir vielleicht auch falsche Hoffnungen gemacht. Oder ich war einfach zu naiv. Meine Familie war sauer auf dich und meint, du hättest mich vergrault. Wieso sonst sollte ein solches Traumpaar, wie wir es ja offenbar für alle außer für mich waren, getrennt werden? Aber es ist erledigt!«

Er war sich nicht sicher. Aber er spürte, dass sie jetzt über das reden mussten, was Kumari in sein Büro geführt hatte und worüber auch er sie dringend befragen musste. Es machte im Moment keinen Sinn, die Vergangenheit aufzuarbeiten.

»Okay«, sagte er deshalb. »Dann erzähl mir, warum du gekommen bist.«

Sie redeten über eine Stunde miteinander. Am Ende war er sicher, dass sie nicht die ganze Wahrheit gesagt hatte. Sie verschwieg etwas, etwas sehr Wichtiges. Aber er wusste, dass sie nicht mehr sagen würde, als sie wollte.

Als sie gegangen war, kam ihm sein Büro noch trister vor als vorher. Nur gut, dass sie sich wegen des Falles wieder treffen mussten. Wieder jahrelange Funkstille, das fände er furchtbar. Er war sich klar, dass sie niemals wieder eine wirklich lockere Beziehung haben würden. Dazu war jene Zeit als ‚Traumpaar', wie sie es genannt hatte, zu intensiv gewesen. Aber er hoffte auf eine unverkrampfte Beziehung.

Er rief Babu. Der sah aus, als platze er vor Neugier.

»Mrs. Kumari war dienstlich hier«, sagte Chidambaram deshalb und bemühte sich, förmlich zu klingen.

»Ich erzähle dir, was sie ausgesagt hat. Du schreibst es auf und bei nächster Gelegenheit soll sie es dann unterschreiben.«

Als Babu mit seinem Notizblock vor ihm saß, versuchte der Inspektor, ihm möglichst genau wiederzugeben, was sein Gast berichtet hatte. Babu stellte zwischendurch einige Frage. Sie betrafen genau dieselben Punkte, an denen auch sein Chef Fragen hatte.

Kumari hatte in der Zeitung gelesen, dass jene Deutschen, die sie mehr oder weniger zufällig kennengelernt hatte, wegen der Morde und des Anschlags von der Polizei gesucht wurden. Auch vom Ausbruch hatte sie in der Zeitung gelesen und war geschockt darüber. Sie könne sich jedoch nicht vorstellen, dass die Deutschen in terroristische Machenschaften involviert waren.

»Was heißt ‚zufällig' kennen gelernt?« fragte Babu.

»Ihr Vater hat einen Bekannten, den sie aber nicht weiter kennt. Der hat die beiden zu ihnen nach Hause gebracht. Sie seien harmlose Touristen. Angeblich haben sie einen Abstecher gemacht, um unsere Region entlang der Godavari kennenzulernen.«

Als Chidambaram wiedergab, was Kumari erzählt hatte, kam ihm immer mehr davon recht vage und unglaubwürdig vor. Angeblich hatte dieser Bekannte ihres

Vaters die Deutschen erst in Dubai auf dem Flughafen kennen gelernt. Er hatte sie dann eingeladen und sie waren von einem Freund hergebracht worden. Nach zwei Tagen seien sie dann bei ihr zu Hause gelandet und sie habe die Gäste am nächsten Tag zur Bushaltestelle nach Ashwaropeta gebracht. Das solle es schon gewesen sein! Klang ja auch logisch und passte zu seinen bisherigen Recherchen. Trotzdem, es blieben wahrlich viele Fragen offen. Bis auf jene, wie der seltsame Bekannte hieß: Krishna – wer immer das war! Aber Kumari hatte den Namen bestätigt.

Babu runzelte die Stirn, während er schrieb.

»Aber es kommt noch besser«, meinte der Inspektor. »Kumari hat über ihren Vater und Kontakte mit - sagen wir - militanten Staudammgegnern, Informationen aufgeschnappt, wegen der sie überhaupt hierher gekommen ist.«

Sie hatte ihm erzählt, dass jene Naxaliten, die für die Sache in Kukunuru und Gullavai verantwortlich seien, ihr Versteck in Kammarigudem haben. Die Gruppe nannte sich ‚Befreites Telangana'. Ihr Anführer hieße Anand und sei ein ziemlich gefährlicher Mann. Die Terroristen waren in Kammarigudem, nachdem sie von der Polizei quer durch die Region gejagt worden seien, untergetaucht.

Ob Krishna oder gar die Deutschen bei ihnen waren, bezweifle sie. Wahrscheinlich fühlte die Bande sich sicher, weil sie sich sozusagen unter den Augen der Polizei versteckte. Diese war ja wegen der politischen Veranstaltung über Pongal überall in dieser Region präsent und so würde man die Naxaliten gerade dort nicht vermuten. Das war´s.

Zu dieser wieder sehr fragwürdigen Begründung sagte Babu nichts. Vielleicht wollte er nicht den Eindruck erwecken, seinem Chef die Polizeiarbeit abzunehmen. Das war ja auch seine, Chidambarams, Sache. Also, was sollte er tun? Er überlegte. Dann gab er seinem Assistenten die Anweisungen:

»Also, du tippst jetzt ihre Aussage. Vorher gibst du mir den Dienstplan. Wer ist morgen Abend in Bereitschaft, wer ohnehin im Haus? Ich will mindestens sechzig Mann, zehn Uhr Abends ist Einsatzbesprechung!«

»Aber wir brauchen die Leute doch für den nächsten Tag! Die sind alle bereits eingeplant.«

»Sag' ihnen, dass es eine Prämie gibt. Aber lass nicht durchsickern, worum es in der Nacht geht. Ich will nicht, dass wir das Wild durch ein mögliches Leck in unseren eigenen Reihen verscheuchen. Sag' einfach, der Einsatz zur Sicherheit des CM sei ausgedehnt worden.«

Sein Plan stand fest. Er würde die Bande morgen Nacht angreifen. Dass dieser Vorschlag nicht von ihm selbst, sondern von seiner hübschen Besucherin kam, verriet er Babu nicht. Ebenso verschwieg er, dass Kumari indirekt und wahrscheinlich nicht beabsichtigt an seinen Traum von Karriere und Erfolg appelliert hatte. Auch jene merkwürdige Frage, wo er sich während der Großveranstaltung mit dem CM aufhielte, erwähnte er vor seinem Untergebenen nicht. Kumari wollte wissen, wo sie ihn erreiche. Er hatte ihr gesagt, dass er die Maßnahmen von seinem Büro aus koordiniere, also nicht direkt am Veranstaltungsort sei, sondern hier. Vor Ort war ein Kollege vom Staatsschutz zuständig. Kumari hatte zufrieden genickt. Er würde dann von ihr hören... wenn sie mehr sagen konnte als jetzt. Chidambaram war sich ziemlich sicher, dass sie schon jetzt mehr wusste.

*

Es war der Tag vor dem Anschlag.

Was dort draußen vorging, wussten sie nicht. Kumari war am nächsten Morgen verschwunden. Da N. David gestern Nacht schon gefahren war, hatten sie keinen Übersetzer und waren weitgehend auf sich gestellt.

Das Grundstück, auf dem das Kinderheim lag, war auch bei Tage so, wie sie es am Abend empfunden hatten. Die Kirche war in einem satten Grün gestrichen. Drinnen hingen Weihnachtsgirlanden, den Altar schmückte ein rotes Kreuz, das durch eine Lichtanimation von abwechselnd aufleuchtenden roten und gelben Lampen noch hervorgehoben werden konnte. An die Wände waren Bilder von Jesus als soften Jüngling mit blutendem Herzen gemalt, von Maria und vom guten Hirten mit einem Lamm auf dem Arm.

Sie waren sich einig, dass dies nicht ihr, aber offenbar indischer Stil war.

»Irgendwie kommen sie mir manchmal vor wie große Kinder!« sagte Tobias, als sie sich darüber unterhielten. »Erinnerst du dich noch an den Tempel in Bhadrachalam? Die Göttergestalten, Tiere, Fabelwesen... das ist doch alles wie in einer Spielzeugwelt.«

Die Palmen, darunter Bananenstauden, gemauerte Toiletten und Waschhäuser, die Schlafhütten der Kinder und eine Küchenhütte – alles machte einen wirklich schönen Eindruck. Eigentlich hätte es ein Ruhetag werden können, wenn sie nicht innerlich so unruhig gewesen wären.

Tobias konnte es kaum ertragen, selbst nichts machen zu können. Max sprach immer wieder von Kumari und ob sie sich wohl in Gefahr begeben würde. Immerhin hatte sie von den Aktionen an diesem Tag nichts Konkretes preisgegeben. Vielleicht wollte sie ja, dass sie sich keine Sorgen machten, obwohl sie dazu Grund gehabt hätten. Es wurde also genau genommen kein Ruhetag, sondern ein Unruhetag.

Die Frau eines in Nordindien stationierten Soldaten, ein Gemeindeglied, lud sie zum Mittagessen ein. Sie lebte mit ihren beiden Söhnen in einem stattlichen Haus. Mit einem deutschen Vorgarten hatte der dieses Anwesens gemeinsam, dass auch dort Tagetes wuchsen, jene gelben, prallen Sommerblumen. Hier jedoch waren diese mannshoch und trugen viel mehr Blüten als in Deutschland. Max wies Tobias auf die Tagetes hin.

»Sieh mal! Die heißen bei uns auch Studentenblume oder Totenblume!«

»Mach keine Witze! Ich hoffe, es gibt hier keine Toten!«

Tobias fand seinen Freund wieder einmal reichlich sarkastisch.

Ansonsten gab es keine Vergleiche mit deutschen Vorgärten, jedenfalls nicht botanisch. Hier gab es so gut wie keine Pflanzen aus Mitteleuropa und umgekehrt. Sauber und gepflegt war es hier allerdings auch – wenn auch Abfall und Papier statt in Mülleimer einfach über die Mauer nach draußen geworfen wurde.

Sie unterhielten sich etwas mit dem älteren Sohn. Der studierte in Hyderabad und war, wie Kumari ja auch, zu Pongal nach Hause gekommen. Er erklärte den Deutschen, dass das Pongal-Fest ursprünglich ein tamilisches Erntedankfest war, das vielleicht auch die Perser nach Indien gebracht hatten.

Am ersten Tag, dem Bhogi, wurden Hof und Haus gereinigt und der Müll im Feuer, manchmal direkt vor dem Haus, verbrannt. Dieser Tag war dem Neuanfang gewidmet.

Der zweite Tag, Vakisan Pongal, war für den Menschen da und der wichtigste Tag. Man besuchte sich gegenseitig, vor allem seine Eltern oder Verwandten. Früh am Morgen wurde das typische Pongal-Gericht gekocht: Reis mit Milch und Zuckerrohrsirup. Alle warteten gespannt, dass der Topf überkochte und riefen dann ‚Pongal, Pongal'!

Der dritte Tag war den Tieren gewidmet, vor allem den Kühen und Rindern. Sie wurden gewaschen und geschmückt, vor die Türen wurden bunte Ornamente gemalt, die mit Blüten und Kugeln aus Kuhdung dekoriert wurden. Die Deutschen hatten dies in den auf ihrer

Flucht passierten Dörfern bereits gesehen und die mit farbiger Kreide wunderschön bemalten Hauseingänge bewundert. Wie schade, dass ihre Digitalkamera irgendwo in einer Asservatenkammer des Gefängnisses lag... oder im Spind eines Beamten.

Spätestens am zweiten Tag von Pongal begannen in den Stammesdörfern die blutigen Hahnenkämpfe. Zwar waren die verboten, aber dennoch kosteten sie in fast ohne Einschränkung jedem Dorf vielen Hähnen das Leben und Männern ihr Geld.

Das Gespräch mit dem jungen Mann war sehr anregend. Er schien ein neues Indien zu verkörpern, ein Land voller Aufbruch und Chancen.

»Besonders aufregend, finde ich«, sagte Tobias, als sie das kurze Stück zum Kinderheim zurück gingen, »dass hier nicht nur verschiedene Welten, sondern auch völlig unterschiedliche Zeiten aufeinanderprallen. Die Studenten aus der Stadt, mit Handy und Computer genauso vertraut wie unsere Kids, besuchen ihre Eltern hier im Dorf, die ihren Acker noch mit Ochsengespann und Holzpflug bearbeiten oder gar mit Pfeil und Bogen auf die Jagd gehen.«

»Stimmt, nur dass dieser Junge eben aus einer wohlhabenden Familie kommt. Ich glaube nicht, dass viele von den Stammeskids studieren gehen können.«

»Du hast Recht, schon bei uns in Deutschland hängen die Chancen mit dem sozialen Standard zusammen. Hier ist das sicher noch krasser. Wir sehen ja auch dauernd Jugendliche rumhängen. Und die Regierung und auch diese Kirche betreibt ja wahrscheinlich nicht umsonst so viele Kinderheime.«

Nach der Mittagspause schlenderten sie noch ein wenig auf dem Gelände herum. Vor den Bananenstauden stand ein Schild: ‚Hans Garden'. Irgendwie mussten also auch Europäer in diese Arbeit involviert sein. Vielleicht bekamen sie das ja noch raus. Wieder machten sie sich viele Gedanken. Welche Falle wurde gerade gestellt? Wie konnten diese Christen sich waffenlos gegen Anand und seine Bande behaupten? Pfeile gegen Kalaschnikow? Unmöglich! Was, wenn die Sprengladungen doch losgingen, jemanden töteten und sie am Ende nicht rechtzeitig Bescheid gegeben hatten? Was wird die Polizei sagen, wenn sie sich morgen stellen? Wird der CM wirklich kommen? Oder wird die Sache kurz vorher wegen der Bombengefahr platzen? Wo war Krishna? Wie viele Naxaliten waren bereits in der Nähe? War ihr Versteck in diesem Palmengarten wirklich sicher?

Letzteres konnten sie am Ende dieses Tages nur mit »Ja« beantworten. Nichts Beunruhigendes geschah. Im Gegenteil: Als sie gerade beim Tee unter dem Schattendach des Pfarrhauses saßen, direkt vor der Kirche, da tauchte Srinu wieder auf. Ihm hatten sie den schönen Titel ‚travel secretary' („Reisesekretär') verliehen und er war offensichtlich der Laufbursche für jeden und alles. Jetzt brachte er die frisch gewaschenen und gebügelten Hemden der beiden. Und was noch aufregender war: Er hatte zwei Hosen dabei. Srinu bestand darauf, dass sie diese sofort anprobierten. Und siehe da, die Hosen passten halbwegs. Selbst für Max hatten die indischen Organisationstalente etwas gefunden und als die beiden Deutschen sich geduscht, also mit heißem Wasser übergossen und gewaschen und sich dann umgezogen hatten, fühlten sie sich wie neu geboren.

»Wenn wir nun noch unseren Rückflug morgen kriegen«, meinte Tobias, »dann wäre alles in Butter. Aber das wird nicht klappen!«

Max sah nicht so aus, als triebe es ihn schnell nach Hause. Er zuckte gleichgültig mit den Schultern.

Sie hatten den ganzen Tag über nichts getan, was sie körperlich angestrengt hätte. Trotzdem waren sie am Abend müde. Der morgige Tag würde wahrscheinlich die Entscheidung bringen. So oder so.

14. Januar: Tag der Entscheidung

Nun also war er da, der Tag der Entscheidung: Der zweite Tag des Pongal-Festes, geweiht den Menschen und deren Beziehungen. Irgendwie zynisch: Ein Blutbad am Tag des Menschen.

Tobias fand es erstaunlich, wie unterschiedlich Beziehungen allein in ihrer Situation definiert wurden. Wahrscheinlich wollten alle irgendwie, dass die Leute dieser Region in Frieden und Freude zusammen leben konnten. Nur, wie? Der CM und die regierende Congresspartei meinten offenbar, durch Wohlstand für alle würde dies erreicht, also hatten sie das Hausprogramm und das Staudammprojekt angekurbelt. Krishna war mit Sicherheit fest davon überzeugt, dass nur ein zentral gesteuerter Kommunismus allen Menschen geben würde, was sie brauchten. Inzwischen hatte Tobias gehört, dass die Naxaliten ideologisch den maoistischen Kommunisten nahe standen. Also totale Kontrolle des Staates. Alles gehörte allen. So sollte für Krishna wahrscheinlich auch ein selbstständiges Telangana aussehen.

Was Anand für die Leute hier tun wollte, war Tobias nicht so klar. Vielleicht waren er und seine Truppe letztlich einfach nur eine Banditenbande, die Aufträge für Geld ausführten, dies aber als Befreiungsbewegung kaschierten. Oder sie waren zwar einmal als Überzeugungstäter angetreten, jetzt jedoch kämpften sie, auf der ständigen Flucht vor der Polizei, nur noch ums Überleben.

N. David, Srinu und Mariama war wahrscheinlich vor allem daran gelegen, in Ruhe zu leben und ihre Kirchenarbeit zu machen. In den Widerstand gegen den Staudamm schienen sie nach den bisherigen Bemerkungen jedenfalls nicht aktiv involviert zu sein. Wie die meisten hier und auf der restlichen Welt: Wirtschaftliches Auskommen, Feste feiern, ihren Kindern eine Zukunft geben und ihre Religion in Frieden ausüben – damit waren sie wahrscheinlich zufrieden.

Und Kumari? Sie war irgendwie eine ‚Border-Frau', eine Grenzgängerin. Gebildet und doch aus dem Dorf; der Vater ehemaliger Naxalit und jetzt Pastor und Direktor eines Kinderheimes; politisch sehr engagiert mit eindeutigen Standpunkten wie der Ablehnung des Staudamms; warmherzig, auf guten und offenen Umgang miteinander bedacht und doch manchmal scharfzüngig und aggressiv. Und sie glaubte nicht wie die meisten ihrer Landsleute an Shiva, Vishnu oder an die anderen Gottheiten dieses Landes, sondern an Jesus Christus. Und der war für sie offensichtlich keine Gestalt aus der Antike, sondern ein ‚Retter' hier und heute. Kumari war irgendwie wie dieses Land, voller Widersprüche.

Inzwischen stieg die Sonne über den Horizont und schickte ihre warmen Strahlen durch die Lücken zwischen den Palmwedeln hindurch. Tobias setzte sich auf seinem Bett auf und warf die Decke zur Seite. Die Zeit des Denkens und Träumens war nun vorbei. Sie hatte vor allem am Morgen ihre Chance, wenn es noch kühl war, man eigentlich noch schlafen möchte, die Gedanken jedoch ihre Aufmerksamkeit forderten. Max schien sich noch in dieser Phase zu befinden.

»Tea! Tschai!«

Davids Frau erschien mit zwei großen Bechern des heißen, süßen Gebräus und das riss auch Max aus seinen süßen Träumen. Der neue, diesmal extrem wichtige Tag mit seinen Fakten und handfesten Schicksalen hatte begonnen.

Sie hatten gerade ihr Frühstück, Doshai und Puri mit Kartoffelgemüse, verzehrt und den zweiten Tee vor sich, da kam Saibaba. Er fuhr mit einer der auch hier aktiven Autorikschas vor.

»Wandanalu!« sagte er mit freundlichem Lächeln.

»Willkommen!«

Er war ein junger Mann, wie offenbar die meisten dieser Kirchenleute mit dunkler Hose und weißem Hemd bekleidet und er stellte sich auf englisch als Büroleiter der Kirche vor. Er werde sie nach Ashwaropeta bringen, sagte er, nur müsse er erst auf den Anruf warten. Sie könnten ihn auch ‚Saiba' nennen, schon um ihn nicht mit dem Heiligen Saibaba zu verwechseln, meinte er mit einem freundlichen Lächeln im Gesicht.

Also warteten sie. Saiba hatte noch nicht gefrühstückt und verzog sich ins Pfarrhaus, um etwas zu essen. Ein weiteres Gespräch fand deshalb nicht statt.

Gegen zehn klingelte sein Handy.

»Es ist soweit, sie haben es geschafft!«

Was immer Saiba meinte, es hörte sich an wie eine gute Nachricht. Als sie in dem schwarzgelben Dreirad mit Motor saßen und in Richtung Stadt brausten, versuchte Tobias, den Sekretär auszuquetschen. Was hatten sie geschafft? Was war dort draußen überhaupt passiert? Doch Saiba schien darüber nichts sagen zu wollen. Dafür gab er klare Instruktionen über das, was die zwei gleich machen sollten:

»Ich setzte euch beim Polizeirevier ab und sorge dafür, dass ihr hinein kommt. Dann wird euch der Subinspektor verhören. Sein Name ist M. Chidambaram und er leitet die Ermittlungen zu den Morden und dem Bombenanschlag. Ihr sagt ihm einfach die Wahrheit, nichts als die Wahrheit.«

»Aber belasten wir dann nicht auch Kumari?«

»Keine Angst, ihr belastet nur Krishna und die Naxaliten. Der Subinspektor kennt Kumari schon viele Jahre und er schätzt sie sehr.«

Dabei musste Saiba grinsen, was ihm offensichtlich sofort peinlich war.

»Wahrscheinlich wieder ein Verwandter«, deutete Max diese Bemerkung auf Deutsch.

»Oder ein ehemaliger Heiratskandidat!«

Max fand diese Bemerkung seines Freundes gar nicht lustig und rümpfte die Nase.

Die Straße war breit und gut. Trotzdem kamen sie nicht besonders schnell voran, denn von vorne kamen ihnen ständig Fahrzeuge entgegen. Autos, PKW aller Größen, Kleinbusse, Motorräder und besonders viele Busse, manche alt und klapprig, andere modern und als Charterbusse gekennzeichnet.

»Es sieht aus, als ob ganz Ashwaropeta heute Urlaub an der Godavari machen will!«

Max wusste natürlich den wirklichen Grund. Alle diese Leute strömten nach Kothuru, wo der Wasserverteiler eingeweiht werden sollte. Sie alle wollten den Ministerpräsidenten ‚life' erleben und schienen schon jetzt begeistert zu sein. Viele Fahrzeuge waren mit Fähnchen der Congresspartei geschmückt, erkennbar am Symbol des Wagenrades. Manchmal fuhren Lastwagen vorbei, auf dessen Ladefläche sich dicht an dicht die Menschen drängten. Einige schwenkten ihre Fahnen.

»Hoffentlich überleben sie alle ihren Pongal-Ausflug!«

Max verstand es, Mut zu verbreiten...

Nach etwa 30 Minuten kamen sie in die Stadt. Schon auf der Strecke hatten sie einzelne Polizisten gesehen, hier gab es jetzt mehrere Polizeiposten, die die Straße sperrten. Immer noch strömten die Menschen stadtauswärts. Kurz nach der Tankstelle wurden sie angehalten und Fahrzeuge und Leute von Polizisten inspiziert. Ausweiskontrollen gab es nicht. Wahrscheinlich hatten viele gar keinen Ausweis. Die mit Gewehren bewaffneten Polizisten sahen jedoch unter die Fahrzeuge und ließen sich Kofferräume und Türen öffnen. Trotzdem, Sprengsätze hätte man hier sicher leicht hindurch gebracht.

Ihre Rikscha, aus der Gegenrichtung kommend, wurde nicht angehalten.

Sie umrundeten den verhinderten Kreisel. Er war mit Fahnen für den Ministerpräsidenten geschmückt. Hinter dem Denkmal von Dr. Ambedkar lagen die Zugänge zur Polizeifestung. Wer als Fußgänger aufs Gelände wollte, musste eine Absperrung und dann ein Drehkreuz passieren, wo er kontrolliert wurde. Das einstöckige Gebäude war ähnlich gesichert wie jenes in Kukunuru, nur die Schießscharten fehlten.

Für Saibaba war an der Pforte Schluss. Er musste draußen warten. Ein Constabler führte Tobias und Max über den Hof ins Haus und dann durch einen schmucklosen Gang im ersten Stock vor eine ausgeblichene helle Tür. Der Constabler klopfte. Als Antwort kam, öffnete er die Tür und sie gingen hinein.

Ein hoch gewachsener Mann mit glatt nach hinten gekämmten Haaren stand von seinem Schreibtisch auf und kam auf sie zu. Drei Schulterstreifen zierten seine Uniformjacke. Über der Brusttasche trug er ein Namenschild. Dies war also der Chef hier, der Subinspektor Mr. M. Chidambaram. Er reichte ihnen die Hand und sagte:

»Wandanalu«.

Er war also auch einer von ihnen und wollte das sofort signalisieren. Man konnte die Steine, die Max und Tobias von der Seele fielen, fast hören, als sie auf dem abgewetzten Linoleumboden aufschlugen.

»Wandanalu«, erwiderten die zwei erleichtert.

Der Subinspektor rief etwas in Richtung Flur. Kurz darauf kam ein schlaksiger junger Mann mit großer Brille und breitem Grinsen mit einem Tablett und vier Gläsern Tee. Dann drückte der Mann eine Taste seines Telefons. Den vierten Tee bekam ein schmächtiger Mann mit Brille. Der Inspektor stellte ihn als Devu vor, den Dolmetscher. Ob es sich dabei um den Vor- oder den Nachnamen handelte, durchschauten die Deutschen bis zum Schluss nicht. Es schien also alles vorbereitet zu sein und man hatte sie erwartet. Dass es Tee gab, entspannte sie noch mehr.

»Seien Sie willkommen.«

Devu übersetzte den Polizeichef und sprach ein durchaus passables Englisch.

Der Chefinspektor machte einen deutlich gut gelaunten Eindruck, sah allerdings irgendwie übernächtigt aus. Unter seinen schwarzen Augen lagen tiefe, dunkle Ränder.

»Ich habe Sie erwartet, weil unsere gemeinsame Freundin Kumari Sie mir heute Morgen telefonisch angekündigt hat. Endlich, endlich treffen wir uns persönlich. Und, ganz anders als ich das noch bis vor kurzem dachte, bin ich Ihnen zu großem Dank verpflichtet!«

Er nippte an seinem Tee und lachte. Sein breiter Schnurrbart lief nach außen spitz zu und wenn er lachte hoben sich die beiden Enden.

»Genauer gesagt, unser Land und unser Ministerpräsident sind Ihnen zu Dank verpflichtet!«

Tobias und Max sahen sich an. Einen solchen Empfang hatten sie nicht erwartet. Dieser Mann war offenbar eingehend vorbereitet worden und konnte bereits einschätzen, was warum und wie geschehen war. Trotzdem sagte er jetzt:

»Sie haben viel durchgemacht. Doch seinen Sie versichert, nun werden Sie bald Ihre Heimreise antreten können. Bitte erzählen Sie doch von Anfang an, was Sie erlebt haben. Und bitte gestatten Sie, dass wir ein Protokoll anfertigen und dafür eine Tonbandaufnahme Ihrer Aussage machen.«

Er schob ein Tischmikrophon in ihre Richtung. Dann fragte er:

»Nur der Form halber nennen Sie bitte Ihre Namen und Ihr Geburtsdatum.«

Beide reckten ihren Mund gen Mikrophon und taten, worum er gebeten hatte. Dann sah der Polizist fragend von Max zu Tobias. Einer von ihnen musste anfangen. Tobias begann. Er erzählte, wie sie Krishna bereits auf dem Flughafen von Dubai getroffen hatten und dann von

Hyderabad aus mit ihm Kontakt aufgenommen hatten. Max berichtete dann von ihrer Ankunft in Bhadrachalam und der Fahrt nach Kukunuru. Der Inspektor fragte nach dem Mittelsmann, den Krishna Rao geschickt hatte. Es fiel beiden schwer, Saresh genau zu beschreiben. Saresh war eben einfach ein junger Mann gewesen. Sie wussten, dass er aus Hyderabad war, Englisch sprach und seinen Hinduglauben engagiert praktizierte. Das war´s schon.

Wo genau das Haus in Kukunuru lag, wollte der Polizist wissen, wie es aussah und wer sonst noch dort verkehrte. Dann ging es um den Jeep und die genaue Route, die sie genommen hatten. Immer wieder stellte der Inspektor Fragen. Manche konnten sie beantworten, manche nur vage, manche gar nicht. Auch Max brachte sich mit dem ein, was er beobachtet hatte. Der Inspektor verstand seinen Job und befragte alles, was irgendwie für die Aufklärung des Geschehens relevant sein konnte. Was genau tauschten Krishna und der Bärtige aus, als Tobias sie belauschte? Wann genau hatten sie Krishna in Kammarigudem gesehen, wann nicht? Wer war sonst noch dabei? Haben sie Namen gehört oder Ortsbezeichnungen? Wann genau hat Tobias das Notizheft gefunden? Wie sah es aus?

Zum Haus Kumaris stellte er seltsamerweise keinerlei Fragen. Entweder er kannte dort die Situation oder er wollte die Familie aus einem Bericht herauslassen und deren Kontakte zu den Naxaliten verbergen.

Tobias erzählte von der Busfahrt, die eigentlich nach Rajamundhri führen sollte, für sie jedoch im Gefängnis von Kovvur endete. Vor allem das Notizbuch war für den Inspektor interessant. Es war ja auch wirklich der Schlüssel zur ganzen Geschichte!

Was genau wussten sie noch? Welche Namen, Zahlen, Zeichnungen? Der Subinspektor bat Tobias, die Zeichnungen zu rekonstruieren und schob ihm ein Blatt und einen Bleistift über den Tisch. Tobias schob beides weiter an Max.

»Das ist dein Ding! Du bist der bessere Zeichner von uns beiden.«

Max machte sich ans Werk und Tobias beantworte weiter Fragen. Wie sahen die Naxaliten aus, wie deren Helfer am Fluss? Erinnern sie sich noch an Namen? In welche Richtung ging es, wie sah es dort aus? Kurz, die Beiden mussten die ganze Geschichte noch einmal detailliert erzählen. Nach einiger Zeit legte Max dem Inspektor die Zeichnungen vor. Der sah sie sich an und nickte anerkennend. Beweisstück Nummer zwei.

Als sie von ihrer dramatischen Flucht erzählten, schien es Tobias, als wäre der Inspektor so gefesselt, dass er vergaß zu fragen. Er machte sich Notizen. Dass Tobias sich getäuscht hatte, merkte er, als er mit dem letzten Versteck im Kinderheim endete. Der Inspektor hatte sehr genau zugehört und schien jetzt richtig zur Hochform aufzulaufen. Er fragte und fragte. Zum Glück fiel ihm irgendwann ein, dass es bereits nach zwölf war. Vielleicht bekam er Hunger. Jedenfalls Max knurrte der Magen derart, dass er mehrmals zu Tobias hinüberschaute in der Hoffnung, dass der etwas merkte.

Der Polizist unterbrach also die Befragung, oder war es doch ein Verhör?

»Entschuldigt«, sagte er, »es war so spannend, was ihr erzählt habt, dass ich ganz vergessen habe, dass wir alle auch einmal etwas essen müssen.«

Er drückte wieder einen Knopf des Telefons und gab eine Bestellung auf. Tobias verstand das Wort ‚meals'.

»Bis das Essen kommt«, sagte der Inspektor, »können wir ja noch fortfahren.«

Max stöhnte, doch es half nichts.

Sie kauten alles durch, jedes Detail, manche zwei oder dreimal. Als dann das Essen kam, waren sie kaum noch hungrig, dafür jedoch völlig erschöpft.

»Entschuldigt«, sagte Mr. M. Chidambaram noch einmal, »aber Sie sehen sicher ein, dass ich alle Einzelheiten Ihrer Geschichte brauche.«

Er räumte die Papiere und zwei Familienbilder auf seinem Schreibtisch zur Seite. Der Junge, der das Essen brachte und einen schmierigem graublauen Kittel trug, verteilte Reis und Gemüsecurry auf dem Schreibtisch, genauer gesagt auf vier Bananenblättern. Jeder bekam dazu vier Plastikschälchen mit Saucen. Es sah scharf aus und es war scharf. Tobias und Max stand der Schweiß auf der Stirn, doch sie hielten sich tapfer.

Gerade meinten sie, die Sache sei beendet, da bat der Subinspektor sie in einen anderen Raum.

»Wir brauchen noch Phantombilder, eines für Krishna, eines für Anand.“

Max stöhnte. Den beiden blieb jedoch nichts anderes übrig, als noch über eine Stunde zusammen mit einem Constabler vor dem Computer zu sitzen und die Bilder zu erstellen. Am Ende waren sie recht zufrieden mit dem Bild von Anand. Krishna dagegen war irgendwie schwierig zu beschreiben. Er hatte ein Allerweltsgesicht und die Veränderungen seiner Persönlichkeit machten den beiden sogar optisch zu schaffen: Zuerst der harmlose Reisende, dann der freundliche Fremdenführer, dann wieder der eiskalte Naxalitenkämpfer und zuletzt der Guerillaboss, der notfalls über Leichen ging.

Als sie nach mehr als vier Stunden aus der Polizeifestung traten, fühlten sie sich wie gerädert.

»Das war ja anstrengender als ein Marsch durch den Dschungel!« meinte Max. »Aber egal, es hat sich gelohnt!«

Über den Ausgang ihres Besuches beim Chiefinspektor waren die beiden Deutschen sehr erfreut und erzählten dies auch Saiba, der die ganze Zeit gewartet hatte.

»Er hat uns gebeten, erreichbar zu bleiben und morgen das Protokoll zu unterschreiben. Wir seien völlig entlastet, sagte er.«

Und Max ergänzte:

»Und er hat uns zum Schluss noch verraten, dass er

ein Klassenkamerad von N. David ist. Wie er zu Kumari steht, hat er allerdings nicht gesagt.«

Tobias grinste innerlich, denn diese Frage trieb Max offenbar schon während des ganzen Verhörs um. Auch Saibaba schien innerlich zu schmunzeln. Doch er sagte nichts zu diesem Thema, sondern bat sie, in die Motorrikscha zu steigen.

Sie hatten damit gerechnet, dass sie wieder in den Palmengarten nach Vinnayakapuram fuhren, sich allerdings getäuscht. Sie fuhren zum westlichen Stadtausgang. Fragend und irritiert schauten beide ihren Begleiter an.

»Keine Angst, ich entführe euch nicht!«, lachte der. »Wir fahren zum Office.«

*

Kurz vor Rallapudi löschten sie die Lichter. Die letzten Kilometer mussten sie besonders vorsichtig sein. Wenn man im Dunkel der Nacht von Kammarigudem aus, das auf einem kleinen Hügel lag, plötzlich eine Lichterkette von fünf Fahrzeugen bemerkte, würde das misstrauisch machen. Sie passierten den kleinen Teeladen an der Ecke zum Staudammweg. Chidambaram meinte, neben dem Laden im Schein der Glühlampe mehrere Gestalten gesehen zu haben und davor einige Motorräder. Wahrscheinlich hatten sich hier schon Besucher der Veranstaltung morgen einquartiert. Dies jetzt zu überprüfen, war keine Zeit. Vor allem das Timing musste stimmen. Der nördliche Trupp musste jetzt bereits im Flusstal unterwegs sein, der südöstliche ebenfalls seine Ausgangsposition erreicht haben. Sie wollten mit ihren zwanzig Leuten von Osten kommen, über Kothuru. Als sie wenig später den Veranstaltungsort für den Besuch des Ministerpräsidenten passierten, wurden sie gecheckt. Die Wachhabenden wunderten sich, dass ein so riesiges Polizeiaufgebot passierte und das auch noch ohne Licht an den Fahrzeugen.

Sie ließen die Jeeps in einem Gebüsch nahe der Patwagu stehen. Im Gänsemarsch ging es zum Damm über das schmale Rinnsal des Flusses. Sie alle trugen Waffen, Schnellfeuergewehre und Pistolen. Die Sturmgruppe und er selbst trugen schusssichere Westen. Vermutlich würden sie beides brauchen, auch wenn Chidambaram hoffte, die Terroristen im Schlaf zu überraschen.

Der Mond war von dünnen Wolken bedeckt. Irgendwo schrie ein Tier, vielleicht ein Büffelkalb. Im Gänsemarsch überquerten sie den Fluss und stiegen auf der anderen Seite langsam und vorsichtig hinauf, jedes Geräusch vermeidend.

Dann ging die Schießerei los. Die nördliche Gruppe musste bemerkt worden sein. Jedenfalls knallte es weiter oben. Ein Schuss, dann folgten weitere. Eine Frau kreischte. Wenn nur keine Zivilisten zu Schaden kämen! Der Inspektor kommandierte die Sturmgruppe in Richtung Schüsse. Die anderen Beamten, nur für den Ordnungsdienst ausgebildet, sollten ihnen den Rücken decken. Links waren jetzt erste Hütten zu sehen. Vor einer stand ein Mädchen im matten Schein einer Glühbirne, ein kleines Kind im Arm. Beide weinten. Chidambaram wies einen Polizisten der Deckung an, sich um sie zu kümmern. Noch wenige Meter und sie sahen vier oder fünf Männer mit Gewehren. Die Terroristen standen hinter Baumstämmen und Bambusmatten und feuerten in nördliche Richtung. Chidambaram gab Zeichen. Sie pirschten sich leise an die Männer heran. Drei der Naxaliten hatten den Lauf einer Waffe im Rücken, ehe sie die Polizei bemerkten. Zwei drehten sich um, sahen die Gegner mit vor Schreck geweiteten Augen an, rissen ihre Waffen herum – und starben.

Der Constabler neben Chidambaram stieß einen leisen Schrei aus, gleichzeitig mit dem Knall eines Schusses. Er hielt sich den Arm. Der Inspektor stieß den Mann zu Boden.

»In Deckung!« Ein weiterer Schuss fiel. Neben ihnen

gab es ein klackendes Geräusch und eine Kugel bohrte ein Loch in einen Bambuspfosten. Nun sah Chidambaram den Schützen. Er hockte hinter einem Ochsenkarren. Wieder ein Schuss. Das Gesicht des Mannes leuchtete für einen Moment auf. Er trug einen dunklen Bart. Der Inspektor zielte und schoss. Der Mann drüben stürzte auf die Deichsel des hölzernen Wagens und stöhnte auf. Dann war er nicht mehr zu sehen.

Chidambaram und ein zweiter Mann duckten sich, suchten jede Deckung und waren bald am Ochsenkarren. Der Bärtige war verschwunden. Sein Gewehr lag neben der Deichsel. Es war eine AK 47, eine russische Kalaschnikow.

War dort nicht ein Geräusch in der Hütte? Jemand wimmerte, eine tiefe Stimme gab leise Befehle. Die beiden Polizisten näherten sich vorsichtig der Tür des schlichten Hauses. Der Inspektor gab seinem Kollegen einen Wink. Viele dieser Hütten hatten Eingänge auf beiden Seiten. Wenn sie Glück hatten, war es hier genauso. Der Polizist pirschte sich auf die Rückseite des Gebäudes. Chidambaram hörte, wie er die rückwärtige Tür öffnete. Der Naxalit musste es ebenso gehört haben. Er schoss. Von drüben kam ein Stöhnen, dann jedoch ebenfalls ein Schuss. Also war der Kollege zumindest nicht tödlich getroffen. Chidambaram hörte ihn rufen:

»Legen Sie umgehend das Messer weg! Ich habe sie im Schussfeld.«

»Verschwinde! Du verschwindest, oder das Mädchen stirbt!«

Der Inspektor stand jetzt gebückt und mit gezogener Pistole in der offenstehenden Türöffnung. Er konnte ungehindert in die Hütte blicken. Eine kleine Öllampe, die wahrscheinlich während der ganzen Nacht gebrannt hatte, spendete flackerndes und fahles Licht und ließ die Szene bizarr und gespenstig erscheinen. Ein stämmiger Mann mit wildem Bart, in Tarnkleidung einer Fantasieuniform und mit einem Tuch um den Kopf, beugte sich über ein junges Mädchen. Er hielt sie brutal im Nacken fest und hielt mit der Rechten ein sehr langes Messer an ihre Kehle. So, als wolle er sie abstechen wie ein Tier. Das Mädchen wimmerte und weinte fast lautlos aber umso erbärmlicher. Chidambaram wusste sofort, dass er wenig Zeit zum Überlegen hatte. Noch hatte der Bärtige ihn nicht bemerkt. Er war auf den Polizisten am Hintereingang konzentriert. Der sagte wieder etwas. Hoffentlich stand er nicht in der Schusslinie. Gut, sein Kollege war hinter dem Türpfosten in Deckung gegangen. Der Inspektor hörte immer mehr Schüsse. Nun musste auch der Trupp aus Südwesten in die Schießerei eingegriffen haben. Von dort kamen die meisten Salven. Wahrscheinlich versuchten die Terroristen, in die Bergwälder im Westen zu entkommen.

Der Inspektor nahm das alles zwar wahr, hatte jedoch nicht einen Gedanken dafür. Er dachte nur an das Mädchen. Und an den Mann mit dem Messer. Sorgfältig zielte er auf den Arm des Mannes. Nein, so würde er die Bedrohung für das Mädchen nicht beseitigen. Der Mann konnte sie mit der anderen Hand schwer verletzten. Er musste sie nur gegen einen Pfosten schleudern oder sein Messer in die andere Hand nehmen. Oder er trug noch eine Handfeuerwaffe im Gürtel. Also gleich richtig! Chidambaram schoss. Der Mann drehte ihm für einen kurzen Moment das Gesicht zu. Sein letzter Ausdruck war nicht Angst oder Hass, sondern Staunen. An seiner Schläfe klaffte eine tiefe Wunde.

Dann fiel er langsam zu Boden. Das Messer klapperte über einige Kochutensilien, bevor der Mann dumpf aufprallte und sein Kopf neben der Feuerstelle liegen blieb. Auch jetzt hatte er noch das Staunen im Gesicht. So, als wolle er sagen: Das hätte ich nicht erwartet! Ich hätte nie gedacht, dass ich hier und heute sterben würde.

»Bist du in Ordnung?«

Der Inspektor meinte das Mädchen. Die Antwort kam von der anderen Tür:

»Alles klar. Ich bin getroffen, es tut höllisch weh – aber die Kugel steckt in der Weste!«

Chidambaram war erleichtert. Er sah seinen Kollegen mit vor Schmerz verzerrtem Gesicht an der Tür lehnen. Das Mädchen hockte am Boden vor der Feuerstelle. Sie starrte in die staunenden Augen des Toten. Schnell fasste Chidambaram sie an der Schulter und richtete sie auf.

»Du musst keine Angst mehr haben! Wie heißt du?«

Sie konnte ihren Blick kaum von dem Bärtigen wenden. Nur leise kam ihr Name über ihre Lippen.

»Pushpa.«

»Pushpa, du musst jetzt ganz stark sein. Es ist vorbei! Dieser Mann ist ein böser Mann. Aber er konnte dir nichts tun. Gott hat dich beschützt.«

Warum Chidambaram jetzt Gott ins Spiel brachte, wusste er auch nicht. Vielleicht erinnerte er sich daran, dass in diesem Dorf die Hälfte der Einwohner Christen waren. Oder er hatte bei Kumaris Freunden mehr aufgenommen, als er selbst für möglich gehalten hatte. Das Mädchen beruhigte sich.

»Wo sind deine Eltern?«

»Sie leben nicht mehr. Ich lebe bei meiner Tante und die wohnt nebenan.«

Der Inspektor war froh, dass Pushpa sich wieder etwas gefangen hatte. Er trat mit ihr vor die Hütte und rief nach seinen Leuten. Ein junger Constabler kam aus dem Gebüsch. Der Inspektor bat ihn, das Mädchen in die Nachbarhütte zu bringen. Beide verschwanden im Dunkel.

Inzwischen war das Schießen abgeebbt. Nur ganz im Westen knallte es vereinzelt. Einige der Terroristen mussten entkommen sein und wurden nun von seinen Leuten verfolgt. Hoffentlich hatten sie die meisten erwischt! In einer knappen Stunde würden sie es wissen und alles würde im wahrsten Sinne an's Licht kommen, an's Tageslicht.

Chidambaram ging wieder in die Hütte. Sein Kollege hatte die Öllampe neu justiert und im Inneren war alles gut sichtbar. Der Tote lag auf dem Rücken. Chidambaram nahm vorsichtig das Messer an sich und sah es an. Ja, das konnte die Tatwaffe beim Mord am Wachmann von Gullavai sein – und wahrscheinlich nicht nur von diesem Mord. Die Klinge war mindestens 25 Zentimeter lang und das Messer sehr scharf, spitz und gut gepflegt. Der Inspektor kramte ein Tuch aus seiner Jackentasche und wickelte es als Beweisstück ein. Dann durchsuchte er den Mann. Eine geöffnete Packung Beedees, ein Feuerzeug, zwei schmutzige Taschentücher, noch mindestens hundertfünfzig Patronen für die AK 47 im Gürtel, ein Umschlag mit zwölf Tausendrupienscheinen. Neben ihm am Boden lag eine Pistole. Das war's. Auf dem Umschlag stand nichts, weder Empfänger noch Absender. Es wäre ja auch zu schön gewesen. Aber Chidambaram kam es vor, als habe er dieses Gesicht bereits irgendwo gesehen. Vielleicht auf einem Steckbrief. Dann wäre die Identität des Mannes schnell entschlüsselt. Schon in zwei oder drei Stunden, wenn sie mit den Bildern des Polizeifotografen und seiner Erklärung vor die Presse gehen würden, könnten sie Namen nennen. Namen, Fotos, Erfolgsberichte und positive Artikel in der Zeitung – das war neben Beziehungen, Arbeit und Glück der Stoff, aus dem Karrieren geschmiedet wurden.

Die Frage war, ob dieser Krishna oder die Deutschen in Kammarigudem waren. Es wäre zu schön um wahr zu sein!

*

Einige Stunden später, zurück in seinem Hauptquartier, war diese Frage eindeutig mit »nein« beantwortet. Alle Berichte der Einsatztrupps lagen auf seinem Schreibtisch, außerdem Fotos des Polizeifotografen. Keine Weißen und niemand, der dieser Krishna hätte sein könne, waren identifiziert worden. Trotzdem war die Aktion ein großer Erfolg. Nur zwei Polizisten waren verwundet worden und ein Zivilist hatte sich verletzt, als er sich in Sicherheit bringen wollte. Sie waren also ohne große Verluste davon gekommen und konnten der Presse gute Nachrichten präsentieren. Die Aktion war somit abgeschlossen.

Vor der für alle Journalisten natürlich völlig überraschenden Pressekonferenz hatte er geduscht und sich seine beste Uniform angezogen. Seinen Leuten hatte er eine Pause für zwei Stunden verordnet und zum Frühstück auf Staatskosten ins Hotel gegenüber geschickt. Danach mussten sie wieder zum Einsatz, diesmal für einen banalen Ordnungsdienst anlässlich des hohen Besuches aus Hyderabad. Damit konnte man keine Punkte sammeln...

Er selbst hatte keine Zeit für eine Pause. Hundemüde aber glücklich, begann er von seinem Büro aus, den Einsatz der Großveranstaltung zu koordinieren. Er sprach mit dem Chef des Staatsschutzes und mit den Gruppenleitern der Verkehrspolizei. Die ersten Menschenmassen waren bereits unterwegs. Alles lief gut. Alles würde laufen wie immer – und dass sie ganz in der Nähe der Großveranstaltung ein Naxaliten-Camp hochgenommen hatten, würde die Politfans frühestens heute Mittag in der Zeitung lesen.

Doch dann rief Kumari an.

Er war völlig überrascht, so schnell von ihr zu hören. Sie freute sich über seinen Erfolg. Er dankte ihr überschwänglich. Dann aber glaubte er wieder einmal kaum, seinen Ohren zu trauen.

»Chidam«, sagte sie mit fast zärtlicher Stimme und er ahnte, dass jetzt irgendeine Neuigkeit kam. »Ich habe dir gestern ein paar Kleinigkeiten verschwiegen. Wahrscheinlich hast du es bemerkt.«

»Allerdings. Aber ich vermute und hoffe, jetzt rückst du mit der Wahrheit heraus.«

»Ja, du wirst in Kürze die ganze Wahrheit erfahren. Es ist eigentlich doch vieles noch etwas anders, als ich es dir erzählt habe. Ich hoffe, du bist mir nicht böse!«

Sie konnte sagen, was sie wollte, er würde ihr nicht böse sein. Dank ihrer Informationen wurden über dreißig Naxaliten verhaftet oder getötet – wie sollte er ihr da böse sein?

Und dann hatte sie ihm erzählt, dass gegen zehn die Deutschen in sein Büro kämen. Sie würden ihm die ganze Wahrheit detailliert berichten.

»Sie haben nichts damit zu tun«, hatte sie gesagt.

»Und doch sind sie der Schlüssel zur Geschichte. Nur durch ihren Beitrag konntest du diesen Erfolg auf deinem Konto verbuchen! Und durch sie wirst du deine Morde lückenlos aufklären. Also, bitte höre sie an und behandle sie gut. Tobias und Max sind meine Freunde!«

Chidambaram wunderte inzwischen gar nichts mehr, was mit Kumari zu tun hatte. Er versprach es ihr, allerdings in der unangenehmen Ahnung, dass durch die Aussage der Deutschen sein ganzes schönes Verdachtsgebäude samt seiner bisherigen kriminalistischen Intuition zusammenbrechen würde wie ein Kartenhaus.

Gerade wollte der Inspektor auflegen. Kumari hielt ihn zurück.

»Chidam, noch etwas. Die Morde waren in Wahrheit nicht nur eine Verschwörung oder sozusagen Warnschüsse gegen das Polavaram-Projekt. Sie waren eher ein Ablenkungsmanöver.“

»Ablenkungsmanöver? Wovon“? Chidambaram war irritiert.

»Es ging eigentlich um ein Attentat auf den CM!“

»Waaas?!“ Der Inspektor sprang auf und starrte den Hörer an. “Meinst du, ein Attentat auf unseren CM ist geplant? Und das heute und jetzt?“

Kumari beruhigte ihn.

»Keine Angst, alles unter Kontrolle!“

Sie sprachen noch zehn Minuten miteinander. Erst dann hatte sich der Inspektor halbwegs beruhigt. Nun blieb ihm nur noch das Warten auf die Deutschen. Erst wenn er diese verhört hatte, würden die Puzzleteile ein Bild ergeben.

*

Viele Stunden später, nach dem Verhör mit den Deutschen, fühlte sich Chidambaram fast wie auf Wolken schwebend. Aufgeklärt, der Fall war nun wirklich aufgeklärt! Er hatte alles auf Band. Kumaris Bericht über ihren Beitrag am Geschehen würde er später auch noch bekommen.

»Babu!« rief er seinen frisch und ausgeschlafen aussehenden Sekretär.

»Hier hast du ein Tonband. Mach' ein Protokoll daraus! Der Fall ist aufgeklärt.«

Babu machte ein erstauntes und irgendwie auch ein beleidigtes Gesicht. Sein Sekretär hatte am Morgen seinen Dienst mit großer Neugier angetreten und sich mit seinem Chef gemeinsam ehrlich über den Erfolg der Nacht gefreut. Dass dann jedoch plötzlich die Deutschen vor der Tür gestanden hatten und sie mit dem Inspektor und dem Dolmetscher über Stunden ohne ihn zusammen saßen, das musste ihn irgendwie geärgert haben. Vielleicht hätte Chidambaram ihn doch hinzu ziehen sollen. Okay, aber das ließ sich nicht ändern. Vielleicht war es unbewusst die Rache dafür, dass er, der Chef, sich die Nacht um die Ohren schlagen musste und der untergebene Angestellte derweil friedlich schlafen konnte. Doch jetzt würde sein Assistent ja alle Details mitbekommen!

Was war noch zu tun? Für die Rolle der Deutschen musste eine Presseerklärung her. Ihm musste etwas einfallen, wie er sie ganz aus der Sache herausließ. Und der

Staatsschutz musste informiert werden. Es würde, allemal nach jener letzten Nacht, ein langer Tag werden.

*

Sie waren nicht die einzigen, die in diese Richtung fuhren. Offenbar war die Großveranstaltung mit dem Ministerpräsidenten beendet. Jedenfalls kamen immer mehr Fahrzeuge und Menschen aus Richtung Veranstaltungsort. Sie alle sahen glücklich und zufrieden aus.

»Die Veranstaltung mit Mr. Reddi scheint zu Ende zu sein und die sehen alle ganz fröhlich aus. Eine Bombe scheint dort jedenfalls nicht hochgegangen zu sein.«

»Oder sie sind froh, dass sie nicht unter den Opfern sind!«

Manchmal fand Tobias seinen Freund wirklich reichlich zynisch.

Das Office lag direkt an der Hauptstraße. Die Kirche hatte vier Hausteile mit je zwei Räumen angemietet. In zweien wohnte das Personal, eins war Büro und in einem wurden die beiden Gäste jetzt untergebracht. Erstaunt waren sie, als ihnen auch hier die Füße gewaschen wurden, bevor sie eintraten. Blumengirlanden bekamen sie allerdings keine. Verantwortlich für die Finanzen war ein durch Kinderlähmung behinderter junger Mann. Er arbeitete mit Saiba zusammen und übernahm vor allem leichte Büroarbeiten.

Auf den Gästebetten lagen frische Handtücher bereit und eine nette Frau im bunten Sari brachte ihnen einen Tee in für Indien überdimensionalen Bechern. Die beiden erfuhren, dass die Wirtschafterin Talli Kumari hieß. ‚Kumari' war offenbar ein geläufiger Name. Max erfuhr später, dass er einfach nur ‚Tochter' bedeutete.

Als es dunkel wurde, saßen die Freunde auf der Terrasse des Kirchenbüros, vor sich eine Büffelkuh vor einem Haufen Reisstroh, drei als Abfallbehälter genutzte

Betonringe und ein abgestellter LKW.

Immer noch fuhren Politpilger gen Heimat.

»Wenn die wüssten!«

Tobias wusste genau, was Max damit meinte.

Auf einer Holzbank lag eine einheimische Zeitung. Max nahm sie zur Hand, auch wenn er kein Wort lesen konnte. Die Fotos auf der Titelseite hatten seine Aufmerksamkeit erweckt.

Sprachlos starrte er auf ein großes Foto. Polizisten in brauner Uniform, mit und ohne Streifen, aber alle mit Uniformmütze. Sie standen um vier oder fünf Tote herum, die wie erlegtes Wild in einer Reihe am Boden lagen und der Presse präsentiert wurden. Einer der Toten wurde in Großformat und im Portrait auf einem zusätzlichen Bild präsentiert. Sein bärtiges Gesicht war verzerrt und entstellt. Er sah furchtbar aus, mit einer blutigen Wunde an der Schläfe. Trotzdem erkannte Max ihn auf Anhieb. Fünf Tage lang hatte er entweder in die Mündung seiner AK47 oder in dieses Gesicht geschaut. Es war Anand.

Wortlos reichte Max seinem Freund die Zeitung. Der erstarrte. Auch Tobias erkannte ihren Entführer sofort.

»Was ist denn da passiert?«

»Saiba!« laut riefen sie ihren Begleiter. »Komm bitte, wir brauchen dich unbedingt!«

Erschrocken kam der Büroleiter aus seiner Wohnung geschossen.

»Worum geht es da? Das ist Anand, der Naxalit!«

Aufgeregt bat Tobias ihn um Übersetzung des Artikels. Saiba schien erleichtert, nahm das Blatt und las:

»Landkreis Ashwaropeta: Naxaliten-Camp ausgehoben. In der vergangenen Nacht wurden im Dorf Kammarigudem fünf Naxaliten getötet. Die Identität der Männer ist noch nicht bekannt. Ein Constabler der Polizei Ashwaropeta wurde leicht verletzt, als ihn im Feuergefecht mit etwa fünfundzwanzig Terroristen eine Kugel in der Schulter traf. Die näheren Umstände hat der die Operation leitende Subinspektor Mr. M. Chidambaram noch nicht bekannt gegeben. Es ist also auch noch nicht klar, ob dieses Feuergefecht und der Besuch des CM in der Region in einem direkten Zusammenhang stehen. Der Subinspektor bestätigte lediglich, dass ein Zusammenhang zu den Morden in Kukunuru und Gullavai besteht und diese damit aufgeklärt seien.«

Das war´s, die Meldung war nicht mehr als eine längere Bildunterschrift. Auch im Innenteil der Zeitung von heute konnte Saiba nichts mehr zu der Sache finden. Offenbar war die Meldung mit dem Foto erst in allerletzter Minute vor Drucklegung in die Zeitung gekommen. Also mussten sie auf Kumari warten. Sie könnte ihnen wahrscheinlich wesentlich mehr erzählen, als in der Zeitung stand.

»Zum Glück erkenne ich unter den Toten weder den Jungen noch Geiernase!«

Max sprach Tobias aus dem Herzen. Bei aller Feindschaft, viele ihrer Entführer hatten auf sie nicht nur wie Täter, sondern auch wie Opfer gewirkt.

Schon die Zubereitung des Essens machte sie hungrig. Es roch scharf und schmackhaft. Als die Köchin dann servierte, hielten Chicken und Gemüse, was ihr Geruch versprach.

15. Januar: Strategische Meisterleistung

Die Nacht war grauenhaft. Selbst im Dschungelcamp der Rebellen hatten sie besser geschlafen, als im Office der Kirche. Die ganze Nacht donnerten Lastwagen an dem Gebäude vorbei. Tobias hatte das Gefühl, sie fuhren direkt durch sein Zimmer. Außerdem: Während in den Dörfern zu dieser trockenen Jahreszeit so gut wie keine Mücken waren, hatten sie sich hier offenbar zu einem Festmahl verabredet. Mückennetze gab es nicht.

Zum Glück hatten die zwei ihre Malariaprophylaxe im Waschbeutel und sie deshalb auch während ihrer Odyssee aufrechterhalten. Bereits gegen fünf Uhr morgens saßen sie vor der Tür und schauten müde und verschlafen dem anbrechenden Tag entgegen. Die LKW auf der Fernstraße bekamen jetzt Gesellschaft von immer mehr PKW und Zweirädern. Ein idyllischer Platz war das nun wirklich nicht!

'Ihre' Kumari, kam, als sie gerade das Frühstück beendet hatten. Sie rauschte auf einem hellblauen Motorroller heran, mit dem Jungen Babu hinter sich auf dem Sozius.

»Kumari!« fast wäre Max ihr um den Hals gefallen, konnte sich jedoch im letzten Moment bremsen. »Endlich sehen wir dich wieder!«

»Und wie gut, dass dir nichts passiert ist«, ergänzte Tobias. »Ich bin echt gespannt zu hören, was geschehen ist. Wir haben Anand in der Zeitung gesehen. Tot. Aber sonst wissen wir eigentlich noch gar nichts. Der Polizist hat uns auch nichts verraten.«

Kumari lachte ihr gewinnendes und verschmitztes Lachen. Und Max liebte es!

»Mal langsam, ich werde euch schon alles erzählen! Babu, wir sollten erst einmal absteigen.«

Als sie sich mit einem herzlichen »Wandanalu« die Hände gereicht hatten, setzten sie sich vor das Bürogebäude auf Plastikstühle. Kumari Nummer zwei brachte Tee für alle, Babu hockte sich auf den Boden.

»Nun bin ich aber gespannt«, sagte Tobias.

»Mit Recht, aber sagt, wie war es denn bei meinem Freund, dem Subinspektor?« Kumari grinste. Max wollte es nun endlich wissen:

»Wieso Freund? Solche Bemerkungen hat Saiba auch gemacht und sogar der Polizist selbst machte seltsame Bemerkungen über eure Beziehung. Was war oder ist denn da?«

Natürlich war das eine reichlich indiskrete Frage.

Trotzdem beantwortete Kumari sie, wenn auch kurz.

»Da ist nichts! Er hat einmal um meine Hand angehalten, das ist alles. Er war dabei ziemlich, na, nennen wir es mal ungeschickt. Unsere Eltern wollten uns verkuppeln. Doch daraus wurde nichts.«

Max fragte nicht weiter. Tobias konnte sich denken, dass Kumari nicht gewollt hatte. Anders als viele andere Mädchen in diesem Land hatte sie ihren eigenen Kopf und den setzte sie auch gegen starke Widerstände durch. Sie hatten es ja selbst erlebt.

»Also, der Inspektor«, Tobias kam wieder auf die Frage zurück, »der hat uns zwar ganz schön in die Mangel genommen, war aber sehr freundlich und auf dich und N. David sehr gut zu sprechen.«

»Kein Wunder, er hat ja auch den Fang seines Lebens gemacht und klettert jetzt wahrscheinlich dank euch und uns auf der Karriereleiter einige Sprossen höher hinauf. Aus dem Sub- wird ein Chiefinspektor!«

»Nun erzähl schon!« drängte Max. »Spann uns nicht weiter auf die Folter! Was ist passiert? Welchen Plan habt ihr euch ausgedacht! Wieso sind Anand und die anderen jetzt tot?«

Wieder lachte die junge Frau.

»Mal langsam. Schritt für Schritt. Also zunächst zu unserem Plan: Wir haben erst einmal die Zeiten gecheckt. Wenn die Rebellen einen Anschlag auf unseren Staatschef geplant hatten, wann mussten sic dann die Sprengsätze legen?«

»Logisch, natürlich vor der Veranstaltung.«

Max fand die Frage überflüssig.

»Genauer gesagt in der Nacht vorher.«

Die temperamentvolle Freundin beantwortete ihre eigene Frage.

»Die Sicherheitskräfte suchen alle Brücken und an der Straße befindlichen Möglichkeiten eines Anschlages nach Bomben ab. Am direkten Tag davor machen sie erneut Stichproben. Das wussten auch die Naxaliten. Also mussten sie bis nachts warten und konnten erst dann die Sprengsätze anbringen.«

Tobias nickte anerkennend. Gut kombiniert!

»Weiter zum Ort.«

Kumari referierte ihr Vorgehen wie eine geübte Strategin.

»Die Bomben mussten genau zu dem Zeitpunkt gezündet werden, an dem der CM und sein Tross auf der Brücke waren, vor den neuen Toren. Also mussten die Täter in der Nähe sein, sozusagen in Sichtweite. Außerdem war das ganze Gebiet von der Polizei abgesperrt. Also konnten es die Naxaliten auch nicht unmittelbar, nachdem sie die Sprengungen gelegt hatten, verlassen. Zudem konnten sie sich nur dort verstecken, wo sie viele Freunde hatten. Und da passt nur ein Ort: Kammarigudem!«

Tobias war beeindruckt. Er dachte an das Mädchen Pushpa.

»Stimmt! Krishna hatte dort massig Freunde. Und Anand und seine Bande schienen dort ebenfalls aus- und einzugehen.«

»Richtig. Und deshalb haben wir sie die Bomben zuerst legen lassen. In der zweiten Nachthälfte haben wir dann Kammarigudem umzingelt und gestürmt. Das Dorf liegt hinter dem Fluss wie auf einer Art Insel am Rand eines kleinen Hügels. Also war es leicht, sie zu schnappen.«

Mit offenem Mund hörten die Freunde zu.

»Wie, gestürmt? Du mit N. David und euren Christen?«

»Natürlich nicht!« lachte Kumari. »Ich habe meinen Freund, den Subinspektor, eingeweiht und der hat das erledigt. Hat er es euch nicht erzählt?“

»Der Inspektor hat uns gar nichts erzählt«, meine Tobias. »Wir allein haben die ganze Zeit erzählen müssen.“

»Naja, jedenfalls hat er mit einem Sonderkommando das Naxalitenlager gestürmt. Er hat auf mich gehört. Ich hatte noch etwas gut bei ihm.«

Was genau Kumari meinte, verschwieg sie. Wer weiß, was der Polizist sich während oder nach seiner vergeblichen Brautschau geleistet hatte. Also war der Inspektor die ganze Nacht unterwegs gewesen. Kein Wunder, dass er am Vormittag übernächtigt ausgesehen hatte.

»Und die Sprengsätze? Wer hat die entfernt? Doch nicht ihr?«

»Wer sonst? Ich wollte vermeiden, dass die Veranstaltung abgesagt wird. Also habe ich meinem Polizeifreund nur von den Naxaliten, nicht jedoch von den Sprengsätzen berichtet. Ein Rebellennest auszuräuchern war Chidambaram schon Triumph genug. Außerdem hoffte er, auch euch und Krishna im Dschungelcamp zu fangen. Immerhin wart ihr zu dem Zeitpunkt noch seine Hauptverdächtigen. Erst heute am frühen Morgen habe ich ihn endgültig aufgeklärt.“

Max und Tobias schauten sich verwundert an.

»Also wusste die Polizei bis kurz vor unserem Besuch dort weder von uns etwas, noch von dem geplanten Attentat?“

»Richtig. Mein uniformierter Freund wusste nur, dass die Naxaliten die Morde in Kukunuru und Gullavai auf dem Konto haben, mehr nicht. Wir aber wollten die Rebellen nicht nur ins Gefängnis bringen, sondern euch auch völlig entlasten. Also mussten wir ihnen die Bomben liefern und euch als jene präsentieren, durch die allein wir sie gefunden haben.«

»Aber war das denn nicht überaus riskant? Wenn die nun doch hochgegangen wären, ob nun mit oder ohne CM. Dann hätten wir und ihr die Schuld gekriegt, unser Wissen nicht frühzeitig weitergegeben zu haben.«

Tobias fand dieses Vorgehen á la James Bond tatsächlich reichlich riskant. Kumari beruhigte ihn.

»N. David hat da einen Klassenkameraden von früher.«

Dieser Generalsekretär schien ja reichlich Klassenkameraden zu haben...

»Und den rief er an. Zufällig arbeitet der im Sicherheitsstab des CM in Hyderabad.«

Na, ihr habt Beziehungen, dachte Tobias.

»Der Sicherheitsdienst war also eingeweiht und sogar beteiligt«, erzählte Kumari weiter. »Wenn wir die Bomben nicht gefunden und entschärft hätten, wäre der CM natürlich nicht gekommen. Am Morgen wäre das ganze Gebiet aus Sicherheitsgründen gesperrt worden. Aber wir haben sie gefunden!«

Der Stolz in ihrer Stimme war nicht zu überhören.

»Und wieso ‚wir'? Du willst doch wohl nicht sagen, dass du selbst dabei warst!«

»Was denn sonst? Meinst du, ich mache diese ganze Sache durch und überlasse das Finale am Ende anderen? Natürlich waren wir, David und ich, dabei. Sie brauchten uns schon allein wegen der Ortskenntnis.«

»Und wie lief es nun ab?«

Max liebte Krimis und diesmal war er mittendrin in einem. Welch eine Frau!

»Wir haben in Rallapudi, dem Dorf an der Straße, gewartet. Dort gibt es an der Ecke einen Teeladen, der direkt am Weg zum Staudamm liegt. Die Polizei fuhr ohne Licht an uns vorbei, als es dunkel wurde und hat dann Kammarigudem weiträumig umstellt. Sie haben den Kreis immer enger gezogen und irgendwann ging das Schießen los. Da sie die Falle offenbar nicht völlig schließen konnten, sind einige Terroristen nach Norden entwischt. Ich bin jedoch sicher, dass sie noch gefasst werden, denn die Anführer sind tot oder gefangen. Na ja, jedenfalls noch bevor das Schießen anfing, haben N. David und ich zwei vorher ausgesuchte Sicherheitsleute des CM zum Staudamm gebracht. Wir sind mit Motorrädern über den Weg dorthin gefahren, dann über den gebogenen Damm bis vor die Schleusentore. Die Bomben konnten nur an wenigen Stellen sinnvoll angebracht werden. Ihr habt ja auch die Zeichnungen der Tore aus Krishnas

Heft rekonstruiert. Wir haben die Sprengladungen also schnell gefunden, denn die Angaben stimmten genau. Die Beamten haben die Zünder entfernt und über Funk ihre Kollegen gerufen. Bevor die kamen und die Sprengungen völlig entfernten, ging im Dorf flussabwärts die Ballerei los. Die Sprengsätze waren also bereits außer Betrieb, bevor die Naxaliten merkten, dass sie in der Falle saßen. Selbst wenn sie es noch versucht hätten, ihre Bomben wären nicht hochgegangen. Den Rest wisst ihr oder könnt ihr euch denken.«

Schweigen. Großartig! Beide Freunde waren begeistert, wie umsichtig und mutig Kumari und ihre Freunde sowohl geplant als auch gehandelt hatten. Die Gefahr war auf ein Minimum reduziert worden, das Timing stimmte genau.

Nur sie, die beiden deutschen Touristen, kamen nun gar nicht mehr vor. So richtig passte Tobias das nicht, denn immerhin hatten sie die ganze Zeit die Hauptrolle gespielt.

Als er Kumari fragte, was denn nun eigentlich ihre Rolle bei der ganzen Sache gewesen sei, da lachte sie.

»Ihr seid die wichtigsten Zeugen. Oder habt ihr meinem Freund Chidam nicht alles erzählt?«

Doch, hatten sie. Und nun nannte sie diesen Inspektor Chidambaram bereits überaus vertraut Chidam. Max runzelte die Stirn.

»Ihr seid also die Retter des CM und aller anderen, die hätten sterben können. Weil ihr die Informationen hattet, konnten wir den Plan machen. Weil ihr richtig kombiniert habt, wussten wir, worum es ging. Nur wegen euch konnten die Leute gestern unbeschadet wieder nach Hause fahren...« und ironisch fügte sie hinzu: »... und kann der CM sein Staudammprojekt bei Polavaram weiter vorantreiben.«

Tobias und Max sah man ihre Verunsicherung an. War dieser Sieg über ihre Entführer nun Grund zur

Freude oder nicht? Immerhin waren ja auch Menschen ums Leben gekommen.

»Und nun?«, fragte Max nach einer längeren, nachdenklichen Pause.

»Nun? Das ist doch klar. Ihr wartet auf das Protokoll, unterschreibt es, bekommt eure Sachen wieder und könnt dann zurück nach Deutschland reisen.«

Kumari sagte es ganz leise. Sie fand wahrscheinlich selbst nicht gut, was sie sagte.

»Und ihr werdet namentlich nicht erwähnt, das hat mir Chidam fest versprochen. Er sorgt dafür, dass ihr eure Flüge umbuchen könnt und umgehend von Hyderabad nach Hause fliegt. Sollte die Presse euch mit den beiden geflohenen Deutschen verbinden oder gar noch in dieses Attentat verwickelt sehen, werdet ihr eures Lebens nicht mehr froh werden.«

»Och, ein bisschen Öffentlichkeit als späte Genugtuung für den ganzen Stress könnte doch wohl nicht schaden!«

»Max, du hast keine Ahnung von den indischen Medien. Sie werden jedes, wirklich jedes Detail in die Öffentlichkeit zerren. Ihr werdet keine Ruhe mehr haben. Doch darum geht es eigentlich gar nicht!«

Tobias wusste bereits, worum es ging. Um ihre Sicherheit.

»Die Naxaliten wissen eure Namen. Mehr nicht – oder? Also werden sie große Probleme haben, euch aufzuspüren. Genau das werden sie versuchen. Krishna ist geflohen. Er und seine Leute haben mit euch eine Rechnung offen. Spätestens, wenn ihr mal wieder nach Indien kommt, werden sie versuchen, diese zu begleichen.«

Beim letzten Satz sah sie Max an, als ob sie ihn flehentlich darum bat, doch wieder zu kommen. Der verstand den Blick und wurde rot.

»Wir kommen bestimmt wieder!« sagte er. »Davon können auch diese Rebellen uns nicht abhalten. Wir müssen

müssen ja nicht unbedingt ins befreite Telangana reisen, sondern können uns mit Andhra Pradesh begnügen!«

Kumari lachte.

»Das will ich hoffen!«

Gleich nach dem Mittagessen telefonierten beide von einem Telefonladen aus nach Deutschland. Es wurden lange Gespräche. Das Auswärtige Amt der Bundesregierung hatte mit ihren Angehörigen Kontakt aufgenommen, sie begleitet und informiert. Deshalb wussten diese bereits, dass die Geiseln wohlauf waren und bald zurückkämen. Entsprechend groß war natürlich die Freude, endlich die geliebten Stimmen zu hören. Max' Mutter wollte unbedingt sofort die ganze Geschichte von ihm hören. Er versprach, später alles genau zu erzählen.

»Nur eines verrate ich dir schon mal«, sagte er und grinste in Richtung Kumari, die draußen geduldig wartete. »Manche Frauen hier sind enorm hübsch und einfach Klasse!«

Was seine Mutter darauf geantwortet hatte, verriet er Tobias nicht.

Nach dem Telefonat wollten sie eigentlich eine kleine Pause machen. Daraus wurde nichts. Ein Polizeijeep fuhr vor, dahinter ein großer weißer Tata-Geländewagen mit abgedunkelten Scheiben. Aus dem Jeep stieg der Subinspektor. Er wurde von einem Polizisten mit Gewehr und dem jungen, freundlich lächelnden Mann mit Brille eskortiert, der ihnen im Revier den Tee serviert hatte. Diesmal trug der Inspektor seine Uniformmütze und sah so wichtig aus, als habe er tatsächlich bereits einige Stufen der Karriereleiter geschafft. Er strahlte. Als er Kumari sah, wurde aus dem Strahlen geradezu ein Glühen. Trotz seiner dunklen Haut hatte Max den Eindruck, dass Mr. Chidambaram einen roten Kopf bekam.

»Wandanalu«, als er Kumari die Hand gab, war es Tobias, als ob der Polizeichef eine kleine Verbeugung machte.

Er war gekommen, um den beiden Deutschen das Protokoll zur Unterschrift vorzulegen, ihnen ihre Sachen zu bringen und sie zu verabschieden.

Das mit dem Protokoll war schnell erledigt. Sie gingen dazu ins Büro. Die beiden unterschrieben, nachdem sie den englischen Text überflogen hatten. Etwas schwieriger gestaltete sich die Sache mit dem Gepäck. Max behauptete steif und fest, dass er in seinem Rucksack eine große Maglite, also eine teure Taschenlampe gehabt hatte. Und die sei nun verschwunden.

Dem Polizisten war die Sache sehr peinlich, zumal der Diebstahl ausgerechnet in seinem Revier passiert sein musste. Er bestätigte, dass er selbst die Lampe gesehen hatte und sie auch auf der Liste stand. Er versprach, dem umgehend nachzugehen.

»Es tut mir aufrichtig leid. Natürlich gibt es immer ein paar schwarze Schafe, selbst bei der Polizei. Die Beamten verdienen sehr, sehr wenig und es kommt manchmal einer in Versuchung. Aber ich werde dem nachgehen! Wenn ich die Lampe wieder habe, deponiere ich sie im Kirchenbüro. Dort könnt ihr sie abholen, wenn ihr das nächste Mal nach Indien kommt.«

Komisch, die schienen alle davon auszugehen oder gar sicher zu sein, dass die beiden Deutschen wieder kämen. Max gab sich also zufrieden.

»Jedenfalls freue ich mich, dass meine Digitalkamera wieder da ist. Schade, dass ich sie im Tigercamp und danach nicht dabei hatte!«

»Dann hättest du einmal mehr in den Lauf einer Waffe geblickt«, kommentierte Tobias nüchtern.

»Deine Kamera wäre dann jetzt bestimmt in der Tasche eines dieser Telangana-Kämpfer.«

»Stimmt. Aber dann lass uns wenigstens jetzt noch ein paar Fotos machen!«

Tobias ahnte, dass sein Freund vor allem noch Fotos von Kumari haben wollte. Ob er sie dann, wie jene Mitreisenden im Flugzeug den Heiligen Berg und die hübsche Thai, auch auf sein Handy spielte? Sie machten also Fotos. Wann immer ein stämmiger Deutscher mit breitem Grinsen zu sehen war, stand eine hübsche Inderin neben ihm.

Der Zeitpunkt des Abschieds war gekommen. Sie hätten diesen Moment gerne noch weiter hinaus gezögert. Doch der weiße Geländewagen sollte sie nach Hyderabad bringen und der Fahrer hatte schon ungeduldig die hintere Tür geöffnet.

»Wer hat denn den gemietet?« fragte Tobias.

»Wir jedenfalls können ihn nicht bezahlen!«

»Keine Angst, er ist eine kleine Aufmerksamkeit des Staates. Noch genauer gesagt: Der CM hat ihn geschickt. Ihr habt immerhin sein Leben gerettet. Ich persönlich habe mit ihm telefoniert und ihm die ganze Geschichte erzählt. Gern hätte er euch morgen früh empfangen. Leider ist er im Ausland und so müsst ihr mit seinem von mir überbrachten Dank vorlieb nehmen.«

Sie hätten Mr. Reddi natürlich gerne persönlich kennen gelernt und mit ihm dann auch gerne über sein Polavaram-Projekt diskutiert. Doch vielleicht war es besser so. Ein Streitgespräch über dieses Thema hätte sie womöglich am Ende doch noch in die Ecke der Regierungsgegner gestellt. Jetzt war vor allem wichtig, dass sie freie Menschen waren, die hoffentlich übermorgen früh zu Hause sein würden.

Die Polizisten, N. David, Saiba, Kumari Nr.2, dic Bewohner des Bürotraktes der Kirche und natürlich Kumari verabschiedeten Tobias und Max.

»Wir wollen noch ein Gebet für euch sprechen!« sagte N. David und wartete nicht auf eine Zustimmung, sondern schlüpfte aus seinen Sandalen, senkte den Kopf und begann voller Inbrunst. Max blickte etwas irritiert um sich, tat es dann jedoch seinem Freund Tobias nach und entledigte sich ebenfalls seinen Sandalen. Er hatte nicht gewusst, dass auch die Christen hier ihre Schuhe zum Gebet ablegten, sondern das bisher nur den Moslems zugeschrieben. Dann schloss er wie die anderen die Augen. Vielleicht war es sogar so etwas wie ein Gebet, was er da dachte. »Danke für die Rettung! Und für diese Leute hier. Und hoffentlich sehe ich wenigstens Kumari wieder.« Wenn es eines war, dann jedenfalls soweit er sich erinnerte, sein erstes.

Dann war es endgültig soweit. Sie mussten sich trennen.

»Randi, randi! Komm, komm!« rief Tobias, weil Max sich nicht von Kumari lösen konnte. Sie alle, mal abgesehen von den Polizisten, hatten sich gegenseitig umarmt. Sie hatten mehrfach »Wandanalu« gesagt und »auf Wiedersehen« und Hände geschüttelt. Doch Max ließ Kumaris Hand nicht los, was ihr sichtlich peinlich war. Sie sprachen noch miteinander. Kumari ging plötzlich zurück ins Büro und kam mit einem Zettel wieder, den sie Max gab. Was sie sagten, hörte Tobias nicht.

Auf den ersten Kilometern schwiegen sie, wie Menschen, die einen Verlust erlitten hatten und nun trauerten. Dann sagte Max:

»Nein, ich habe ihr nicht meine Liebe versprochen!«

»Hey, das habe ich auch gar nicht gesagt!«

Tobias musste allerdings innerlich grinsen.

»Aber gedacht! Tobi, ich kenne dich doch! Ich habe mich vor allem bei ihr bedankt, weil sie mir neue Perspektiven fürs Leben eröffnet hat. Und ich habe gesagt, dass ich hoffe, dass wir uns wiedersehen.«

»Und sie? Was hat sie gesagt?«

»Sie meinte, auch für sie sei es schön und wichtig gewesen, uns kennenzulernen. Dann hat sie mir noch diese Visitenkarte gegeben und gemeint, wenn wir wiederkommen wollten oder uns auch sonst für ihre Kirche und die Adivasi interessierten, sollten wir Kontakt mit diesen Leuten aufnehmen.«

Max reichte Tobias die Karte und der sah sie sich an. Die Adresse eines christlichen Freundeskreises stand dort und drei Namen mit Telefonnummern. Ein Name war ‚Hans'.

»Aha«, sagte Tobias.

»'Hans garden'! Dies sind also die Partner der Christen im Stammesgebiet. Da sollten wir unbedingt mal anrufen. Guck mal, es steht sogar eine Homepage drauf!«

Nach sechs Stunden flotter und komfortabler Fahrt waren sie in Hyderabad.

Sie genossen den Komfort des High Court Hotels. Hatte der Name also doch Glück gebracht und das Recht am Ende gesiegt. Am Abend tranken sie ein Bier in der Hotelbar. Der Kellner behandelte die Flasche King Fisher Bier, als sei es kostbarer Champagner.

Als sie durch die Kanäle des Fernsehens seppten, saßen sie plötzlich beide aufrecht im Bett. Ein Telugu-Sender zeigte Bilder von erschossenen Naxaliten. Anand und seine Rebellen lagen aufgereiht, ohne Abdeckung der zum Teil verzerrten Gesichter vor triumphierenden Polizisten. Sogar ein Filmteam war also am Ort des Geschehens gewesen, oder jemand hatte ein Video gedreht. Man setzte hier offensichtlich voll auf Abschreckung. Man sah das Polizeirevier von Ashwaropeta und dann ein Interview mit Subinspektor Mr. Chidambaram. Er hatte seinen Aufstieg konsequent geplant.

16. Januar: Indische Wahrheiten

The Hindu, eine der in Indien am weitesten verbreiteten Zeitungen, wurde am Morgen mit dem angehefteten Frühstückscoupon unter der Tür durchgeschoben. Über die Zerschlagung der Rebellengruppe ‚Befreites Telangana' konnten sie auf Seite drei lesen. Der sachliche Text hob die Verdienste von Kumaris Exbewerber hervor und war ebenfalls mit abschreckenden Fotos dekoriert.

Das Wichtigste fehlte: Der misslungene Anschlagsversuch auf den Chief Minister. Es war also gelungen, die Sache geheim zu halten. Dem CM musste das nur Recht sein, denn er konnte jetzt, kurz vor den Wahlen, keine Propaganda darüber gebrauchen, dass man ihn ermorden wollte.

Die Deutschen, Kumari oder N. David, sie alle wurden mit keinem Wort erwähnt.

Dafür kamen sie auf Seite acht vor, in einer kleinen Notiz, ganz ohne Foto. Sie lautete:

»Kovvur/Ashwaropeta: Die angeblich aus der Haft entflohenen deutschen Touristen (wir berichteten) sind inzwischen in ihr Heimatland zurückgekehrt. Wie der Subinspektor Mr. M. Chidambaram von der Citypolice Ashwaropeta mitteilte, waren sie zu Unrecht verdächtigt worden, sich politisch betätigt zu haben. Zudem stellte sich heraus, dass die angebliche Befreiung oder Flucht aus dem Stadtgefängnis von Kovvur niemals wirklich passiert war. Ein Constabler niederen Ranges hatte einer regionalen Zeitung diese Geschichte erzählt, um sich wichtig zu machen und ein Honorar zu erhalten. Er ist inzwischen vom Dienst suspendiert worden. Die Deutschen hatten das Gefängnis zu dem Zeitpunkt bereits verlassen.«

»Dieser Chidam!« Tobias lachte aus vollem Hals.

»Der hat es wirklich faustdick hinter den Ohren. Wie die das gedreht haben! Man sollte wirklich nicht alles glauben, was in der Zeitung steht!«

»Ob der Wächter, der uns rausgelassen hat, nun wegen Bestechung und Gefangenbefreiung suspendiert wurde? Oder weil er angeblich einer Zeitung eine Ente verkauft hat?«

»Das wird sich vielleicht auf sein Strafmaß auswirken. Suspendiert wurde er wohl so oder so.«

Am frühen Nachmittag kam ein Angehöriger des

Deutschen Konsulates aus Chennai. Er gratulierte den beiden zum erfolgreichen Bestehen ihres Abenteuers. Offenbar hatte er bereits das Protokoll der Polizei gelesen.

»Damit ist die Sache sowohl hier in Indien, als auch für die deutschen Behörden geklärt!« sagte der smarte junge Mann zu ihnen, übergab ihnen die umgebuchten Flugtickets und verließ sie bereits nach einer Stunde.

Noch ein Gratulant meldete sich telefonisch über die Hotelrezeption bei ihnen. Es war ein Vertrauter des Ministerpräsidenten. Er lud sie zum Dinner ins Hotelrestaurant ein. Bis dahin hatten sie noch etwa zwei Stunden Zeit zum Einkaufen. Im Feierabendverkehr wurden daraus indische Zeiteinheiten, also fast drei Stunden. Allein das zweimalige Überqueren einer Hauptverkehrsstraße dauerte schon zehn Minuten. Wären sie hier in Hyderabad geblieben, hätten sie es trainieren können, in den Dörfern und Camps entlang der Godavari mussten sie mit anderen Gefahren umgehen.

Der Abgesandte des Ministers erwartete sie bereits, als sie ins Hotel zurückkamen und die Sicherheitsschleuse passiert hatten. Doch er war keineswegs ärgerlich wegen der Verspätung, sondern voller Verständnis. Ihr Land habe ihnen soviel Ungemach bereitet, sagte er, dass ein paar Minuten Warten kein Vergleich seien. Der Mann überbrachte ihnen eine Einladung vom Chiefminister und gab ihnen eine Visitenkarte mit Staatswappen:

»Wenn Sie noch einmal nach Indien kommen, dann rufen Sie bitte diese Nummer an. Der Chief würde sich sehr freuen, wenn er Sie kennenlernen würde.«

Als sie ihre Koffer packten, duschten und dann ausgestreckt auf den Betten lagen, um sich noch ein wenig Schlaf zu gönnen, meinte Max:

»Findest du das nicht auch reizvoll? Zu Gast beim Chief Minister?!«

»Da kriege ich eher gemischte Gefühle«, antwortete

Tobias und setzte seine kritische Miene auf.

»Ich hätte Angst, seine Gastfreundschaft zum Stellen von unangenehmen Fragen zu missbrauchen.«

»Du meinst die Vertreibung der Adivasi zum Wohle des Fortschritts? Darüber würde ich mit ihm ganz gerne mal streiten. Am liebsten würde ich Kumari dabei haben.«

Max musste schon jetzt ständig an sie denken.

17. Januar: Krishna lebt

Der Flug ging am nächsten Morgen, 4.15 Uhr über Dubai. Irgendwie musste bei der Umbuchung auch der Chiefminister seine Finger im Spiel gehabt haben, denn sie flogen in der Business Klasse. Welch ein Unterschied! Bis Dubai schliefen sie hervorragend.

Im Flieger nach Hamburg unterhielten sie sich über die Tage im Stammesgebiet. Auch ohne das schlimme Abenteuer ihrer Entführung wären diese Tage zum Höhepunkt ihrer Reise geworden, hatten sie doch nie solche Nähe zu fremden Menschen und einer derart anderen Kultur erlebt und niemals solche Gastfreundschaft und Hilfe erfahren.:

»Für mich sind vor allem die Tänze in... wie hieß das Dorf im Dschungel noch?« Max und sein Namensgedächtnis!

»Gondikottagudem!« erinnerte sich Tobias.

Er würde diesen Ortsnamen niemals vergessen, da auch mit ihm gerade dort viel passiert war.

»Genau, also die Tänze mit den jungen Leuten in jener Nacht, sie sind für mich zum Schlüssel für alles andere geworden. Wir waren plötzlich Teil des Ganzen. Und genauso komme ich mir vor. Das, was wir hier erlebt haben, geht uns unbedingt etwas an!«

Tobias nickte.

»Du hattest also doch Recht. Indien hat uns verändert. Wir werden sehen, wie nachhaltig das sein wird.«

Nicht einordnen konnten sie die Sache mit den Christen. Vor allem Max war von ihnen irritiert worden.

»Allein sie wären es wert, diese Gegend noch einmal aufzusuchen. Irgendwie umgibt diese Leute ein Geheimnis, von dem ich gerne mehr erfahren würde. Vielleicht sollten wir Kontakt mit den deutschen Partnern der Shepard Kirche aufnehmen. Die werden uns sicher manche Hintergründe erklären können.«

Tobias wusste, dass Max vor allem einen Grund hatte, schon jetzt von seiner nächsten Indienreise zu sprechen, einen bildhübschen. Er dagegen war sich nicht so sicher.

»Ich weiß nicht«, sagte er, »so spannend und extrem eindrücklich es war – wir haben auch ein ganz unverschämtes Glück gehabt!«

Neben ihnen saß ein Inder. Obwohl sie deutsch sprachen, schaute er gelegentlich herüber. Der Mann war gut gekleidet und trug über einem makellos weißen Hemd eine karierte Seidenkrawatte in grellem Rot. Er las in einem wissenschaftlichen Magazin.

»Excuse me«, sagte der Fremde, als die zwei Freunde für einen Moment schwiegen.

»Ich verstehe Ihre Sprache nicht. Aber haben Sie da eben von Indien gesprochen?«

Ermuntert durch Tobias Nicken, sprach er gleich weiter.

»Ich habe ‚Godavari' verstanden. Das ist einer der längsten Flüsse meiner Heimat.«

Max und Tobias sahen sich an. Nicht schon wieder!

»Kein Problem«, antwortete Max dem Fremden.

»Ja, wir waren in Indien.«

»Ich reise von Hamburg ein paar Tage später weiter nach London und von dort nach Bristol.«

Wieder schauten sich Max und Tobias an, Schlimmes ahnend. Dann erzählte der indische Nachbar, dass er

Professor an einem College sei und wegen partnerschaftlicher Verhandlungen mit einer Fachhochschule in Deutschland und zwei Colleges in England nach Europa käme.

Die drei kamen ins Gespräch. Sie diskutierten über die verschiedenen Bildungssysteme. Es war ein interessantes Gespräch und die Zeit auf dem über sechs Stunden langen Flug verging schnell. Als der Flieger zur Landung ansetzte, zückte der Mann seine Visitenkarten, reichte je eine den beiden Freunden und stellte sich vor:

»Ich heiße Rama Rao.«

Die Freunde grinsten sich wissend und gleichzeitig erleichtert an. Da fehlte zum Glück ein zentrales Mittelstück.

»Und wenn Sie mal wieder nach Indien kommen«, sagte Rama Rao, »dann müssen Sie mich unbedingt besuchen! Auch ich wohne an einem wunderschönen Fluss. Er liegt etwas weiter südlich der Godavari.«

Tobias und Max hielten erneut die Luft an.

»Und wie heißt dieser Fluss?« fragte Tobias vorsichtig.

»Er heißt ‚Krishna'!«

Die beiden prusteten lauthals los.

»Das merken wir uns bestimmt. Versprochen!«

Noch als sie das Flugzeug verließen und die kalte, frische Winterluft Hamburgs einatmeten, mussten sie lachen. Rama Rao hatte ohne es zu ahnen doch noch gefunden, was ihm fehlte. Der Professor sah die zwei Freunde irritiert an. Er schien nicht zu wissen, ob er gerade beleidigt worden war, oder ob er lieber mitlachen sollte.

*

Der Ausblick war wirklich grandios. Er schob die hellen Vorhänge ein wenig zur Seite, damit er den Fluss von seinem Schreibtisch aus sehen konnte. Zwei Launches tuckerten gen Nordwesten.

»Sie haben offenbar eine richtige Marktlücke gefunden! Tourismus auf der Godavari, solange sie noch fließt!« Er wusste nicht, ob er das nur gedacht, oder es vor sich hin gesagt hatte.

Er sprach ins Mikrophon der Hausanlage. Kurz darauf öffnete sich die Tür und ein junger, gut gekleideter Mann schaute herein. Er trug eine große Brille und ein noch größeres Lächeln im Gesicht.

»Babu, was macht meine Akte?«

»Chef, hier ist sie. Ich bin alles wieder und wieder durchgegangen. Wir müssen etwas übersehen haben.«

»Wir haben so viele Lücken, dass ich von ‚etwas' nicht sprechen würde.«

Chidambaram wirkte resigniert. Ja, er hatte Karriere gemacht. Ja, er hatte die Planstelle in Rajamundhri bekommen, sogar noch bevor er sein Büro in Ashwaropeta umdekorieren konnte. Die Stelle war allerdings durch einen traurigen Umstand frei geworden. Jener Kollege, mit dem er im Fall des Ausbruchs von Kovvur zusammengearbeitet hatte, war bei einem Einsatz gegen Naxaliten ums Leben gekommen. Seit einem knappen Jahr war nun er an dessen Stelle Chiefinspektor der Polizei von Rajamundhri, mit besonderem Auftrag der Terrorbekämpfung in der Region. Und das hieß, Naxaliten. Ja, er hatte erreicht, was er wollte. Bis auf Eines. Aber da gab es noch zu viele Lücken.

»Vielleicht gibt es doch wieder eine Spur.«

Er hatte seinen Sekretär überreden können, mit nach Rajamundhri zu kommen. Babu war für ihn unentbehrlich. Und wenn Babu sagte, es gebe eine Spur, dann gab es eine.

»Es ist vorhin ein Fax aus New Delhi gekommen."

»Lies es mir vor, bitte.«

»Sie schreiben etwas von Geldern aus England, von großen illegalen Summen, die möglicherweise für die Finanzierung von terroristischen Aktivitäten gedacht sind.«

»Das hatten wir schon mal...« Chidambaram dachte das Gleiche wie sein Assistent. Aber deshalb von ‚Spur' zu sprechen?

»Es kommen ein paar Fakten hinzu, die es für uns besonders interessant machen.«

Babu schaute auf die Kopien vor sich.

»Da werden zwei Orte genannt. Bristol und Warangal. Ist doch merkwürdig – oder?«

Chidambaram war nun ebenfalls ganz da. Wirklich, es konnte eine Spur sein! Endlich kamen sie weiter! Über ein Jahr hatte er nach Hinweisen gesucht. Nun konnte es vielleicht etwas geben.

»Rama Krishna Rao, vielleicht lernen wir uns doch noch eines Tages persönlich kennen!«

Er murmelte es vor sich hin.

»Genau der!«

Babu wusste wieder mehr als man ihm ansah. Und grinste breit, als er seinen Chef auf eine Spur setzte, der dieser folgen würde, bis das Wild erlegt war.

»Wieder war es die Andhra Bank in Warangal, auf der das Geld gelandet ist und wo es in bar abgehoben wurde, letzte Woche. Und wieder hat es ein Krishna abgeholt, diesmal ein Krishna Saibaba Raj. Und wieder hat sich der Name als Pseudonym herausgestellt und sich danach in Luft aufgelöst.«

»Dann geht es also weiter.«

Chidambaram sah über den Fluss. Der zog langsam dahin. Der war ewig und hatte keine Probleme. Oder doch? Ob hier noch genug Wasser ankommen würde, wenn die Godavari bei Polavaram aufgestaut wird? Er teilte die Sorge vieler Menschen in der Region.

Das Telefon auf seinem Schreibtisch klingelte. Er nahm ab und meldete sich.

»Polizei Rajamundhri, Inspektor Chidambaram!«

»Nicht so bescheiden, Chidam. Chiefinspektor!«

Eine Frauenstimme auf der anderen Seite lachte, eine Stimme, die sein Herz schneller schlagen lies. Eine Stimme, die ihn an seinen größten Fehler erinnerte. Eine Stimme, die er leider viel zu selten hörte.

»Ich bin auf einen kurzen Besuch in der Stadt. Vielleicht können wir uns ja treffen.«

Der Inspektor wagte nicht zu fragen, ob sie seinetwillen anrief - oder weil sie dank ihrer Verbindungen in gewisse Kreise etwas wusste, was seine Ermittlungen weiterbringen würde.

Am besten Beides.

***

Glossar

Adivasi	Ureinwohner Indiens (in Indien auch ‚Tribals' genannt)
Arukuru	Kleines Dorf im Stammesgebiet, Hochburg der CPI (Maoisten)
Ashwaropeta	Marktflecken mit Busstation
Bhadra-chalam	Tempelstadt und Marktzentrum
Chennai	Ehemals Madras, Hauptstadt des südindischen Bundesstaates Tamil Nadu
Dörfer	Kunavaram, Rudramakota, Kukunuru, Gondikottagudem, Gullavai, Yelerupadu, Yedavalli, Koyda, Nandipadu, Narayanapuram, Vinnayakapuram, Kothuru, Rallapudi, Kovvur
Dothi	traditionelles weißes indisches Männer-Beinkleid
Doshai	gebackener Fladen, mit Zwiebeln oder Kartoffelgemüse (Masala) gefüllt, Frühstück
Godavari	mit 1.465 km Länge einer der längsten Flüsse Indiens (»die«, weil alle indischen Flüsse weibliche Namen haben)
Gonda Reddi	Adivasi-Stamm
Hyderabad	Hauptstadt des südindischen Bundesstaates Andhra Pradesh
Kalaschnikow	Russisches Sturmgewehr seit 1947, mit 600 Schuss, Fachbezeichnung: AK47
Karom	Indisches Brettspiel
Koya	Adivasi-Stamm
Kovvur	Kleinstadt Nähe Rajamundhri
Krishna	Hirtenjunge, Gottheit, Fluss und Allerweltsname
Lunghi	Von Männern beliebtes Kleidungsstück für den Feierabend. Ein Tuch um die Hüften.
Mandal	Verwaltungs-Bezirk, Landkreis

Mahalla-puram	Touristenmagnet südlich Chennai (auch Mahaballipuram), Weltkulturerbe
Naxaliten	Maoistisch orientierte Extremisten und Widerstandsgruppen; seit Ende der 60er aktiv; Nähe zu Kommunistischer Partei Indiens CPI (ML)
Patwagu	aufgestauter Nebenfluss der Godavari
Perentapalli	Hinduistisch-synkretistischer Tempel an der Godavari.
Polavaram	Stadt am Unterlauf der Godavari. Hier ist der Indira Saga–Staudamm geplant, durch den 272 Dörfer umsiedeln müssen.
Pongal	tamilisches Erntedankfest 13.15. Januar, in ganz Indien verbreitet.
Punjabi	Kleid mit Hose und Schal, Bekleidung unverheirateter Mädchen
Rajamudhri	Stadt mit Flughafen vor dem Delta der Godavari
Rama	Gottheit. Sohn Shivas. Hochzeit mit Sita in Bhadrachalam
Sabari	Nebenfluss der Godavari, ebenfalls vom Stausee betroffen
Sari	farbintensives, aus einer sieben Meter langen Stoffbahn bestehendes Kleid indischer Frauen.
Tribals	Stammesmitglieder

So wie die Orte und Landschaften, so existieren auch manche der im Roman genannten Personen wirklich. Allerdings hat der Autor ihre Namen verändert oder angepasst.

Hauptpersonen

Maximilian Hoyer
Suchender Single mit Humor, Geduld und ziemlich viel Glück.

Tobias Grunert
Verheiratet, gut vorbereitet, strukturiert. Und immer wieder hilflos.

Kumari
Umwerfende Koya-Schönheit, ohne die nichts gelaufen wäre.

Rama Krishna Rao
Ein überaus gebildeter Terrorist.

M. Chidambaram, Chidam
Polizeichef, tauscht Liebe gegen Karriere

Wer sonst noch vorkommt

Anand
Bartträger mit Kalaschnikow und ohne Humor.

Geiernase, bartloser Jüngling
Spielt gerne mit Gewehren, reibt die Farbe von der Haut.

N. David
Kirchenchef mit Mobiltelefon und guten Beziehungen.

Saresh
weiß mehr über Tempel als er zunächst zugibt.

Mr. Satyam Rao und ein Wachmann
Sind tot. Erschossen und erstochen.

Sandra, Ramesh, Pushpa, Babu (2x), Raja, Ramadevu, Mariama, Mark, K. David, Srinu, Saiba, Devu, K. Kumari
Sie sind den Engeln gleich: Sie tauchen auf, helfen und verschwinden wieder.

Wie es weitergeht...

Der Roman »Mit dem Hahnenschrei« erzählt von Entstehung, Aufstieg, Krise und Wiedergeburt der jungen christlichen Kirche im Stammesgebiet. Der Roman wurde für Freundinnen und Freunde indischer Stammeskultur, weltweiter Kirche und spannender Reiseromane geschrieben.
In Planung ist ein Roman über die Auseinandersetzungen zwischen militanten Hindus und Christen. Max, Tobias, Kumari und viele andere Figuren aus diesem Roman werden darin erneut aktiv.

Hermann Brünjes, der Autor

Hermann Brünjes, geb. 1951, ist Mitarbeiter der Landeskirche Hannovers. Er arbeitet als Prediger und Coach im Reisedienst und in einem Tagungshaus in der Lüneburger Heide. Er ist verheiratet, hat zwei eigene und vier angeheiratete Kinder, ist begeisterter Leser von Kriminalromanen und Geschichten aus fremden Ländern und Kulturen.

Seit fast dreißig Jahren begleitet der Autor, zusammen mit anderen, eine Partnerkirche in Südindien. Dieser Roman ist weitgehend an den im Buch beschriebenen Schauplätzen entstanden. Der Autor hat ihn teilweise vor Ort geschrieben und Stimmungen, Bilder und Details eingefangen. Indien hautnah, könnte man sagen.

Was wirklich geschieht

Die touristischen Attraktionen, Dörfer und Landschaften, die Bedrohung von 272 Dörfern durch das Polavaram-Projekt, der Streit um Telangana, die Situation der Adivasi, die Terrorgefahr durch Naxaliten, die politischen Auseinandersetzungen, die Evangelisch Lutherische Kirche in der Region – all das geschieht wirklich. Nur die meisten Namen sind verändert worden. Informieren Sie sich auf der Indien-Seite folgender Homepage:
www.fmd-online.de

Nachtrag im Oktober 2011:

Am 3.9.2009 ist der Ministerpräsident von Andhra Pradesh Mr. Y.S. Rajasekhara Reddy durch den Absturz seines Hubschraubers über unwegsamem Gebiet zusammen mit vier anderen Insassen ums Leben gekommen. Ursache des Absturzes soll Schlamperei bei der Wartung der Militärmaschine gewesen sein. Viele Freunde des beliebten Politikers vermuten allerdings, dass mehr dahinter steckt.

Ende Dezember 2010 beschloss das Parlament in Neu Delhi, die Staatengründung von ‚Telangana' ernsthaft zu prüfen. Eine Kommission hat dazu einen Katalog von Fragen entworfen, deren Umsetzung nun geprüft wird. Ausgelöst wurde diese neue Entwicklung durch massive Demonstrationen, zunächst an der Universität Hyderabad, dann im gesamten Land. Auch in Bhadrachalam gab es gewaltsame Demonstrationen für Telangana.

Selbst Abgeordnete der regierenden Congress-Partei setzen sich inzwischen für Telangana ein und spalten so ihre Partei. Zwar ist der Ausgang noch offen, tendenziell scheint es aber in Richtung Staatengründung zu gehen. Sollte es dazu tatsächlich kommen, würde der Standamm in dieser Form nicht gebaut.

Landkarten

Chhattisgarh
Surat
Maharastra
Mumbai
Pune
Orissa
Stammes-
gebiet
Hyderabad
Andhra
Pradesh
Goa
Karnataka
Bengaluru
Chennai
Mahabalipuram
Tamil Nadu
Kerala
Sri Lanka
Colombo
Laccadive
Sea
Süd- und
Zentral-
INDIEN

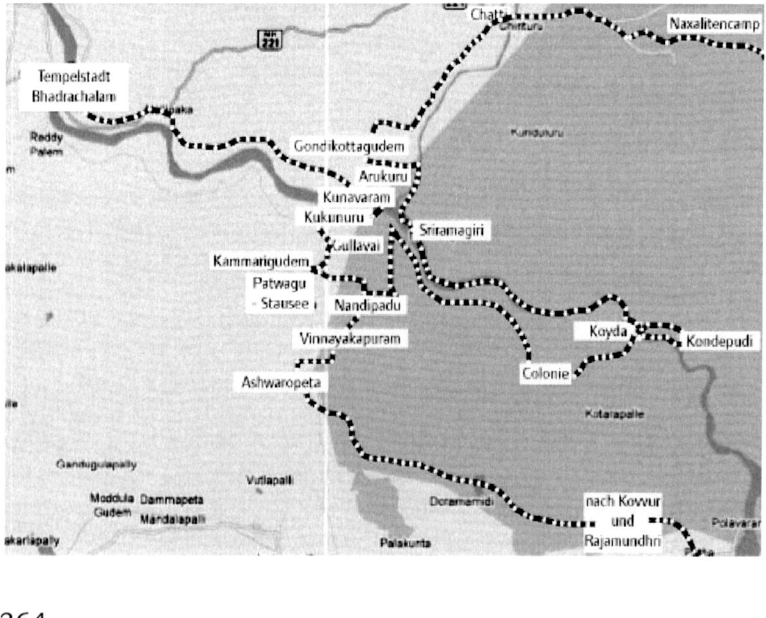
Chatti
Naxalitencamp
Tempelstadt
Bhadrachalam
Gondikottagudem
Arukuru
Kunavaram
Kukunuru
Sriramagiri
Gullavai
Kammarigudem
Patwagu
- Stausee
Nandipadu
Koyda
Kondepudi
Vinnayakapuram
Colonie
Ashwaropeta
nach Kovvur
und
Rajamundhri